Blood Hollow

du même auteur
au **cherche midi**

Aurora, Minnesota, 2011.

William Kent Krueger

Blood Hollow

TRADUIT DE L'ANGLAIS (ÉTATS-UNIS)
PAR **SOPHIE ASLANIDES**

COLLECTION **THRILLERS**

cherche
midi

Direction éditoriale : Arnaud Hofmarcher

Titre original : *Blood Hollow*

23, rue du Cherche-Midi
75006 Paris
Vous pouvez consulter notre catalogue général
et l'annonce de nos prochaines parutions sur notre site :
www.cherche-midi.com

JANVIER

1

Le mois de janvier était comme d'habitude, aussi glacé que l'intérieur d'un congélateur à viande, et cela faisait presque deux jours que la fille avait disparu. Il était impossible pour Corcoran O'Connor de ne pas tenir compte du premier élément. Et il s'efforçait de ne pas penser au second.

Il avait de la neige jusqu'aux fesses, et une couche de plus de cinquante centimètres de poudreuse d'une blancheur éblouissante étincelait dans le soleil de l'après-midi. Il ôta son masque aux verres teintés et leva les yeux vers le ciel – une voûte bleue posée sur de hautes parois de pins verts. Il se trouvait sur une crête qui dominait un petit ovale de glace appelé Needle Lake, à huit kilomètres de la route déneigée la plus proche. En dehors des traces laissées par sa motoneige, il n'y avait pas le moindre signe de vie humaine. Un paysage déchiqueté s'étendait devant lui – une corniche en surplomb, un rivage dentelé, un pic de granit nu qui émergeait de la glace et donnait son nom au lac – mais la récente chute de neige en avait adouci les contours. Au cours de son existence, Cork avait vu presque cinquante hivers s'installer et repartir. Parfois la neige se déposait doucement, d'autres fois elle tombait avec colère. Elle modifiait toujours l'apparence de tout ce qu'elle touchait. Cork ne pouvait s'empêcher de penser que, de ce point de vue, la neige était un peu comme la mort. Sauf que la mort, lorsqu'elle changeait quelque chose, c'était pour toujours.

Il enleva ses mitaines en cuir de daim doublé de polaire. Assis sur la selle de la Polaris que le service de recherche et sauvetage lui avait fournie, il se retourna pour sortir la radio rangée dans un compartiment derrière le siège. À travers le trou prévu dans son passe-montagne, les mots qu'il prononça rebondirent contre l'appareil, formant des volutes de buée blanche.

« Allô la base, ici unité trois. Terminé.

– Ici la base. À vous, Cork.

– Je suis à Needle Lake. Aucune trace d'elle. Je vais monter jusqu'à Hat Lake. Comme ça, on aura bouclé ce secteur.

– Entendu. Avez-vous vu Bledsoe ?

– Négatif.

– Il a fini son inspection de la piste de North Arm et il a parlé de venir vous donner un coup de main. Il faut aussi que vous sachiez que la météo nationale a émis un bulletin d'alerte de niveau maximal. Un blizzard arrive droit sur nous. Le shérif envisage de faire rentrer tout le monde. »

Cork O'Connor avait passé une grande partie de sa vie dans les Northwoods du Minnesota. Bien qu'à ce moment précis il n'y eût qu'un banc de nuages noirs en train de se former à l'horizon côté ouest, il savait qu'en moins d'une minute le temps pouvait tourner.

« 10-4, Patsy. Je garde le contact. Unité trois, terminé. »

Il était dehors depuis les premières heures du jour, et, malgré ses gants en cuir, ses chaussures Sorel et ses grosses chaussettes, sa combinaison matelassée spéciale moto-neige, sa parka en duvet et son passe-montagne, il était glacé jusqu'aux os. Il remit la radio en place, sortit une Thermos rangée sous la selle et se versa une tasse de café.

Le breuvage était tiède, mais la sensation dans sa gorge fut très agréable. Pendant qu'il buvait, il entendit le bruit d'un autre engin passer entre les pins à sa droite. Moins d'une minute plus tard, une motoneige apparut entre les arbres et bondit sur la piste où était arrêtée celle de Cork. Oliver Bledsoe avança puis coupa le moteur. Il descendit et ôta son passe-montagne.

«Je t'ai entendu parler avec Patsy par radio, dit Bledsoe. Je savais que je te trouverais ici.» Son regard s'attarda sur le café de Cork. «Il t'en reste ?

– Quelques gorgées», répondit Cork. Il versa le fond de la Thermos dans la tasse et la tendit à Bledsoe. «Tiens, termine.

– Merci.»

Bledsoe était un Ojibwe d'Iron Lake pur sang. Il était grand, carré, il avait tout juste cinquante ans, et au milieu de son large visage franc pétillaient des yeux en amande chaleureux. Bien qu'il soit devenu avocat, à la tête du bureau des affaires juridiques pour le conseil de la tribu, il avait été bûcheron dans sa jeunesse et il connaissait très bien le coin. Cork était content qu'il soit là.

Bledsoe ôta ses gants et serra la tasse chaude entre ses mains. Il ferma les yeux pour savourer le café qui descendait dans sa gorge.

«Quelque chose ? demanda-t-il.

– Rien, répondit Cork.

– Beaucoup de terrain à couvrir.»

Bledsoe rendit la tasse à Cork et jeta un coup d'œil vers le nord, où les grands espaces sauvages s'étendaient jusqu'au Canada.

«Quel dommage. Une gentille fille comme elle. Qu'il lui arrive une chose comme ça.» Il farfouilla sous sa parka et dénicha un paquet de Chesterfield et un briquet Zippo.

Il offrit une cigarette à Cork, qui refusa. Il en alluma une, et laissa échapper une grande bouffée de fumée blanche et un souffle humide. Il remit ses gants et sa cigarette resta coincée au coin de sa bouche. D'un mouvement du menton, il désigna le ciel côté ouest et dit :

« T'as entendu ce qui arrive ? Si par hasard on doutait encore du fait que cette fille a la poisse... »

Cork entendit couiner la radio et la saisit.

« À toutes les unités, ici la base. C'est officiel. Nous voici avec un blizzard à nos portes. Et pas une version soft, on dirait. Rentrez. Le shérif dit qu'il est exclu que quelqu'un d'autre se perde dans la tourmente. »

Cork entendit les autres unités, l'une après l'autre, répondre par l'affirmative.

« Unité trois. Unité quatre. Bien reçu ?

– Ici unité trois. Bledsoe est avec moi. Bien reçu, Patsy. Mais je n'ai pas encore été à Hat Lake. Je voudrais y jeter un coup d'œil avant de rentrer.

– Négatif, Cork. Le shérif vous ordonne de faire demi-tour. Maintenant. Il fait rentrer les chiens et les hélicos aussi. La météo dit que c'est le genre de blizzard avec lequel faut pas jouer.

– Est-ce que Wally est là ?

– Il ne dira pas autre chose.

– Passe-le-moi. »

Cork attendit.

« Ici Schanno. Y a intérêt à ce que ça vaille le coup. »

Cork le voyait comme s'il l'avait en face de lui, le shérif Wally Schanno. L'air sombre, préoccupé. Avec une fille disparue, une méchante tempête de neige et un ex-shérif récalcitrant sur les bras.

« Je suis tout à côté de Hat Lake, Wally. Je vais y faire un saut avant de rentrer.

– Ça m'étonnerait. Est-ce que tu as bien regardé ce qui arrive derrière toi ? »

Un rapide coup d'œil vers l'ouest, vers le banc de nuages qui approchait dangereusement au-dessus des cimes des arbres ; Cork sut que le temps était compté.

« Ce serait dommage d'être venu jusqu'ici et de ne pas faire ce dernier kilomètre.

– Amenez-vous, toi et ta moto. C'est un ordre.

– Et qu'est-ce que tu vas faire ? Me licencier ? Je suis volontaire.

– Si tu veux rester dans l'équipe de recherche et sauvetage, tu rentres, et tout de suite. Tu m'entends, unité trois ?

– Cinq sur cinq, shérif.

– Bien. Je t'attends dans quelques minutes. Terminé. »

Schanno avait la voix d'un homme las jusqu'au plus profond de son âme. Cork savait que le shérif avait juste posé la radio pour se retrouver face à la famille de la jeune fille disparue et leur annoncer que les chances de la retrouver vivante s'étaient significativement réduites. Pour Cork, le fait d'être là, dehors, dans le froid et la neige, avec un blizzard sur les talons, était infiniment préférable à ce que le shérif Wally Schanno devait gérer. Une fois encore, il était terriblement content que l'étoile qu'il avait portée autrefois soit maintenant accrochée à la poitrine d'un autre.

« On dirait qu'on arrête là, dit Oliver Bledsoe.

– Je vais pousser jusqu'à Hat Lake.

– Tu as entendu le shérif.

– Il faut que je sache, Ollie. »

Bledsoe hocha la tête.

« Tu veux un coup de main ?

– Non. Toi, rentre à la base. Je te rejoindrai dans moins d'une demi-heure.

– Schanno va t'étriper vivant.

– J'en prends le risque. »

Cork grimpa sur sa motoneige, fit rugir l'engin et s'éloigna vers l'est dans une grande gerbe de poudreuse étincelante.

Il détestait les motoneiges. Il détestait leur bruit : elles profanaient le silence des forêts épaisses, qui étaient pour lui d'une beauté si profonde qu'elle lui semblait sacrée. Il détestait les gens que ces engins amenaient ici, des gens qui considéraient les bois comme un parc d'attractions, une distraction de plus dans leur lutte sans fin contre l'ennui. Il détestait la facilité avec laquelle ces machines ouvraient l'accès à ces espaces sauvages qui pouvaient engloutir les ignorants et les imprudents sans laisser de trace. Le seul intérêt qu'il voyait aux motoneiges était qu'elles lui permettaient, dans une situation comme celle-ci, de couvrir rapidement de grandes distances.

Le temps qu'il atteigne Hat Lake, le mur de nuages noirs dans son dos avait englouti le ciel du nord au sud, d'un horizon à l'autre, masquant totalement le soleil de cette fin d'après-midi. Cork en eut des frissons qui ne devaient rien à la température. Il ne trouva pas la moindre trace d'un autre véhicule sur la piste qui faisait le tour du lac. Exactement ce qu'il avait soupçonné, mais il voulait s'en assurer. Le vent lui gifla le dos. Il regarda les fantômes de neige s'élever en tourbillons et traverser le lac gelé comme des ballerines. À l'exception de la neige qui dansait et des arbres qui ployaient sous les rafales puissantes du vent, rien ne bougeait. Pas la moindre étincelle de vie sur toute l'étendue glacée de ce pays.

2

Il ne réussit pas à prendre le blizzard de vitesse. La piste montait progressivement jusqu'au sommet d'une crête qui suivait en gros le Laurentian Divide, la limite nord de l'État du Minnesota, qui déterminait la direction des ruisseaux et des rivières ; les uns coulaient vers le nord, vers la baie d'Hudson, les autres, vers le sud, en direction des eaux du Mississippi. Lorsque Cork atteignit enfin la corniche, il se trouva nez à nez avec la tempête et prit les rafales de face. La machine qu'il avait enfourchée tremblait sous lui comme un poney apeuré, et il fonça dans la blancheur aveuglante, sans avoir une visibilité de plus d'un mètre.

Il suivit la piste en prenant pour repères les arbres qui la bordaient. La plupart du temps, il avançait vers l'ouest, luttant contre le vent de face. Chaque fois qu'il était conduit vers le nord ou vers le sud, les arbres lui procuraient un peu d'abri et lui permettaient de souffler. Vêtu pour le froid le plus mordant, il pouvait, s'il le fallait, se mettre en boule et laisser passer la tempête. Cela ne serait pas agréable, mais ce serait possible. Il connaissait le coin, s'il se sentait sérieusement en danger, il savait qu'il pouvait facilement communiquer sa position par radio et un engin chenillé serait probablement envoyé. Il comprit qu'il avait plus de chance que la jeune fille disparue.

Enfin, il parvint à une immense zone découverte, où les flocons de neige tourbillonnaient en bourrasques aveuglantes sur la surface gelée de Fisheye Lake. La piste faisait le tour du lac, mais les motoneiges coupaient souvent tout droit plutôt que de suivre la courbe du rivage. Cork savait que s'il procédait ainsi, il gagnerait vingt bonnes minutes, ce qui, à ce moment précis, était considérable. Il regarda sa boussole, prit ses repères, fit vrombir son moteur, et partit.

Sur la surface gelée du lac, un mur laiteux engloutit le reste du monde. Il n'y avait plus ni haut ni bas, ni gauche ni droite, ni devant ni derrière ; il ne restait qu'une brillance infernale, corrosive, qui explosait tout autour de lui. Il serra la boussole dans sa main et maintint le nez de son scooter dans la direction du repère qu'il avait choisi. D'ici quelques minutes, il atteindrait l'autre rive et l'abri relatif fourni par les arbres.

Il n'avait pas compté sur le fait qu'il *verrait* la jeune fille disparue.

Il projeta son engin brusquement sur la gauche. La motoneige se coucha. Il lâcha le guidon, décolla de la Polaris. La glace était dure comme du béton et sa chute ébranla son corps tout entier. Il roula plusieurs fois sur lui-même avant de s'immobiliser sur le dos, les yeux vers le ciel (était-ce bien le ciel ?), dans le jour blanc. Pendant un moment, il resta parfaitement immobile, le temps de mettre de l'ordre dans ce qu'il avait perçu sans que son esprit n'ait eu le temps de l'organiser, puis il se remit péniblement debout.

Avait-il véritablement vu la jeune fille apparaître devant lui ? Quelque chose s'était trouvé là, guère plus qu'un spectre gris à peine visible derrière le rideau de neige.

« Charlotte ! » Il cria dans le vent, qui engloutit ses paroles. « Charlotte ! »

Il se tourna, puis se retourna à nouveau. Il fit quelques pas en avant. Ou était-ce en arrière ? La boussole avait volé lorsqu'il était tombé de la motoneige, et il n'avait plus le moindre repère.

« Charlotte Kane ! » cria-t-il à nouveau.

Peu importait la direction vers laquelle il se tournait, le vent lui hurlait à la figure. Il souleva ses lunettes. Les flocons, tels des milliers d'aiguilles acérées, lui attaquèrent les globes oculaires, et il eut l'impression que des doigts crochus fouissaient ses orbites. Il serra fortement ses paupières et essaya à nouveau de se rappeler exactement ce qu'il avait vu à l'instant qui avait précédé sa chute.

Quelque chose avait surgi juste devant lui, une vague forme grise, rien de plus. Pourquoi avait-il pensé que c'était la jeune fille ? Il s'était rendu compte que si c'était Charlotte Kane, il n'avait pas eu assez de temps pour braquer avant de la heurter, et pourtant il n'avait pas senti le moindre impact. Est-ce que le blizzard lui avait seulement joué un très mauvais tour ?

Il n'avait pas la moindre idée de l'endroit où se trouvait la Polaris et, devenu presque aveugle dans le blanc environnant, il commença à chercher à tâtons autour de lui.

Il arrivait exactement ce que Schanno avait redouté, perdre un membre de son équipe de recherche. Cork, dans son arrogance, et croyant qu'il pourrait encore trouver la jeune fille disparue, n'avait fait qu'aggraver la situation. À moins d'être capable de repérer sa motoneige ou la radio, les gars de recherche et sauvetage n'auraient pas la moindre idée de l'endroit où il se trouvait, ne sauraient pas qu'il s'était fichu en l'air, qu'il était tombé sur la glace de Fisheye Lake et qu'il s'était perdu dans le grand blanc. Il était sur le point de devenir un fardeau supplémentaire pour les autres membres des équipes de recherche.

Il essaya de ne pas s'affoler et se dit qu'il pouvait attendre que le blizzard passe. Mais c'était une supposition, pas une certitude. Pour autant qu'il sache, le blizzard pouvait durer une semaine. Où serait-il dans une semaine ?

Il venait de repositionner ses lunettes lorsqu'il le vit à nouveau, du coin de l'œil, au contour gris évanescent sur fond de blanc.

« Charlotte ! » Il partit en trébuchant dans cette direction.

Il fit une douzaine de pas à l'aveuglette, puis aperçut le fantôme, à gauche cette fois, il se tourna et son tibia heurta la motoneige, qui était debout, à moitié enfoncée dans une congère qui grandissait à vue d'œil tandis que Cork restait là, émerveillé et reconnaissant.

La boussole était suspendue à la poignée. Cork opéra un trois cent soixante, balaya une dernière fois le petit cercle que ses yeux pouvaient percevoir. Il prit ses repères, démarra son engin d'un coup de kick et partit se mettre à l'abri.

Il lui fallut encore une heure pour atteindre la route tracée vers Valhalla, sur Black Bear Lake.

Valhalla était la retraite des Northwoods du Dr Fletcher Kane, un veuf, et sa sœur, Glory. La structure principale était une sorte de chalet, deux étages, cinq chambres, trois salles de bain, quelques cheminées en pierre et cinquante-cinq fenêtres. Si on faisait la somme, on obtenait une propriété d'une valeur de plus d'un million de dollars située au bout d'une route en lacets à une trentaine de kilomètres d'Aurora, Minnesota, la ville la plus proche, et dans une étendue boisée, à peu près aussi loin que possible d'un quelconque voisin. En plus de la demeure, une petite maison d'invités avait été construite à une centaine de mètres en descendant vers le sud, au bord de Black Bear Lake. C'était là que Wally Schanno avait établi le quartier général de l'opération de recherche et de sauvetage. Depuis qu'il était parti ce matin, Cork était revenu une fois, vers midi, pour faire le plein et prendre un sandwich rapide. À ce moment-là, la maison bourdonnait d'activité. Cette fois-ci, lorsqu'il gara son scooter, l'endroit semblait mort. Une douzaine d'autres motoneiges étaient garées au pied des arbres. Les remorques qui avaient amené les engins étaient vides, décrochées, les attaches enfoncées dans la neige ; les camions et les 4 × 4 qui les avaient tractées étaient partis. Seules restaient la vieille Bronco rouge de Cork et une Land Cruiser du département du shérif du comté de Tamarack.

Les bourrasques de neige rendaient la visibilité quasi nulle. Malgré tout, Cork parvint à distinguer la grande bâtisse et, dans l'encadrement d'une fenêtre éclairée, une grande silhouette solitaire, tournée vers le lac gelé.

Une chaleur merveilleuse enveloppa Cork à la seconde où il mit le pied dans la maison d'invités. Il ôta la capuche de sa parka et enleva son passe-montagne. Toute la journée, il avait eu froid, mais ce fut seulement lorsqu'il pénétra dans la chaleur, qui provoqua des picotements sur sa peau glacée, qu'il se permit d'admettre à quel point il avait souffert. Et à quel point il avait faim. Mêlée à la chaleur lui parvint une bonne odeur de ragoût.

Rose McKenzie, la belle-sœur de Cork, était la seule autre personne présente dans la pièce. C'était une femme au physique ordinaire, enveloppée, le plus grand cœur que Cork ait jamais rencontré. Elle vivait avec les O'Connor depuis plus de quinze ans ; elle était venue les aider à s'occuper des enfants, et elle était devenue une partie intégrante, fort aimée, de leur vie. Lorsqu'elle avait entendu parler des recherches qui allaient être entreprises, elle avait proposé son concours, sous une forme ou sous une autre. Et comme elle avait la réputation d'être une cuisinière hors pair, sa contribution avait été définie d'emblée.

Elle se détourna du fourneau.

« Dieu soit loué. Je m'inquiétais. Tu es le dernier à rentrer. »

Cork accrocha sa parka sur une patère à côté de la porte. Le plancher ciré de la maison était souillé de dizaines de traces laissées par des chaussures mouillées.

« Et les autres ?

– Ils sont partis il y a quelques minutes, dans le sillage du chasse-neige de Freddie Baker. Il faut que tu partes bientôt, toi aussi, avant que la route ne devienne impraticable.

– Je ne partirai pas avant d'avoir goûté de ce ragoût.

– C'est pour ça que je l'ai gardé sur le feu. »

Le retour au chaud affecta Cork comme d'habitude. Il alla aux toilettes, où il se soulagea pendant plus d'une minute. Lorsqu'il revint, il trouva un grand bol plein, une serviette et une cuillère, préparés par Rose.

« Est-ce que je peux t'apporter quelque chose à boire ?

– Le ragoût tout seul, c'est parfait, Rose. »

Il se pencha sur son bol. La vapeur, fleurant bon le bœuf, les carottes, les oignons, le persil et le poivre, lui monta au visage. Cork se dit que le paradis devait sentir au moins aussi bon.

« Où est Wally ? Là-haut, à la grande maison ? » demanda-t-il.

Rose alla jusqu'à l'évier et se mit à laver ce qui restait de vaisselle, en attendant celle dont se servait Cork.

« Oui, dit-elle.

– Comment vont Fletcher et Glory ? »

Elle se tourna vers lui en essuyant ses mains potelées sur son tablier, que Cork reconnut comme venant de la maison. Elle alla jusqu'à une fenêtre et leva les yeux vers la grande demeure.

« Ils ont peur », dit-elle.

Il y avait une vieille rancœur entre Fletcher Kane et Cork. Glory était une femme glaciale et énigmatique que personne, pas même Rose qui était son amie, ne semblait parvenir à comprendre. Pourtant Cork avait mis de côté ses sentiments personnels, parce qu'il avait des enfants lui aussi, et l'idée qu'un enfant, quel qu'il soit, soit perdu dans un enfer de cette espèce lui laissait dans la bouche le goût métallique de la peur, une sensation que même le ragoût extraordinaire de Rose ne pouvait faire disparaître.

« Je me sens mal d'avoir dû rentrer, dit-il.

– Comme tout le monde. »

La maison d'invités avait une petite cuisine et un coin repas qui donnait sur un grand salon pourvu d'une cheminée. Le salon avait été aménagé pour l'organisation des recherches. La radio trônait sur une grande table près d'une fenêtre. À côté, le journal de bord des recherches et d'autres documents, dont une photographie en gros plan de la jeune fille disparue, une jolie adolescente aux cheveux noirs et au sourire à peine esquissé. Une carte topographique de la région avait été accrochée au mur. Cork voyait les punaises plantées dans la carte, chaque équipe correspondant à une couleur particulière. Ils avaient couvert le plus de surface possible, mais le problème restait entier. Charlotte Kane avait disparu dans la nuit en motoneige sans dire à quiconque où elle allait. Elle avait quitté la soirée de réveillon de la Saint-Sylvestre qu'elle avait donnée à Valhalla sans la permission de son père. Elle avait dix-sept ans et elle était ivre. Cinquante centimètres de neige étaient tombés après son départ. Des pisteurs – des gardes-frontières volontaires – avaient enlevé la poudreuse avec leurs souffleuses et avaient seulement pu dire qu'elle était partie en direction de la route, où elle avait rejoint une piste de motoneiges qui avait été beaucoup utilisée, et qui finalement se divisait en une douzaine de nouvelles pistes, qui elles-mêmes se séparaient encore une douzaine de fois. Il n'y avait pas la moindre garantie qu'elle était même restée sur une de ces pistes. Avec le plein de carburant, elle pouvait être parvenue au milieu du Dakota du Nord, ou au Canada. La zone était immense, tellement immense qu'elle était impossible à couvrir totalement.

« Et les chiens renifleurs ? » demanda Cork.

Rose secoua la tête.

« Rien. » Elle retourna à l'évier.

« Merci, dit Cork.

– Pour quoi ?

– D'être venue. Pour ton aide.

– Beaucoup de gens ont contribué.

– Mais toi, tu es encore là.

– Il faut bien que quelqu'un te nourrisse. Jo ne me pardonnerait jamais si je te laissais mourir de faim ou de froid. » À peine les mots eurent-ils franchi ses lèvres qu'elle prit l'air contrit. Elle passa la main sur son front.

« Pardon, ce n'était pas drôle.

– Ne t'inquiète pas, Rose. »

La porte s'ouvrit et une rafale de vent glacial poussa l'adjoint Randy Gooding dans la pièce, avec une bonne quantité de neige. Il marqua une pause et prit une grande inspiration d'air chaud.

« Et moi qui trouvais les hivers durs à Milwaukee », finit-il par dire.

Gooding était grand et dégingandé ; il n'avait pas trente ans, sa mâchoire carrée lui donnait une forme de beauté virile, et il était naturellement aimable. Même s'il était à Aurora depuis moins de deux ans, il semblait s'être harmonieusement adapté au rythme de la vie locale. Comme Cork, il avait fui la ville pour les grands espaces du Nord, à la recherche d'une vie plus simple.

Gooding salua Cork d'un signe de tête.

« Le shérif voulait que je vienne vérifier que t'étais bien rentré.

– Il est à la grande maison ? »

Gooding ôta ses gants et son bonnet en laine bleu marine.

« Oui, avec le père Mal. Le Dr Kane n'est pas content qu'on interrompe les recherches. »

Cork posa sa cuillère et s'essuya la bouche avec sa serviette.

« S'il s'agissait de ma fille, je ne serais pas content non plus.

– Comment va Glory ? » demanda Rose.

Gooding souffla sur ses mains.

« Elle s'est administré une bonne dose de tranquillisant, dit-il. Du gin Blue Sapphire, en l'occurrence.

– C'est difficile de lui en tenir rigueur », fit remarquer Rose.

Gooding hocha la tête.

« C'est dur pour le Doc, qui doit tout gérer tout seul. Il est planté à la fenêtre, les yeux rivés dehors, comme si ça allait la faire réapparaître. »

Rose se tourna vers sa cocotte de ragoût et remua la sauce avec une cuillère en bois.

« J'ai monté à manger tout à l'heure. Je ne suis pas sûre qu'ils aient avalé quoi que ce soit. Ils finiront bien par avoir faim.

– Le shérif veut que tout le monde soit prêt à partir, dit Gooding. Il craint que la neige ne bloque la route juste derrière le chasse-neige de Baker.»

Rose lança un coup d'œil à Cork, et il sut avant même qu'elle ne parle ce qu'elle allait dire.

«Quelqu'un devrait rester. Il ne faut pas laisser ces gens seuls ici.

– Le père Mal a l'intention de rester, dit Gooding.

– Le père Mal ne sait pas cuisiner. Il ne sait même pas faire bouillir de l'eau.»

Cork intervint:

«Je pense qu'il entend offrir un autre genre de nourriture, Rose.»

Elle lui répondit par un regard courroucé.

«Je comprends bien. Mais ils vont tous avoir besoin de manger. C'est difficile de garder espoir quand on a faim.»

La porte s'ouvrit avec fracas et, une fois encore, la tempête fit irruption avec violence, en même temps que les hommes. Le shérif Wally Schanno reprit la conversation qu'il avait entamée avec le père Mal Thorne.

«Cette tempête étant ce qu'elle est, je ne peux pas vous assurer que nous pourrons revenir demain.

– Raison de plus pour que je reste, dit le prêtre. Ces gens ne devraient pas être seuls dans un moment pareil.»

L'un à côté de l'autre, les deux hommes offraient un contraste frappant. Schanno était grand et décharné, le visage creusé par l'inquiétude. Il avait environ soixante-cinq ans mais, à ce moment précis, il avait l'air bien plus âgé. Le père Mal Thorne avait vingt ans de moins. Même s'il était beaucoup moins grand, son corps trapu paraissait doué d'une énergie à laquelle on ne se serait pas attendu chez un homme d'Église. Bien bâti et en excellente condition physique, il faisait penser à un pugiliste coriace, se disait Cork.

Schanno remarqua la présence de Cork.

«Je croyais t'avoir dit de laisser tomber Hat Lake et de rentrer dare-dare.

– Je suis rentré intact, Wally.»

Le shérif parut trop fatigué pour discuter.

«T'as vu quelque chose ?»

Cork repensa à la silhouette grise dans les tourbillons de neige, à cette sensation qu'il avait eue d'être guidé vers sa motoneige, cette impression que Charlotte avait essayé de lui manifester sa présence.

«Non, finit-il par dire.

– Bon, on est tous rentrés maintenant. Dégageons d'ici avant de se retrouver coincés.

– Moi, je reste», dit Rose.

Schanno commença à protester.

«Bon sang...

– Merci, Rose», intervint le père Mal. Il lui sourit, et des fossettes enfantines apparurent sur ses joues. «Mais vous n'êtes pas obligée.

– Ils ont suffisamment de soucis comme ça sans avoir à se préoccuper de faire à manger ou de ranger. Et vous aussi. Vous aurez bien assez à faire, mon père.»

Mal Thorne réfléchit et décida en un éclair.

«D'accord.»

Schanno ouvrit la bouche, mais le prêtre le coupa dans son élan.

«Plus vous restez à discuter, Wally, et plus la route devient difficile.

– Il a raison, shérif», fit remarquer Gooding.

Schanno abandonna la partie et hocha la tête, tristement.

Cork se leva. Il commença à rassembler les restes de son repas pour les porter jusqu'à l'évier.

«Je vais m'en occuper», dit Rose. Elle le serra dans ses bras. «Embrasse Jo et les enfants pour moi.

– Ce sera fait. À demain. À demain, Mal.» Il enfila sa parka et ses mitaines en cuir. «Je suis prêt.»

Schanno alla chercher ses clés au fond de sa poche et les tendit à son adjoint.

«Prends la Land Cruiser. Je vais monter avec O'Connor.»

Gooding haussa les épaules.

«Comme vous voudrez.» Il ouvrit la porte et courba l'échine pour contrer la force du vent.

Cork se tint un instant sur le pas de la porte, jetant un dernier regard à Rose et au père Mal. Ce n'étaient que deux personnes, mais il ressentit quelque chose d'immense autour d'eux et entre eux, une réserve considérable de force dont ni le blizzard ni la longue veille qui les attendait ne viendrait à bout.

«Ferme donc cette porte», dit le père Mal.

La Bronco était enfoncée dans une congère qui montait jusqu'à la calandre.

«Monte et démarre, cria Schanno pour couvrir le vent. Je vais enlever la neige.»

Cork saisit la balayette sous le siège avant et la jeta à Schanno, puis monta et tourna la clé. Le démarreur émit un grincement mollasson.

«Allez», chuchota Cork.

Le moteur se décida enfin et rugit. Cork monta la tirette du dégivrage à fond. Schanno enleva la neige qui s'était accumulée sur les vitres et le tuyau d'échappement et monta dans la Bronco.

«Bon sang», dit le shérif, se contractant sous l'effet du froid.

Cork ne pouvait qu'être d'accord.

Deux minutes plus tard, Gooding fit avancer la Land Cruiser lentement et Cork suivit au pas.

La nuit était tombée de bonne heure, en même temps que la tempête. Cork voyait à peine les feux du véhicule qui le précédait. La lumière émise par ses propres phares se réverbérait sur un rideau de neige tourbillonnante qui paraissait aussi dense qu'un mur passé à la chaux.

Il savait que Schanno avait eu raison de s'inquiéter de l'état de la route, il savait que, dans un blizzard, la neige devenait fluide dans ses mouvements. Elle coulait comme de l'eau autour des troncs des arbres, tournoyait autour des bâtiments, remplissait les creux. Elle s'était déjà engouffrée dans la tranchée que Freddie Baker avait creusée moins d'une demi-heure auparavant, et, en suivant Gooding de près, Cork se sentait un peu comme Pharaon lors de l'Exode, avec la mer Rouge qui se refermait derrière lui.

« Qu'est-ce qu'il y a, Wally ?

– Comment ça ?

– Tu es monté avec moi, pas avec Gooding. J'imagine que tu veux me parler. »

Schanno prit son temps pour répondre.

« Je suis fatigué, Cork. Au bout du rouleau. Je pensais que tu comprendrais, c'est tout. » Il exhala un long soupir. « Sacrée façon de commencer l'année. »

C'était le deuxième jour de janvier.

L'intérieur de la Bronco était éclairé par la réverbération des phares dans la neige. Schanno se pencha, les yeux rivés sur la route. Son visage était gris et profondément creusé. Cadavérique.

« Sacrée façon de finir une carrière », ajouta-t-il.

Il faisait référence au fait que, quelques jours plus tard, un homme du nom d'Arne Soderberg prendrait les fonctions de shérif du comté de Tamarack, et qu'il occuperait ce poste pour les quatre années à venir.

« Tu as fait du bon boulot, Wally.

– J'ai aussi fait des erreurs. Nous le savons tous les deux. » Schanno ôta ses gants et posa ses grandes mains sur le tableau de bord, comme s'il se préparait à un choc. « Soderberg, c'est pas un flic. C'est toi qui devrais prendre l'insigne.

– Je n'en voulais pas, lui rappela Cork. Et même si je m'étais présenté, il n'y a aucune garantie que je l'aurais emporté contre lui.

– Si, t'aurais gagné, dit Schanno. J'te parie que t'aurais gagné.

– Tu n'es pas triste de t'en aller, dis-moi, Wally ?

– Aujourd'hui, pas du tout. » Schanno décolla sa main droite du tableau de bord et se frotta le front un moment. L'air glacial de l'hiver avait séché et craquelé la peau de ses doigts. « J'ai dit à Garritsen que, quand il viendrait demain, il devrait amener son chien de cadavres. »

Ils arrivèrent en terrain découvert et le vent frappa le flanc de la Bronco avec la force d'un élan qui charge. Cork redressa d'un coup de volant pour ne pas dévier et s'enfoncer dans une congère.

Il n'avait pas envie de parler de chiens chercheurs de cadavres.

« Vous avez des projets, Arletta et toi ? demanda-t-il.

– On va passer la fin de l'hiver à Bethesda, et profiter de nos petits-enfants.

– Impatient d'être à la retraite ? »

Schanno réfléchit un moment.

« Je suis impatient de ne plus être le gars qui fait appel au chien de cadavres. »

3

Après avoir déposé Schanno au bureau, Cork rentra chez lui. Les gens d'Aurora avaient souvent vu ce genre de tempête auparavant, et parfois pire. Ils s'étaient calfeutrés derrière leurs murs bien isolés, leurs fenêtres à double vitrage, et s'étaient préparés pour l'attente. La Bronco de Cork était le seul objet qui se déplaçait contre le vent, et il se déplaçait lentement.

Une énorme congère bloquait l'accès au garage. Cork laissa la Bronco garée dans l'allée et avança à grand-peine jusqu'à la porte de service. Au moment où il mit le pied dans la cuisine, il sentit à quel point son corps tout entier s'était contracté au cours de sa lutte contre le blizzard. Il expira profondément pour essayer de se détendre.

« Papa ! »

Le doux tapotement de petits pieds sur le sol du salon. Quelques instants plus tard, Stevie fit irruption dans la cuisine. Le petit garçon, âgé de sept ans, fonça droit sur son père et enroula ses bras autour de sa taille. La force que mit Stevie dans son étreinte faillit faire perdre l'équilibre à Cork.

« Tu es froid », dit Stevie en souriant à son père.

Cork rit.

« Pas toi. » Son fils avait des miettes au coin de la bouche et son haleine sentait la nourriture. « Tu sens tellement bon que je vais te manger.

– Maman a fait de la soupe et des sandwiches toastés au fromage.

– Tu devrais dire : Maman a brûlé la soupe et les sandwiches au fromage », dit Jenny en entrant dans la cuisine.

À dix-sept ans, la fille de Cork, une adolescente mince et studieuse, essayait farouchement d'être indépendante. Elle était récemment sortie d'une phase gothique pendant laquelle elle s'était teint les cheveux couleur corbeau et s'habillait exclusivement en noir. Elle recommençait à porter des couleurs, et sa chevelure était maintenant très proche de sa blondeur naturelle.

L'épouse de Cork la suivait de près.

« Je dois admettre que tout était un peu trop cuit, dit Jo.

– Trop cuit ? Maman, tu as littéralement carbonisé le dîner », dit Jenny, mais elle souriait.

Cork se libéra de l'étreinte de son fils, accrocha sa parka et posa ses mitaines sur le comptoir. Puis il serra longuement Jo dans ses bras.

« Tu as faim ? demanda-t-elle.

– Pour un repas brûlé ? dit-il en riant doucement. Ça va, Rose m'a donné à manger.

– Où elle est, tante Rose ? demanda Stevie, en lançant un regard inquiet vers la fenêtre derrière laquelle la tempête faisait rage. Elle n'est pas rentrée avec toi ?

– Elle est restée à Valhalla pour aider le Dr Kane et sa sœur. Le père Mal est resté aussi. Ils vont bien, Stevie.

– Vous n'avez pas trouvé Charlotte ? » demanda Jo.

Cork secoua la tête.

« Tu sais ce qu'on va faire ce soir ? » Stevie dansait, tellement il était excité. « On va faire du pop-corn et regarder *Le Roi Lion.* » C'était son film préféré.

« Super idée, mon pote. »

Jo posa sa main contre sa joue glacée. Elle avait des cheveux pareils à un soleil d'hiver, d'un blond blanc étincelant. Ses yeux étaient bleu clair. Lorsqu'elle se mettait en colère, son regard pouvait devenir froid, dur, transpercer Cork comme un éclat de glace, mais pour le moment il était chaud et humide, tant elle avait été inquiète.

« Et si tu montais prendre une bonne douche bien chaude ?

– Oui, merci. C'est une bonne idée. » Il fit un pas, puis s'arrêta brusquement et demanda : « Où est Annie ? » Il venait seulement de remarquer l'absence de sa seconde fille.

« Détends-toi, dit Jo. Elle est chez les Pilons. Mark et Sue ont insisté pour qu'elle passe la nuit chez eux plutôt que d'essayer de rentrer par ce temps. Vas-y, monte. Cette douche va te faire le plus grand bien. »

Une fois dans la salle de bain, Cork ouvrit le robinet, puis resta devant le lavabo et regarda dans le miroir. Tandis que la glace se couvrait de buée, son reflet devint flou et il vit à nouveau la silhouette solitaire de Fletcher Kane à la fenêtre de la grande maison, les yeux rivés sur le lac gelé, sans rien d'autre qu'un espoir des plus ténu.

« Ça va, là-dedans ? » cria Jo à travers la porte.

Cork se rendit compte qu'il était resté un long moment debout, les mains crispées sur le rebord de céramique.

« Je sors dans une minute. »

Après sa douche, il descendit, savourant l'odeur de pop-corn tout chaud, et trouva sa famille déjà installée devant la télévision. Stevie était en pyjama.

Cork s'assit sur le canapé, son fils se colla contre lui, lui renversant régulièrement du pop-corn sur les genoux. Il accorda peu d'attention au film. Les chemins et déserts blancs qu'il avait vus toute la journée défilaient devant ses yeux, et il se demandait s'il y avait un endroit où il aurait dû chercher. Il fut surpris lorsque le film se termina, tant il lui avait paru court.

« C'est l'heure d'aller au lit, dit Jo à son fils.

– Je vais le coucher, proposa Cork.

– T'es sûr ?

– Je suis sûr. Allez, mon pote. Qu'est-ce que tu dirais que j'te monte sur mon dos ? »

Stevie enroula ses bras et ses jambes autour de son père et il monta jusqu'à son lit sur le dos de Cork. Cork le borda, s'assit et se mit à lire un passage des *Histoires du roi Arthur*. Stevie était allongé, les yeux rivés au plafond, les mains croisées derrière la tête.

« Est-ce que ça fait mal, de mourir ? » demanda-t-il soudain.

Cork s'interrompit. À l'âge de sept ans, Stevie avait déjà traversé des expériences que certaines personnes n'avaient jamais connues de toute leur existence. Cork était persuadé que son fils avait une réelle force intérieure, et il répondit franchement.

« Oui, parfois.

– Annie, elle dit que c'est comme s'endormir. Et ensuite, on se réveille et on est avec les anges.

– C'est peut-être comme ça. Je ne sais pas vraiment.

– Les anges sont blancs, comme la neige. »

Stevie le dit comme s'il était convaincu de cette vérité, et Cork, qui ne détenait aucune vérité absolue, ne discuta pas.

Il poursuivit la lecture jusqu'à ce que les yeux de Stevie se ferment et que sa respiration soit profonde et régulière, puis il referma le livre et écouta le vent s'acharner contre la maison comme s'il cherchait un moyen d'entrer. Il borda soigneusement les couvertures autour de son fils, lui donna un doux baiser et éteignit la lumière.

Jo était déjà dans le lit. Elle avait un dossier ouvert sur les genoux, un dossier juridique. Elle portait une longue chemise de nuit jaune que Jenny lui avait offerte pour Noël. Sur le devant, une inscription en lettres noires : LES AVOCATS ONT LA COUR À LEURS PIEDS. Aux yeux de Cork, c'était une belle femme, et il la regarda avec une sorte de reconnaissance, comme s'il avait failli la perdre et qu'il la retrouvait là, un cadeau du ciel.

Jo leva les yeux.

« Stevie dort ? »

Cork fit signe que oui.

« Rose a appelé. Tout va bien.

– Au moins, les lignes ne sont pas coupées, fit remarquer Cork. C'est toujours ça.

– Tu as l'air épuisé. Pourquoi tu ne viens pas te coucher ?

– Je ne suis pas certain de pouvoir dormir.

– Tu veux qu'on parle ?

– Je ne sais pas ce qu'il y aurait à dire. » Il resta au pied du lit. « Schanno va faire venir un chien de cadavres. Je ne vois pas ce qu'il va pouvoir en faire. Il fait bien trop froid. Il veut juste avoir la certitude, pour lui, pour les Kane, qu'il a tout tenté. Si Charlotte Kane est là-dehors, quelque part, elle va rester congelée sous cette neige jusqu'au dégel du printemps. » Cork eut une hésitation, puis lâcha ce qu'il avait sur le cœur. « Je voulais demander quelque chose à Mal Thorne aujourd'hui. Je voulais lui demander pourquoi son Dieu permet que des choses comme ça arrivent.

– Son Dieu ?

– Son idée de Dieu. Ne prêche-t-il pas l'amour de Dieu tous les dimanches ? »

Cork n'en était pas certain, parce que depuis trois ans il refusait de mettre les pieds dans une église.

Jo lui adressa un regard qui paraissait empreint de compassion, plutôt que de réprobation.

« Est-ce que tu veux vraiment que nous discutions de théologie à cette heure-ci ? »

Elle avait raison. Ce n'était pas contre Dieu qu'il en avait.

« Je vais marcher un peu, dit-il.

– Je ne bouge pas. »

Il descendit au rez-de-chaussée et trouva Jenny devant la fenêtre du salon. Il suivit son regard et fut surpris de voir son reflet sombre dans la vitre. Pendant un très bref instant, il aperçut à nouveau la forme du spectre qui lui était apparu sur la surface gelée de Fisheye Lake, une forme qui était à la fois réelle et irréelle, dont il avait le sentiment qu'elle était Charlotte, et qui n'était pas Charlotte. Avaient-ils communiqué, deux âmes perdues dans un enfer glacial ?

« "S'enragent contre la mort de la lumière", dit Jenny.

– Qu'est-ce que c'est ?

– Un vers de Dylan Thomas. »

Jenny était une brillante élève en littérature et une lectrice avide. Elle rêvait de devenir un jour un grand écrivain. Elle avait un don pour mémoriser de longs passages et elle semblait avoir une référence littéraire appropriée à chaque occasion. Cork examina son visage reflété dans la vitre, pâle et grave.

« Est-ce que tu vas la trouver ? » demanda-t-elle.

Il n'aima pas la manière dont elle avait formulé sa question, comme si la responsabilité de sauver Charlotte Kane lui incombait personnellement. Il voulait lui dire qu'il avait fait de son mieux. Qu'ils avaient tous fait de leur mieux. Que ce n'était la faute de personne.

« Je ne sais pas », répondit-il.

De l'autre côté de la rue, John O'Loughlin sortit de sa maison et marcha péniblement jusqu'à sa Dodge Caravan, complètement enfouie sous la neige. Il dégagea la portière côté conducteur, monta et démarra le moteur. Puis il ressortit et gratta les vitres. Enfin, il tenta de faire avancer le véhicule. Les roues tournèrent à vide. O'Loughlin ressortit, prit une pelle à l'arrière de sa camionnette et creusa la neige devant les pneus. Cork n'arrivait pas à concevoir que quelque chose puisse vous faire sortir dans une tempête pareille. Il envisagea de s'emmitoufler et d'aller lui donner un coup de main, mais il savait que même si O'Loughlin parvenait à s'extraire de la congère qui se trouvait devant sa maison, il se retrouverait coincé ailleurs. Quelques minutes plus tard, le voisin de Cork renonça et rentra chez lui.

« Tu la connais bien ? » demanda Cork.

Jenny secoua la tête.

« Je lui parlais un peu à l'église, mais cela fait longtemps qu'elle n'y est pas venue.

– Et à l'école ?

– Elle est en dernière année. Nous n'avons pas les mêmes fréquentations. Et elle est riche. Vraiment. Tu vois le genre.

– Elle m'a toujours paru très gentille. Calme. Intelligente, d'après ce qu'on dit. Très intelligente. »

Mais en quoi était-ce intelligent de sortir en motoneige dans la montagne au beau milieu de la nuit ?

« Intelligente, ouais, mais ça fait un moment qu'elle perd un peu le nord, dit Jenny. Beaucoup de fêtes, souvent à traîner avec Solemn Winter Moon.

– Solemn... » répéta Cork.

Il connaissait bien ce gamin. Un Ojibwe, beau, tourmenté. Un guide séduisant pour une jeune femme qui voulait aller voir ce qui se passait de l'autre côté du miroir.

« Il y a autre chose... commença Jenny, puis elle parut hésiter.

– Quoi ? dit-il.

– C'est juste que... »

Elle se mordit la lèvre et tenta d'évaluer à quel point il était sage de poursuivre.

Cork attendit.

« J'ai eu un cours avec elle le semestre dernier. Atelier d'écriture. Un de mes cours facultatifs. On écrivait surtout des poèmes. Et on les lisait parfois à toute la classe, mais il y en a beaucoup qu'on n'a pas lus. On tenait un journal de poésie qu'on ne partageait qu'avec le prof et son binôme. Charlotte était mon binôme. J'ai vu ce qu'elle n'a pas lu à la classe. Ce qu'elle lisait à haute voix était très bien, mais ce qu'elle écrivait dans son journal était vraiment très différent. Bien meilleur que ce que nous autres pouvions écrire. Mais très sombre.

– Sombre à quel point ?

– Tu connais ce peintre, Jérôme Bosch ?

– Celui des tableaux cauchemardesques bizarres ?

– Ouais. La poésie de Charlotte était comme ça. Vraiment magnifique, mais effrayante. » Elle regarda son père, son regard bleu était troublé. « Elle est sortie au milieu de la nuit, c'est ça ? Toute seule ?

– On dirait bien, oui.

– Papa, beaucoup de ses poèmes parlaient de mort, et de suicide.

– Je ne crois pas que ce soit une fascination inhabituelle pour une adolescente, Jen.

– Il y en a un dont je me souviens, sur la résurrection et la mort.

– Elle est catholique. La mort et la résurrection, en gros, on tourne autour de ça.

– Non, elle voyait les choses dans l'autre sens. D'abord la résurrection, puis la mort. C'était un poème sur Lazare, sur comment Jésus, lorsqu'il a ressuscité Lazare du royaume des morts, ne lui a pas franchement rendu service. Lazare était passé par la mort une première fois, et maintenant il allait devoir y repasser à nouveau. Dans le poème, il est vraiment en pétard. Ça se terminait avec quelque chose comme :

« Mort, prends ma main et conduis-moi à ce lit de ténèbres
D'où je ne me lève jamais,
Où je ne me souviens pas,
Où je ne rêve pas,
Où je ne redoute rien. »

Le vent asséna un coup de poing terrible sur la maison et toute la structure trembla.

« Papa, tu ne crois pas que, peut-être, elle essaie, genre, de se tuer ? »

Il passa son bras autour des épaules de sa fille.

« Je préfère ne pas y penser. »

Pendant un moment, ils contemplèrent les mouvements rageurs de la tempête, jusqu'à ce que Jenny dise : « Je vais me coucher. »

Cork déposa un baiser sur le sommet de sa tête.

« Bonne nuit, chérie. »

Il appela John O'Loughlin pour savoir s'il y avait une urgence quelconque et lui proposer son aide. O'Loughlin lui répondit que ce n'était pas vraiment le cas. Il n'avait plus un gramme de café et il était effrayé à l'idée de passer la matinée à pelleter la neige sans en avoir avalé une goutte. Cork lui répondit qu'il avait toujours une cafetière pleine à six heures et invita son voisin à venir le goûter le lendemain matin.

Il s'avança jusqu'à la porte et s'apprêta à la verrouiller pour la nuit. Tout à coup, il imagina Charlotte Kane en train de batailler pour rentrer s'abriter du froid, et tomber sur des portes fermées à clé, ne trouvant aucun refuge. Il ne put se résoudre à tourner la clé.

Jo l'attendait dans la chambre, son livre fermé, posé sur la table de nuit. Cork enfila son pyjama en flanelle et se glissa sous les couvertures à côté d'elle. Elle posa une main légère sur sa poitrine.

« Ça va, toi ? »

Cork fixa le plafond, comme Stevie un peu plus tôt.

« J'ai vu quelque chose, là-bas, dehors. »

Il lui raconta sa vision dans le jour blanc.

« Si la forme était si floue, qu'est-ce qui te fait dire que c'était Charlotte ?

– C'est fou, hein ?

– Je n'ai pas dit ça.

– J'ai senti que c'était Charlotte, c'est tout. Et en même temps, ce n'était pas elle. Elle était différente, me semblait-il.

– C'était un *manidoo* qui avait pris la forme de Charlotte ? »

Elle parlait des esprits qui, pour les Ojibwes, dont le sang coulait dans les veines de Cork, vivaient dans les forêts, et elle ne parlait pas à la légère.

« Je ne peux pas m'empêcher de sentir qu'elle essayait... » Il réfléchit. « C'est difficile à expliquer, mais je crois qu'elle essayait de m'appeler au secours, tu vois ?

– Tu penses qu'elle est morte ?

– Oui. »

Jo examina son profil. Cork sentait son regard peser sur lui.

« Il y a autre chose, n'est-ce pas ? dit-elle.

– Ouais. » Cork prit une grande inspiration. « Les enfants font des choses idiotes, Jo. Des choses dangereuses. Même les meilleurs d'entre eux. Parfois, je me demande si nous connaissons vraiment nos enfants.

– Nous les connaissons, Cork.

– Cela pourrait être Jenny, là, dehors. Ou Annie. Dieu sait que, pour nous aussi parfois, il s'en est fallu de peu. Je pense à Fletcher et Glory, à ce qu'ils ont à vivre, et la vérité, c'est que je suis tellement soulagé que ce ne soit pas nous. C'est horrible, non ?

– Je dirais que c'est humain, c'est tout. » Elle déposa un petit baiser sur son front. « Tu es un homme bien. Tu as fait de ton mieux. Comme nous tous. Il y a tant de choses qui nous dépassent, qui nous dépassent tous. » Elle tendit le bras vers la table de chevet et éteignit la lumière. Puis elle enlaça son mari. « Dors, lui dit-elle. Dors maintenant. Tu l'as bien mérité. »

Selon lui, il ne méritait pas plus de dormir que Fletcher et sa sœur ne méritaient l'inquiétude qui les rongeait. Mais ses enfants à lui étaient bien au chaud, dans leur lit. Les bras de sa femme le berçaient dans une douce chaleur. Et bien que ce fût des choses que, tous les jours, il trouvait naturelles, ce soir, elles lui parurent être les plus précieux des trésors.

« Dors, chuchota Jo. Dors. »

Et Cork décida qu'il pouvait s'endormir.

AVRIL

4

Lorsqu'il avait vingt et un ans, avant de commencer le droit, Oliver Bledsoe, qui était un rebelle, se coupa la moitié du pied droit avec une tronçonneuse McCullough. À l'époque, il était employé par Hutch Gunnar et faisait partie d'une équipe de bûcherons qui travaillait à côté de Babbitt ; sa tâche consistait à élaguer et débiter : il longeait lentement les arbres abattus, il élaguait les branches et découpait les troncs en sections qui étaient ensuite montées à la scierie. En ce temps-là, il arrivait souvent au boulot à peine dessaoulé. Ce matin-là, il était ivre. On était à la fin de l'automne, et une neige légère était tombée la veille au soir. La neige du chasseur, comme on l'appelait par ici. Lorsqu'il enfourcha le premier arbre abattu, Bledsoe fut émerveillé devant la beauté irréelle des bois qui l'entouraient. Il fut émerveillé aussi de son agilité tandis qu'il trottinait le long du tronc, coupant à droite, à gauche, balançant sa McCullough lestement comme s'il était une espèce de danseur dans une espèce de rêve. Il était dans une telle extase, et si anesthésié par l'alcool, qu'il ne sentit pas du tout la morsure de la tronçonneuse lorsqu'elle entailla le bout renforcé de métal de sa Wolverine. Il ne se rendit même pas compte qu'il s'était découpé un bon morceau de chair et d'os, jusqu'à ce qu'il voie son sang tacher la neige sur le sol en dessous de lui.

Il s'avéra que l'accident déclencha une prise de conscience chez Bledsoe, qui troqua sa tronçonneuse contre une pile de bouquins de droit et devint un excellent avocat.

Même s'il se plaisait à dire et répéter qu'il s'était coupé la moitié du pied, en vérité, il s'agissait peut-être d'un dixième – les deux derniers orteils et quelques centimètres de plus. Et même s'il faisait systématiquement savoir à ses adversaires sur un terrain de basket-ball qu'ils jouaient contre un handicapé, il avait le meilleur tir en suspension que Cork O'Connor ait jamais vu.

Cork et Bledsoe étaient dans le sauna des hommes au YMCA d'Aurora. Le père Mal Thorne était avec eux, ainsi que Randy Gooding. Ils étaient membres de l'équipe officiellement connue sous le nom des Saints de Sainte-Agnès, mais généralement ils se faisaient appeler les Vieux Martyrs, parce que chaque samedi matin, pendant la saison de basket, ils se sacrifiaient sur le terrain au nom de l'Église. Bien que la foi de Cork se fût étiolée, le fait de jouer avec les Vieux Martyrs était l'un des derniers liens qu'il maintenait avec Sainte-Agnès. C'était quelque chose qu'il faisait pour son corps ; son âme n'était pas engagée. Il aimait la compagnie des hommes, aimait la manière dont les matchs les rapprochaient facilement. Ensuite, les membres de l'équipe se retrouvaient généralement dans le sauna où la chaleur humide apaisait la douleur de leurs muscles fatigués.

« J'ajoute de la vapeur ? » demanda Mal Thorne. Il se leva de son banc et versa un peu d'eau froide sur le mécanisme chauffant installé contre le mur.

Le nez du père Mal Thorne décrivait une ligne irrégulière. Il avait été cassé plusieurs fois, plus qu'il ne parvenait à s'en rappeler, pendant la période où il était boxeur dans le tournoi Golden Gloves, puis lorsqu'il était le champion poids moyen de Notre-Dame. Une mince bande de tissu cicatriciel ornait son sourcil gauche, mais les deux longues cicatrices qui lui barraient la poitrine n'avaient clairement rien à voir avec la boxe. Comment il les avait eues, personne ne le savait. Le prêtre refusait d'en parler. En tant que flic, Cork avait vu beaucoup d'hommes dans des cellules d'attente ou sur le chemin de la prison avec des cicatrices similaires ; généralement, elles résultaient de coups de couteau. Il savait que Mal avait dirigé un foyer pour sans-abri sur South Michigan Avenue à Chicago, dans un quartier dur. Il avait entendu des rumeurs selon lesquelles ces blessures lui avaient été infligées par des voyous qui tentaient de dépouiller le foyer, et que Mal avait eu recours à ses talents de boxeur pour les faire changer d'avis. Cork n'avait jamais poussé le prêtre à lui fournir une explication. Le passé d'un homme lui appartenait et il traitait ses cicatrices comme il l'entendait. Mal Thorne n'était pas grand, mais il était rapide et agressif, il avait une autorité naturelle sur le terrain et jouait donc généralement à la place de meneur.

Les ventilations commencèrent à diffuser de la vapeur chaude dans un sifflement et Mal se rassit.

« Je t'ai entendu à la radio hier, Cork, quand tu attaquais le chef de Randy bille en tête », dit Bledsoe.

Il parlait du shérif Arne Soderberg qui avait succédé à Wally Schanno en janvier.

« Tu attaquais Arne Soderberg bille en tête ? releva Mal avec un grand éclat de rire. J'aurais adoré entendre ça. Qu'est-ce que tu as fait, Cork ? »

C'était pendant l'émission hebdomadaire d'Olaf Gregerson, *All around Aurora.* L'invité était le shérif Soderberg. Il avait passé la plus grande partie de l'interview initiale à se féliciter de ses propres réussites en seulement quelques semaines à la direction du bureau. Une fois que le standard téléphonique fut ouvert pour recevoir les appels des auditeurs, Cork saisit l'occasion et rétablit certaines des froides réalités qui sous-tendaient les affirmations triomphantes du shérif.

«Je vais te dire ce qu'il a fait, dit Bledsoe. Ce sacré Arne prétend que depuis qu'il a été nommé shérif, il y a quelques mois, la criminalité dans le comté de Tamarack a baissé de trente pour cent par rapport aux sept mois précédents.

– Et ce n'est pas vrai ? demanda Mal.

– Si, probablement, interrompit Cork. Ce que j'ai fait remarquer, c'est simplement que tous les hivers, une fois que les touristes de l'été et que les amateurs de couleurs automnales sont partis, la criminalité dans le comté baisse, et, après l'ouverture de la pêche au printemps et le retour de tous les touristes, la criminalité remonte. Arne s'attribue des mérites pour un phénomène que nous observons depuis des années.

– Ça, ce n'était que le début, reprit Bledsoe. Cork lui a reproché d'avoir licencié des agents et d'avoir réduit des budgets pour offrir une bonne image de gestion financière à l'électorat lorsqu'il se portera candidat aux législatives, dont tout le monde sait que c'est son prochain projet.»

Gooding commenta.

«Il est revenu de la station de radio en montrant les dents, et il a mordu tous ceux dans le département qui le regardaient de travers. Merci beaucoup, Cork.

– Désolé.

– Non, je suis sincère. Merci beaucoup. Il fallait que quelqu'un dise ces choses.»

Gooding, qui était assis à côté de Cork, se leva et commença à s'étirer. Son corps était leste et ne portait pas la moindre marque. Cela ne voulait pas dire pour autant qu'il n'avait pas de cicatrices. Cork savait que les blessures ne se voyaient pas toujours sur la peau des gens. Il était plus jeune que les autres, il n'avait pas encore trente ans. Avant de venir à Aurora, il travaillait au FBI, comme agent de terrain à Milwaukee. Il avait dit à Cork qu'il était parti parce que le boulot s'était avéré n'être que de la paperasse, qu'il n'était pas du tout citadin, et qu'il aimait l'idée d'être au service de gens qui le reconnaîtraient comme une personne, pas comme un insigne uniquement. Il était religieux, très catholique, un peu dévôt peut-être, mais, ces derniers temps, Cork avait tendance à penser cela de presque tous ceux qui allaient régulièrement à l'église. Il chantait dans le chœur de Sainte-Agnès, dirigeait le centre d'animation des jeunes, et les adolescents l'adoraient. Il avait bâti une amitié particulièrement belle avec Annie, la seconde fille de Cork, parce qu'à une époque il avait été au séminaire, et Annie avait toujours rêvé de devenir nonne. Annie insistait sur le fait que sa relation avec lui se situait sur un plan spirituel, mais le fait qu'il était beau comme un dieu ne gâchait probablement rien. Un homme affable, encore célibataire, considéré comme un bon parti à Aurora, mais, pour autant que Cork le sache, il ne fréquentait personne. Il était le plus grand des Vieux Martyrs et jouait pivot.

Cork avait le sentiment que ses propres cicatrices étaient bien anodines – deux traces de balles, la blessure d'entrée de la taille d'une pièce de dix cents sur son épaule droite et le trou par lequel la balle était sortie, un peu plus grand, juste en dessous de son omoplate. En traversant, la balle avait pulvérisé une partie de l'os, provoqué une importante hémorragie et l'avait presque tué, mais le plus souvent il oubliait même leur existence, si on ne lui en parlait pas.

Mal Thorne reprit :

« Cork, tu ne penses pas beaucoup de bien de notre nouveau shérif, on dirait... »

Une goutte de sueur perlait au bout du nez de Cork. Il était nu sur sa serviette, le dos collé au mur carrelé du sauna. Les autres hommes n'étaient que des silhouettes floues dans le brouillard de vapeur.

« Pour lui, c'est de la politique, il ne s'agit pas de faire respecter la loi.

– Est-ce qu'il t'arrive de regretter ta décision de ne pas t'être présenté ?

– Jamais », répondit Cork.

La porte du sauna s'ouvrit. Un souffle d'air froid entra dans la pièce.

« Gooding ? Adjoint Gooding ? Vous êtes là ?

– Ouais, Pender, je suis là. Qu'est-ce qu'il y a ? demanda Gooding.

– Le shérif vous demande, cria Pender.

– Hé, mais c'est mon jour de repos !

– Il a dit que vous deviez vous amener au bureau tout de suite.

– Est-ce qu'il va me payer mes heures sup ?

– Ferme cette porte, bon sang, Pender, dit Bledsoe. On se croirait au pôle Nord, tout à coup.

– Pas tant que Gooding ne sera pas sorti de là.

– Parle-lui, Randy. Il commence à faire froid. Je viens juste de voir passer un pingouin.

– J'arrive. Ferme la porte. »

Gooding se leva et la vapeur se mit à tourbillonner autour de lui.

« Je crois que c'est bon pour moi aussi », dit Cork. Il quitta le banc de cèdre à son tour. « Contre qui on joue, la semaine prochaine ?

– L'équipe du casino, dit Bledsoe. Les Five Card Studs. »

Quand Cork arriva dans le vestiaire, il trouva Randy Gooding et l'adjoint Duane Pender en plein conciliabule dans un coin, à côté des douches. Gooding hocha la tête deux ou trois fois et finit par dire :

« Je serai prêt dans moins de dix secondes. » Pender sortit d'un pas pressé. Gooding alla droit à son vestiaire sans prendre le temps de se doucher.

Lorsque Soderberg était devenu shérif, il avait réorganisé tout le département ; il avait notamment démantelé les unités spécialisées que Cork et Wally Schanno avaient créées pour qu'elles se consacrent à certains domaines de prévention et d'enquête. Cela avait contrarié un certain nombre d'officiers de l'ancienne garde, y compris le capitaine Ed Larson, qui avait dirigé d'importantes enquêtes criminelles, et il avait démissionné, ainsi que plusieurs autres. Maintenant, Gooding, à cause de sa formation auprès du FBI, se retrouvait généralement avec la responsabilité d'enquêter sur les délits graves, mais la hiérarchie ne lui reconnaissait ni rang particulier, ni titre, ni indemnité financière. Il le faisait, disait-il, parce qu'il aimait ça, et Cork le comprenait.

« Qu'est-ce qui se passe, Randy ? demanda Cork. Pender avait le visage assez grave. »

Gooding jeta un coup d'œil alentour pour vérifier qu'ils étaient bien seuls.

« Des randonneurs ont trouvé un corps enfoui sous la neige à Moccasin Creek. Jeune. Une femme.

– Charlotte Kane ?

– On n'en sera sûr qu'une fois qu'on y sera. Mais c'est bien à elle que je pense.

– Où, sur Moccasin Creek ? »

Gooding s'apprêtait à répondre, mais s'interrompit juste à temps.

«Non, pas question. Je vois très bien à quoi tu penses. Cork, ce genre de truc, ce n'est plus tes affaires.» Il ouvrit son armoire et commença à s'habiller. «Ne le prends pas mal, mais lorsque je travaillais à Milwaukee, nous avions quelques agents âgés qui avaient pris leur retraite, mais qui le vivaient très mal. Ces types passaient constamment au bureau et mettaient leur grain de sel partout. Ils étaient devenus vraiment empoisonnants.

– J'ai été congelé pratiquement une semaine quand j'essayais de la retrouver.

– Comme soixante autres personnes. Et elles ne réclament pas pour autant de voir le corps.

– Où, sur Moccasin Creek ?

– Écoute, si tu te pointes, le shérif saura tout de suite qui t'a tuyauté, et il va m'étriper.

– Je jurerai que c'est pas toi.

– Il n'est pas idiot.

– Ça, ça reste à voir. Allez, Randy. Où ?»

Gooding se caressa la barbe, une bande de poils roux qui formait un triangle autour de sa bouche. Il disait souvent que la tolérance concernant les favoris était une des choses qu'il appréciait dans le boulot de flic en milieu rural. Il secoua la tête et céda.

«Le petit pont, à environ quatre cents mètres au nord du départ du chemin de randonnée près de County Five.

– Je vois où c'est.»

L'adjoint passa sa tête dans l'encolure d'un T-shirt puis se pencha pour enfiler ses chaussures. Lorsqu'il eut fini de nouer les lacets, il se redressa et envoya à Cork un regard coupable. «Laisse-nous au moins un peu d'avance.»

Au moment où Gooding sortait, Mal Thorne arriva du sauna, une serviette enroulée autour de la taille. Il jeta un coup d'œil au dos de Gooding, puis à Cork, qui commençait tout juste à s'habiller.

« Aucun de vous deux ne se douche ? Que se passe-t-il de si important ?

– Un corps a été retrouvé dans la neige à Moccasin Creek.

– C'est où ?

– Juste à l'est de Valhalla.

– Un corps de femme ?

– Oui.

– Charlotte Kane ?

– On n'en est pas sûr. Mais je ne connais pas d'autre femme qui ait disparu ces derniers mois.

– J'aimerais y aller avec toi. »

Cork ne répondit pas.

« Tu y vas, insista le prêtre. C'est pour cela que tu ne prends pas de douche.

– J'en ai besoin, pour refermer le dossier dans ma tête, dit Cork.

– J'ai de très bonnes raisons d'y aller, moi aussi. »

Cork se prépara à le contredire, mais il se rendit compte que Mal Thorne avait payé de sa personne autant que lui-même en ces jours de froid et d'amertume pendant lesquels ils avaient recherché Charlotte Kane. Il désigna son casier et dit :

« Alors, vous feriez bien de vous habiller. Je ne vous emmènerai pas dans cette tenue. »

5

« Vous ne dites rien, dit Cork après un long silence, tandis qu'ils roulaient. Vous êtes certain de vouloir faire ça ? »

Parce qu'il n'allait plus jamais à la messe, Cork ne voyait pas en Thorne d'emblée un homme d'Église. Ils jouaient au basket ensemble, c'était tout. Mal était venu quelques années auparavant à Aurora pour assister le vieux pasteur de Sainte-Agnès. C'était un homme énergique, apprécié, et il administrait la paroisse avec efficacité. Quant à sa capacité à encaisser ce qu'il risquait de voir à Moccasin Creek, Cork l'ignorait.

Mal dit :

« Je réfléchissais. Si c'est bien le corps de Charlotte Kane, c'est peut-être une bénédiction, d'une certaine façon.

– Qu'est-ce qui vous fait dire ça ?

– Fletcher et Glory ont désespérément besoin d'un dénouement, d'une manière ou d'une autre.

– Kane a besoin que des tas de choses se dénouent, si vous voulez mon avis. »

Le prêtre le regarda longuement.

« D'après certaines informations que m'a données Rose, je crois comprendre que Fletcher et vous n'êtes pas dans les meilleurs termes. »

Cork aborda County Five, une petite route asphaltée pleine de nids-de-poule laissés par le gel puis le dégel à la fin de l'hiver. Ils traversaient la Superior National Forest, au nord d'Aurora. Le soleil d'avril étincelait, riche de promesses, à travers le pare-brise de la vieille Bronco de Cork.

«Je suis pratiquement certain que Fletcher en veut à mon père pour la mort de son père.»

Une expression de surprise apparut sur le visage du prêtre.

«Comment cela se fait-il?

– Vous savez que mon père était shérif ici, il y a longtemps.

– Je l'ai entendu dire, oui.

– Le père de Fletcher était dentiste. Lorsque Fletcher et moi étions enfants, son père s'est donné la mort. Il s'est avéré que mon père enquêtait alors sur une plainte pour agression sexuelle déposée par l'une des patientes de Harold Kane.

– Et Fletcher tient ton père pour responsable?

– Il ne l'a jamais dit aussi clairement, mais ses actes ont été assez éloquents.»

Ils traversèrent dans un grand fracas un vieux pont de bois et Cork ralentit, guettant la bifurcation. Il savait qu'elle apparaîtrait brusquement, au détour d'un virage serré.

«Rose m'a dit que pour eux la situation était difficile», dit Cork.

Mal confirma d'un hochement de tête.

«Fletcher s'est complètement replié sur lui-même. Et Glory aime cette enfant comme si c'était sa propre fille. Si elle n'avait pas Rose sur laquelle elle peut s'appuyer, je crois qu'elle aurait complètement perdu pied depuis longtemps.

– La mort d’un enfant. » Cork secoua la tête. « Je ne vois rien de plus accablant.

– Il y a beaucoup de gens qui prient pour eux.

– Ils pourraient tout aussi bien jeter des pièces dans une fontaine. »

Le prêtre lui lança un regard appuyé.

« Un jour, je voudrais bien connaître toute l’histoire.

– Quelle histoire ?

– Celle qui fait que tu es en colère contre Dieu.

– Et un jour, je voudrais connaître l’autre histoire, dit Cork.

– Laquelle ?

– Celle qui fait qu’un type aussi talentueux que vous se retrouve exilé dans une petite paroisse au fin fond des North Woods. Vous avez dû vraiment contrarier Dieu, ou quelqu’un d’autre.

– Peut-être que c’est un choix de ma part.

– Ouais, dit Cork. Bien sûr. »

Une pancarte marron marquait le début du chemin de randonnée de Moccasin Creek. Cork se gara sur le petit parking recouvert de graviers. Il restait de la neige tout autour, des petits tas sales, les vestiges des hauts remblais que les engins avaient amassés pendant l’hiver et qui fondaient lentement depuis des semaines. Le parking était plein de véhicules, pour la plupart des voitures de patrouille du département du shérif du comté de Tamarack. Cy Borkmann, un adjoint historique, son corps lourd appuyé contre sa voiture, fumait une cigarette. Un peu plus loin, un autre homme, un étranger, était assis dans une Dodge Neon rouge, la portière grande ouverte. L’homme était penché en avant, les jambes à l’extérieur, les pieds posés sur le gravier mouillé du parking, et il regardait fixement le sol.

Cork se gara à côté de Borkmann et sortit.

« Salut, Cy. »

L'adjoint sourit, et ses joues déjà rebondies s'arrondirent encore.

« Salut, Cork. Père Mal... Qu'est-ce que vous faites là, les gars ?

– On a entendu la nouvelle. On est passés voir si on pouvait donner un coup de main. »

Le sourire de Borkmann disparut. Il secoua la tête et son cou de dindon se mit à balloter.

« Le shérif a ordonné que l'accès soit interdit à toute personne qui ne fait pas partie du personnel autorisé. Tu n'es pas vraiment autorisé, ces derniers temps. »

Borkmann était déjà adjoint bien avant que Cork ne devienne shérif. Ils s'étaient toujours bien entendus. Mais les choses avaient changé et Borkmann était aux ordres.

D'un mouvement du menton, Cork désigna l'homme dans la Dodge. « Qui c'est ?

– Il a trouvé le corps.

– Il a l'air un peu secoué. Ça t'ennuie pas que j'aille lui parler ? »

Borkmann réfléchit.

« Le shérif n'a rien dit à ce sujet. Vas-y. »

Cork s'approcha de l'homme, qui leva des yeux vides. Il paraissait avoir à peine trente ans ; il avait des cheveux noirs, abondamment huilés, et un teint très bronzé qui faisait penser à Cork qu'il ne venait pas d'un coin proche du Minnesota.

« Cork O'Connor. » Il tendit la main.

« Jarrod Langley.

– On m'a dit que c'est vous qui aviez découvert le corps.

– C'est ma femme. »

Cork regarda autour de lui.

« Elle est rentrée au site, dit Langley. Je l'ai laissée là-bas quand je suis allé téléphoner au bureau du shérif.

– Vous n'êtes pas du coin, dit Cork, remarquant son accent.

– Nous venons de Mobile, en Alabama. C'est notre voyage de noces. » Il ramassa un gravillon et le fit tourner deux ou trois fois au creux de sa paume. « Je voulais aller à Aruba. Suzanne préférait aller dans le nord. Elle n'avait jamais vu de neige. »

Ils avaient raté la belle neige de quelques semaines. Sur le sol ne restaient plus que des plaques isolées mêlées d'aiguilles de pin, de branches et autres débris tombés des arbres avec les vents de printemps. La fonte irrégulière donnait à la neige une apparence grêlée, maladive. Aux endroits exposés au soleil toute la journée, la terre mouillée était nue et la boue noire ressemblait à des flaques de pétrole brut.

« Comment avez-vous trouvé le corps ? demanda Cork.

– Nous partions en randonnée. À défaut d'y aller à ski ou en motoneige, nous pouvions au moins marcher. Nous sommes arrivés au petit pont et Suzanne a vu quelque chose qui dépassait de la neige au bord du ruisseau. Elle est descendue pour voir ce que c'était. Elle m'a crié qu'elle avait découvert un gros engin. Elle s'est dit que c'était une motoneige. Une seconde après, elle s'est mise à hurler comme une folle. » Il jeta le caillou qu'il avait dans la main jusqu'à l'autre bout du parking, où il alla s'incruster dans un banc de neige sableuse. « Super, la lune de miel.

– J'imagine... » dit Cork.

Langley le regarda, les yeux un peu plissés dans la lumière éclatante du soleil.

« Vous faites partie de l'équipe du shérif.

– Suis à la retraite. Enfin, façon de parler. Mr Langley, est-ce qu'on vous a offert du café ?

– Non.

– Vous en voulez ?

– Oui. »

Cork retourna à l'endroit où Borkmann et le prêtre étaient restés côte à côte.

« Cy, autrefois, tu avais toujours une Thermos de café dans ta voiture.

– J'en ai toujours une.

– Et si tu en donnais un peu à cet homme, là-bas. Cela ne le calmera peut-être pas, mais ça ne lui fera pas de mal. »

Borkmann lança un coup d'œil vers Jarrod Langley et hocha la tête.

« Bonne idée. »

Lorsque l'adjoint partit vers la Chrysler Neon, la Thermos à la main, Cork dit à Mal Thorne, à mi-voix. « Allons-y. » Il partit rapidement vers le chemin de randonnée le long de Moccasin Creek. Sans un mot, le prêtre lui emboîta le pas.

On accédait au chemin par une trouée entre les pins qui entouraient le parking, et il descendait par une pente assez raide jusqu'au ruisseau. Cork marchait devant. Le sol avait dégelé, il était boueux et couvert d'empreintes. Quelques minutes plus tard, les deux hommes arrivèrent à la passerelle ; la fonte des neiges et de la glace avait transformé le petit ruisseau en un torrent laiteux.

Neuf personnes étaient présentes sur la scène, presque un tiers du département. Les adjoints Jackson, Dwyer et Minot utilisaient un treuil manuel accroché au tronc d'un gros pin rouge pour sortir la motoneige de l'eau et la hisser sur la berge. L'adjointe Marsha Dross immortalisait la scène armée d'un caméscope tandis que Pender faisait de même avec un appareil photo. Johannsen et Kirk travaillaient avec un mètre enrouleur. Randy Gooding était accroupi au bord de l'eau, à moitié caché par un rocher posé sur une épaisse plaque de neige fondante. Sur cette plaque, sortant de l'arrière du rocher comme deux baguettes de pain, une paire de jambes humaines vêtues de jean.

Le shérif Arne Soderberg regardait par-dessus l'épaule de Gooding. Soderberg ne portait jamais d'uniforme. Il préférait, pour ses tâches quotidiennes au bureau, porter un costume trois pièces élégant, une chemise blanche amidonnée et une cravate en soie. Dans la rue, on aurait facilement pu le prendre pour un banquier ou un courtier fortuné des Twin Cities. Il avait quelques années de moins que Cork, mais ses cheveux étaient déjà d'une magnifique couleur argent, qu'il faisait couper au rasoir toutes les semaines. C'était un bel homme – mâchoire forte, yeux d'un bleu perçant, sourire charmant très étudié – et il était très photogénique. Il n'avait pas la moindre expérience dans le maintien de l'ordre. Tout le monde savait qu'il était tout simplement cornaqué par les Républicains indépendants dans la perspective de plus hautes responsabilités et que le boulot de shérif était pour Soderberg une occasion de faire ses preuves comme serviteur de l'État avant de progresser vers de plus hautes sphères. Pendant des années, il avait été employé par l'entreprise familiale : il était le vice-président de l'entreprise de son père, Soderberg Transport, une affaire importante qui prenait en charge l'essentiel du transport routier dans l'Iron Range et une bonne moitié du nord du Minnesota. Son intérêt pour la politique était apparu à l'âge auquel la plupart des hommes passaient par une crise personnelle. Cork soupçonnait que ce poste de fonctionnaire était peut-être la solution que cet homme qui pouvait s'offrir une voiture de sport très chère dès qu'il le voulait avait trouvée à cette phase critique.

Cork et Mal traversèrent la passerelle et descendirent le long de la berge en direction de Gooding et Soderberg. Les adjoints qui connaissaient bien Cork le saluèrent d'un signe de tête, mais personne ne dit mot sur sa présence. Jusqu'à ce que Soderberg lève la tête.

« O'Connor. Qu'est-ce que vous foutez là ? »

Le shérif portait une tenue un peu plus appropriée à la tâche du jour que son costume trois pièces habituel : une chemise Pendleton neuve et un jean dont le pli était très marqué. Malgré la boue printanière, il avait réussi, par miracle, à garder ses chaussures en Gore-Tex impeccablement propres.

Cork était certain que, après leur vif échange lors de l'émission de radio d'Olaf Gregerson, Soderberg ne serait pas heureux de le voir. Mais ce ne fut pas la colère que Cork vit à l'instant où ses yeux se posèrent sur le visage du shérif. Il y avait une expression d'horreur, l'expression de quelqu'un dont la sensibilité ne pouvait admettre la réalité qui lui faisait face. Cork se dit que le cadavre de la jeune fille devait offrir un spectacle épouvantable.

« J'ai entendu la nouvelle, pour Charlotte Kane », dit Cork.

Il avait atteint le rocher et il avait maintenant la même perspective que Gooding et le shérif. Le corps était étendu sur un lit de cristaux de neige, comme un poisson sur l'étal d'un commerçant. Elle était complètement habillée, elle portait encore sa parka en duvet. La peau de son visage et de ses mains paraissait bien préservée et Cork se dit que le corps avait dû rester congelé tout l'hiver.

Devant la réaction de Soderberg, Cork avait imaginé le pire, mais il avait eu tort. Même dans la mort, Charlotte était très belle. Ses cheveux étaient longs et noirs, brillants du fait de la neige fondant autour d'elle sous le soleil d'avril. Cork se rappela que, chaque fois qu'elle s'arrêtait Chez Sam pour prendre un burger ou un milk-shake, elle était toujours extrêmement polie. C'était une jeune fille charmante et discrète. Maintenant, son visage était pâle, détendu, ses bras croisés sur sa poitrine, comme si elle était plongée dans un long et profond sommeil. En la voyant ainsi, Cork ressentit une tristesse accablante pour elle et pour sa famille.

Et autre chose aussi, qu'il n'avait pas éprouvé depuis des mois. L'imperceptible traction d'une forme sombre se détachant sur un fond d'un blanc immaculé, une main invisible tendue vers lui.

« Pender ! brailla Soderberg. Pender, débarrasse-moi de ces deux-là. »

Cork se retourna vers la passerelle, puis vers la motoneige qui était hissée sur la berge, pour finalement revenir à l'endroit où était allongé le corps.

« On dirait que son Arctic Cat a littéralement sauté du pont, dit-il. Elle devait descendre cette pente à vive allure. »

Gooding hocha la tête.

« Et elle n'a pas pu négocier l'entrée de la passerelle. Elle avait bu, on le sait. »

Le pont était bien annoncé et assez large pour pouvoir être franchi sans encombre. Cork se souvint de ce que Jenny lui avait dit sur Charlotte, sur les poèmes sombres de la jeune fille et sa fascination pour le suicide.

Soderberg se planta devant Cork, lui cachant le corps.

« Je veux que vous fichiez le camp, O'Connor. Vous n'avez rien à faire ici. » Il jeta un coup d'œil autour de lui. « Mais où est donc Pender ?

– Qu'est-ce que c'est ? »

Cork tendit le doigt vers un bout de papier de couleur vive à peine visible dans la neige à quelques mètres de là.

«Je m'apprêtais à l'examiner.» Gooding portait des gants en latex; il tendit la main et dégagea un emballage rouge, blanc et vert. «Une barre de Nut Goodie», dit-il. Il enleva un fragment de neige et brandit un morceau de Cellophane déchiré. «Bœuf séché.» Il agrandit le périmètre de recherche et découvrit les restes d'un sac de Doritos, des morceaux de zeste d'orange congelés et une bouteille de Corona avec quelques centimètres de liquide au fond.

Gooding leva les yeux vers Cork.

«Qu'est-ce que tu penses de ça?»

Soderberg, qui avait toujours l'air ébranlé, intervint:

«Peut-être qu'elle a été piégée par le blizzard et qu'elle a mangé pour garder ses forces, espérant qu'on allait la retrouver.»

Cork examina le corps, sa posture paisible. Un détail le dérangeait.

«Regardez-la bien. Vous ne remarquez rien?»

Soderberg reporta son attention sur Cork et le prêtre, qui observait la scène, un peu en retrait.

«Dégagez, O'Connor. Et père Mal, écoutez, je suis désolé, mais il faut que vous partiez aussi. Pender, cria-t-il. Pender, mais où êtes-vous, bon sang?

– Ici, shérif.» Duane Pender sortit de l'ombre sous la passerelle, remontant sa braguette tout en marchant. Il avança à pas prudents entre les rochers et les plaques de neige. «Un besoin naturel, dit-il, l'air contrit.

– Escortez ces messieurs jusqu'au parking, ordonna Soderberg. O'Connor, j'apprécierais que vous ne causiez pas de difficulté à mon adjoint.»

Cork ouvrit la bouche.

« Où sont ses gants, Arne ?
– Quoi ?
– Ses gants. »

Soderberg baissa les yeux vers les mains de la jeune fille, qui étaient nues et blanches.

« Si elle avait conduit ce scooter sans gants, ses mains auraient été gelées bien avant qu'elle arrive à Moccasin Creek », fit remarquer Cork.

Soderberg hocha la tête en direction de Gooding.

« Vérifiez son manteau. »

Gooding fouilla les poches de la parka et resta bredouille. Il tâtonna dans la neige autour du corps et secoua la tête.

« Pourquoi aurait-elle la présence d'esprit d'emporter de la nourriture avec elle, mais pas de gants ? Et autre chose... poursuivit Cork. Cette bouteille de Corona. Difficile de croire qu'elle aura survécu intacte à un accident pareil.

– Mais pas complètement exclu, rétorqua Soderberg.

– Peut-être pas. Comment l'a-t-elle ouverte ?

– Comment ouvre-t-on une bouteille de bière, généralement ? On dévisse la capsule, c'est tout.

– C'est une Corona, Arne. Les capsules ne se dévissent pas. À moins de trouver un décapsuleur dans le coin, la question demeure. »

Soderberg dit :

« Je croyais que je vous avais demandé de me débarrasser de ces deux-là, Pender. »

L'adjoint Pender venait d'arriver dans le département du shérif. Il ne faisait pas partie de l'équipe du temps de Cork. Pour lui, Corcoran O'Connor était juste un type qui vendait des burgers au bord d'Iron Lake. Et comme Pender était baptiste, il ne prêtait pas au prêtre une autorité particulière. Il désigna le chemin de randonnée d'un mouvement du menton.

« Vous avez entendu le shérif.

– Est-ce que vous allez garder ça comme indices ? demanda Cork en montrant les objets que Gooding avait découverts à côté du corps.

– O'Connor ! »

Soderberg tendit un bras comme pour écarter physiquement Cork de la scène de crime. Cork fronça les sourcils et Soderberg interrompit son geste juste avant de le toucher.

« Je vais les garder », dit Gooding.

Cork tourna les talons et remonta sur la berge. Le prêtre s'attarda.

Mal Thorne demanda :

« Shérif, quand comptez-vous le dire aux parents ?

– Je ne sais pas encore.

– Je voudrais être présent lorsque vous le ferez. »

Soderberg secoua la tête.

« Je ne crois pas que...

– Arne, intervint Cork, vous est-il jamais arrivé de devoir annoncer à une mère ou à un père que son enfant est mort ? »

En guise de réponse, le shérif se contenta de lui lancer un regard noir. Il révélait peut-être l'état émotionnel de Soderberg mais, plus vraisemblablement, il visait à cacher le fait qu'il n'ait jamais eu à endosser ce fardeau particulier.

Cork dit :

« Lorsque vous le ferez, je crois que vous serez content d'avoir quelqu'un comme Mal à vos côtés.

– Quand je voudrai un conseil de votre part, je vous le demanderai. » À son crédit, il fallait reconnaître que Soderberg parlait fort civilement au prêtre. « J'y réfléchirai et je vous informerai de ma décision.

– Je serai au presbytère. »

Soderberg jeta à Pender un regard furieux.

«Lorsque vous arriverez au parking, relevez Borkmann et envoyez-le-moi. Je veux lui dire deux mots.»

Ils remontèrent le chemin, lentement, parce que le terrain était glissant, et parce que désormais un poids reposait sur leurs épaules. Cork repensait à Soderberg, à l'angoisse qui se lisait sur son visage lorsqu'il avait baissé les yeux sur le corps de Charlotte Kane. Il se dit que le shérif n'avait probablement jamais eu à faire face à la mort de cette façon. Il se demanda si Soderberg appréciait la responsabilité inhérente à sa fonction, maintenant.

Le prêtre laissa échapper un profond soupir qui n'avait rien à voir avec l'effort de l'ascension.

«Rose est-elle à la maison ?

– Je crois, dit Cork. Pourquoi ?»

Le prêtre gardait les yeux rivés sur la boue.

«Glory va avoir besoin d'elle.»

6

Cork passa l'après-midi à travailler Chez Sam pour préparer la saison touristique. C'était une vieille hutte qui avait été convertie il y a longtemps en buvette sur le rivage d'Iron Lake, juste après la limite nord d'Aurora. De début mai à fin octobre, Cork, avec l'aide de ses filles, nourrissait pêcheurs, touristes et habitants affamés. C'était une existence calme pour un ancien flic, mais Cork en était venu à l'apprécier.

Tout en travaillant, il pensait à Charlotte Kane, à son air paisible dans la mort. Il avait entendu dire que la congélation n'était pas une mauvaise façon de partir, que les gens qui mouraient de froid ressentaient une sorte de chaleur à la fin, une ultime euphorie. Peut-être était-ce ce qui s'était passé pour Charlotte. Il l'espérait. Cependant, cela n'expliquait pas pourquoi elle ne portait pas de gants, ni qui avait décapsulé la bouteille de Corona, curieusement intacte. Cork avait envisagé sous plusieurs angles les papiers d'emballage trouvés dans la neige à côté du corps. Il adorerait jeter un coup d'œil à l'autopsie pour savoir si son estomac contenait des aliments correspondant à ces papiers. Parce que plus le temps passait, plus les circonstances l'invitaient à envisager la possibilité qu'elle n'était pas seule au moment de sa mort.

Il avait déjà retiré le contreplaqué qui obstruait les passe-plats pendant l'hiver, et il s'apprêtait à nettoyer un nid que des écureuils avaient installé sous l'avant-toit côté lac lorsque son téléphone portable sonna.

« Cork O'Connor », dit-il.

Il n'entendit rien dans le combiné, ce qui ne le surprit aucunement. Du point de vue technologique, Aurora était à proximité d'une frontière. La demande en téléphones portables n'était pas encore assez importante pour justifier l'installation de relais qui desserviraient la région. Au nord d'Aurora, les téléphones portables ne fonctionnaient pas du tout. En ville, la réception était sommaire, au mieux. Généralement, Cork ne se donnait même pas la peine d'emporter son portable avec lui.

« Allô, dit-il. Je ne vous entends pas très bien. »

Au milieu des parasites grésillants, il distingua la voix de Rose, et deux bouts de phrase :

« Glory Kane... » et « ... a besoin de toi. »

Glory Kane ouvrit la porte avant qu'il ne frappe. Cork fut surpris de constater qu'elle paraissait parfaitement sobre.

Glory avait environ trente-cinq ans, soit treize ans de moins que son frère. À part le nom qu'ils avaient en commun, les deux Kane partageaient peu de choses. Fletcher était grand, dégingandé, déjà chauve. Glory était une femme de petite taille, avec de longs cheveux noirs et de très jolis traits. Lorsqu'elle sortait le grand jeu pour se maquiller, elle était absolument renversante. Pendant un certain temps, à la suite de son arrivée avec Fletcher à Aurora, elle s'était souvent donné la peine de s'apprêter ainsi. Mais petit à petit elle avait renoncé à l'énorme effort que devait représenter la dissimulation forcenée de sa souffrance, à l'aide de peinture et de poudre, et maintenant son visage était bien différent. On y lisait l'expression épuisée d'un vétéran de la guerre, le regard parfois vide de quelqu'un qui avait survécu à une longue et amère bataille. Très souvent, c'était simplement l'effet de l'alcool, car elle buvait. Ce n'était un secret pour personne. Elle n'était pas odieuse dans son vice. Généralement, elle se claquemurait dans la grande maison de son frère, et personne ne la voyait pendant des jours. Dans le foyer Kane, elle semblait occuper le même genre de rôle que Rose chez les O'Connor, et paraissait s'être attachée à Charlotte autant que Rose à ses nièces et neveu. C'était peut-être la raison pour laquelle elle avait permis à Rose d'être plus proche d'elle que n'importe qui d'autre à Aurora. S'y ajoutait aussi le fait que Rose ne s'autorisait jamais, au grand jamais, de juger qui que ce soit.

« Merci d'être venu », dit-elle en reculant pour le laisser entrer.

Comme Cork et beaucoup d'autres habitants d'Aurora, les Kane étaient revenus après une longue absence. Fletcher et Glory étaient partis plus longtemps que la plupart des gens : trente-cinq ans. Fletcher, lorsqu'il était parti, avait treize ans, comme Cork. Glory avait été conçue, mais elle n'était pas encore née ; elle n'existait que dans la rondeur visible du ventre de sa mère. Pour autant que Cork le sût, personne n'avait entendu parler d'eux après leur départ. Tous leurs parents qui habitaient dans le comté de Tamarack étaient décédés ou avaient quitté la région depuis longtemps. Ils n'avaient pas de vieux amis et pas de raison apparente qui ait motivé leur retour. Fletcher, aujourd'hui veuf, était simplement réapparu un jour quelques années auparavant, avec sa fille, sa sœur et assez d'argent pour faire de lui l'un des hommes les plus riches de l'Iron Range. Il s'était installé dans la vie d'Aurora sans souffler mot des presque quatre décennies qu'avait duré son absence. On savait peu de choses de lui. Il était médecin, chirurgien plasticien, mais il ne pratiquait plus. Il spéculait dans l'immobilier et le foncier. Il apportait un soutien financier conséquent au parti des Républicains indépendants. Et il préservait farouchement son intimité, ce qui, dans une petite ville, intriguait forcément.

Il avait non seulement bâti Valhalla, sa retraite isolée, mais avait aussi acheté une des plus grandes maisons d'Aurora, l'ancien domaine Parrant, qui s'étendait sur toute l'extrémité de la langue de terre appelée North Point. La maison était immense, en pierre grise, entourée de cèdres et d'une vaste surface gazonnée qui allait jusqu'au rivage d'Iron Lake. Cork connaissait très bien le domaine Parrant. Une nuit de neige, quelques années auparavant, c'était lui qui avait découvert le juge Parrant dans son bureau, la tête en grande partie arrachée.

Glory le conduisit dans le salon. Rose était déjà installée sur le canapé. Elle fit une place à Cork à côté d'elle.

« Vous êtes au courant pour Charlotte », dit-il.

Glory hocha la tête.

« Je suis désolé, dit Cork.

– Merci. » Il était clair qu'elle avait beaucoup pleuré, mais elle paraissait avoir retrouvé une contenance. Cork se dit que Rose avait dû être d'une aide précieuse.

Glory ne sortait pratiquement jamais. En dehors de sa fréquentation régulière de l'église Sainte-Agnès, elle apparaissait rarement en public. Ce fait nourrissait toutes sortes de rumeurs. Rose n'en écoutait pas le premier mot et, depuis le début, s'était efforcée de se lier d'amitié avec elle. Une ou deux fois par semaine, elle lui rendait visite, et les deux femmes bavardaient en buvant du café. Après la disparition de Charlotte, Glory cessa d'aller à l'église et Rose devint presque son seul contact avec le monde extérieur, de l'autre côté des murs de pierre de la demeure de son frère. Glory était une femme intelligente et elle parlait de livres, de religion, de politique, mais jamais, disait Rose, de sa vie avant son arrivée à Aurora.

« Vous étiez shérif, dit Glory.

– C'est exact.

– Rose pense que vous savez peut-être comment on retrouve les gens.

– J'imagine que oui.

– Lorsque le shérif Soderberg nous a dit qu'une autopsie allait être pratiquée sur Charlotte, Fletcher s'est mis en colère. Il est médecin. Il sait ce qu'ils font à un corps lors d'une autopsie. Il s'est fâché. Si le père Mal n'avait pas été là pour intervenir, je crois qu'il serait peut-être devenu violent. Il est descendu dans son bureau, a fermé la porte à clé, et il est resté là jusqu'à ce que le shérif et le père Mal soient partis. Il a refusé d'ouvrir lorsque j'ai frappé. Un moment après, il est parti en trombe. Depuis, je n'ai pas la moindre nouvelle de lui. Il y a plusieurs heures de cela.

– Vous craignez pour sa sécurité ?

– Dans son état d'esprit, j'ai peur qu'il commette un acte irréparable.

– Et vous voulez que je le retrouve avant ?

– Oui.

– Pourquoi ne vous adressez-vous pas aux hommes du shérif ?

– Je sais qu'il refuserait de leur parler et peut-être qu'ils ne feraient que le contrarier davantage. »

Du temps du juge Parrant, la maison était un endroit sombre, rempli de trophées de chasse, où régnait un silence étouffant. Les trophées avaient disparu mais Cork sentait toujours le silence, épais, pesant, dans toutes les pièces qu'il ne voyait pas.

« Peut-être qu'il ne veut pas que je le cherche, dit Cork.

– Mais moi, je le veux.

– Ce que je veux dire, c'est peut-être qu'il ne veut pas que ce soit moi qui le cherche. »

Glory ne cessait de se frotter les mains l'une contre l'autre, comme si elle était en train de les laver sans parvenir à les rendre propres.

« Je sais qu'il ne vous aime pas. Je ne sais pas pourquoi, mais cela n'a aucune importance. Je veux juste m'assurer qu'il va bien. »

Cork répondit :

« D'accord. »

Glory saisit une bible blanche sur la table basse et la tint entre ses mains.

« Rose et moi avons beaucoup parlé. Il y a ceux qui pensent qu'il faut trois jours pour que l'esprit se fasse à la réalité de la mort et abandonne complètement le corps. Pour Charlotte, ces trois jours se sont déroulés il y a longtemps. Pour moi, ce n'est pas Charlotte, ce corps sur lequel ils travaillent à la morgue. Mais Fletcher ne voit pas les choses ainsi. »

Cork dit :

« Vous n'avez aucune idée de l'endroit où il pourrait être allé ? »

Cette simple question parut décontenancer complètement Glory.

« Nous en avons discuté, dit Rose. Glory n'a pas la moindre idée.

– A-t-il un bureau quelque part ? suggéra Cork.

– Seulement ici, dit Glory.

– Un bar qu'il apprécie ?

– Fletcher ne boit pas.

– Des amis ?

– Fletcher a des associés. Il a des connaissances. Mais il n'a pas d'amis.

– Y a-t-il un endroit qui soit spécial pour lui ? Valhalla, peut-être ?

– Il déteste Valhalla. Après la disparition de Charlotte, il ne pouvait pas supporter l'idée de retourner là-bas.

– Serait-il possible qu'il soit là, dehors, en train de conduire et de réfléchir ?

– Il a mal au cœur lorsqu'il conduit.

– Puis-je utiliser votre téléphone ? demanda Cork.

– Bien sûr. »

Glory désigna un téléphone sans fil posé sur une table à côté de la porte menant à la cuisine.

Cork prit le téléphone et entra dans la cuisine où il pouvait parler sans être entendu. Sur le mur à côté du réfrigérateur se trouvait un grand cadre avec plusieurs photographies, chacune dans sa propre case. C'était toutes des photos de Kane et sa fille en des temps plus heureux, souriants. Sur des scooters, sur des VTT, sur un court de tennis, sur une plage, et une en tenue de soirée à côté d'un mur couvert de bougainvillées rouges. Ils semblaient avoir fait beaucoup de choses ensemble et avoir pris un plaisir sincère à partager ces moments. Physiquement, ils étaient bizarrement mal assortis ; Charlotte, charmante avec ses longs cheveux noirs, arborant un sourire qui dévoilait son appareil dentaire ; son père, chauve, dégingandé et sans attraits. Cork se dit que la fille avait eu de la chance d'hériter ce qui avait dû être la beauté de sa mère, parce que son père avait un physique vraiment très bizarre. Les photos paraissaient dater de l'époque antérieure à l'arrivée des Kane dans le Minnesota ; des montagnes se dressaient derrière les scooters et la plage menait à l'océan. Cork se demanda pourquoi il n'avait jamais vu Kane et sa fille faire des choses ensemble à Aurora. Quelque chose s'était-il passé qui les avait séparés, qui avait détruit la joie qu'ils partageaient ? La mort de l'épouse de Kane, peut-être ? Cork ne connaissait pas les détails, mais peut-être avait-ce été une épreuve particulièrement difficile et le souvenir était-il douloureux. Peut-être était-ce la raison pour laquelle il n'y avait pas de photos de la mère de Charlotte.

Il composa le numéro du bureau du shérif et parla à l'adjointe Marsha Dross, qui était de permanence au standard. Fletcher Kane n'était pas passé par là. Cork composa le numéro de la morgue au Aurora Community Hospital où l'autopsie allait être effectuée mais n'eut pas de réponse. Il appela chez Arne Soderberg, qui lui répondit que, depuis qu'il avait quitté la maison des Kane plusieurs heures auparavant, il n'avait pas vu Fletcher ni entendu parler de lui. Cork retourna dans le salon.

« Glory, y a-t-il un téléphone qui fonctionne à Valhalla ?

– Je crois, oui. Nous n'avons jamais fait couper la ligne. Mais vous perdez votre temps, Cork.

– Ce sera un endroit de plus qu'on pourra éliminer. »

Glory lui donna le numéro.

Cork laissa le téléphone sonner dix fois. Il était sur le point de raccrocher lorsque le combiné à l'autre bout fut décroché. Personne ne parla.

« Fletcher ? » fit Cork.

Il n'entendit que le son d'une respiration, bruyante mais pas oppressée.

« Fletcher, c'est Cork O'Connor. »

Un long silence s'ensuivit, puis un mot unique, énoncé sur le ton d'une malédiction.

« Bouchers. »

Glory n'accompagna pas Cork. Fletcher, dit-elle, ne l'écouterait pas. Cork soupçonnait que Fletcher refuserait de l'écouter, lui aussi, mais il accepta d'essayer.

Il n'était pas surpris que Glory ne connaisse pas la source de l'inimitié que son frère manifestait envers le nom d'O'Connor. Cela s'était produit à une époque où Glory nageait encore dans le bien-être à l'intérieur du ventre de sa mère.

Cork se souvenait de Harold Kane comme d'un homme filiforme, arachnéen, avec les yeux un peu exorbités, et des mains douces qui sentaient le désinfectant. Un samedi matin, Cork et Fletcher avaient tous les deux treize ans, Harold Kane s'était enfermé dans son cabinet dentaire sur Oak Street, s'était installé sur le fauteuil où ses patients s'allongeaient et s'était tiré une balle dans la tête.

Dans une petite ville comme Aurora, un suicide était le genre d'événement qui restait longtemps dans la mémoire collective. Lorsqu'il apparut que le shérif Liam O'Connor était en train d'enquêter sur le Dr Kane parce qu'une de ses patientes avait prétendu que le dentiste avait abusé d'elle alors qu'elle était anesthésiée dans son cabinet, il y eut beaucoup plus dans les mémoires que l'acte de désespoir lui-même. Comme l'homme était mort avant que toutes les preuves puissent être rassemblées et que des charges puissent être déposées, sa culpabilité ou son innocence ne put jamais être établie. Cela n'avait pas d'importance. Dans l'esprit de la ville, le verdict était clair. Le Dr Kane fut, dans l'opinion publique, jugé et condamné.

Quelques semaines plus tard, la mère de Fletcher Kane quitta la ville, éloignant son fils des langues de vipères.

Cork oublia complètement les Kane, mais Fletcher n'avait pas oublié les O'Connor. Un incident se produisit peu de temps après le retour des Kane, qui révéla à Cork le profond ressentiment que l'homme devait avoir éprouvé toutes ces années depuis la mort de son père.

L'accès à Chez Sam se faisait par une étroite route de gravier qui bifurquait à partir d'une rue à la sortie d'Aurora. Avant de franchir les voies de la Burlington Northern, elle traversait une parcelle que possédait Shorty Geiger. Sam Winter Moon, le vieil Ojibwe de qui le café tenait son nom avait obtenu des droits de passage par la propriété de Geiger et les voies de chemin de fer. À la mort de Sam, lorsque la cabane et la parcelle qui l'entourait avaient échu à Cork O'Connor, il avait découvert une clause stipulant que l'accord de passage devait être renégocié. À Aurora, rien ne se faisait précipitamment et personne n'avait le goût des procès. Mais peu après le retour de Fletcher Kane, Cork reçut un courrier l'avisant que l'accès ne pouvait plus s'effectuer comme par le passé. Une entreprise immobilière avait acheté la parcelle de Shorty et avait l'intention d'y bâtir un fast-food, ce qui signifierait assez clairement la fin de Chez Sam. Jo livra une magnifique bataille judiciaire et gagna le procès. Le fast-food ne fut jamais construit. Au cours de la procédure, Jo découvrit que le principal investisseur dans l'entreprise en question n'était autre que Fletcher Kane.

Cork arriva sur le chemin d'accès boueux de Valhalla, au fin fond des bois au nord d'Aurora. Il faisait nuit noire, et la lumière de ses phares se réfléchit sur l'arrière de la Cadillac El Dorado gris argent de Fletcher Kane. Il se gara, éteignit ses phares et sortit de la voiture.

La nuit était calme, mais le lac était en plein dégel. De l'autre côté des grands pins, il gémissait, craquait, et Cork pensa aux cris d'un animal monstrueux en train de se réveiller.

Une lune étincelante, pleine aux trois quarts, éclairait les lieux. Il n'y avait pas la moindre lumière dans la grande maison, ni dans la maison des invités. Cork sortit une lampe de poche de la boîte à gants de sa Bronco mais ne l'alluma pas. Il s'approcha de la bâtisse, montant doucement les marches creusées dans la roche et recouvertes de bois. Avec son grand porche qui dominait l'eau, la maison ressemblait à un vaisseau fantôme qui aurait jeté l'ancre entre les troncs noirs des pins. Il alla jusqu'à la porte à moustiquaire et vit que le lourd vantail de bois était ouvert. La pièce était plongée dans les ténèbres.

Lorsqu'il s'immobilisa sur le palier, Cork sentit une forte odeur tout autour de lui, une odeur insolite au milieu du parfum frais des pins printaniers.

Du kérosène.

« Fletcher », appela-t-il en direction des ténèbres.

Il perçut un mouvement, puis un grincement métallique. Dans la pénombre de la pièce, un petit rond rougeoyant apparut et décrivit un arc de cercle. Cork interpréta le grincement comme celui du mécanisme d'un fauteuil pivotant. Il était quasi certain que le point rouge était l'extrémité d'un cigare allumé.

« Fletcher ?

– Qu'est-ce que tu fais ici ?

– Glory m'a demandé de venir. Elle est inquiète.

– Dis-lui que je suis touché. Maintenant, pars.

– Je ne partirai pas tant qu'on n'aura pas parlé.

– Je ne veux pas te parler, O'Connor. »

Les paroles de Kane étaient indistinctes, et malgré les affirmations de Glory, à savoir que son frère ne buvait pas, Cork était certain que c'était très exactement ce que Fletcher faisait depuis un moment. La situation parut soudain bizarre à Cork : Glory, qui buvait, était sobre, et Fletcher, qui ne buvait pas, était ivre.

« Je sais à quel point tout ceci doit être difficile pour toi, Fletcher, dit-il.

– Non, tu n'en as pas idée.

– J'ai des filles. Je sais que cela me tuerait, ou presque, si j'en perdais une.

– Mais tu n'as pas perdu de fille.

– Je sais que tu aimais Charlotte. Et c'est pourquoi je sais que tu vas faire ce qu'il faut, pour elle.

– Ce qu'il faut ? » L'extrémité de son cigare rougit tandis qu'il tirait une longue bouffée, au milieu de la forte odeur de kérosène qui régnait partout.

« Sais-tu pourquoi Arne a demandé une autopsie ?

– Tout ce que je sais, c'est qu'il veut charcuter ma fille.

– Dans des situations comme celle-ci, une autopsie est presque systématique.

– Des situations comme quoi ?

– Une mort dans laquelle l'alcool a peut-être joué un rôle. Dans le cas de Charlotte, il y a probablement une raison encore plus décisive. »

Même s'il ne parvenait pas à voir Fletcher clairement, il discernait la silhouette sombre, parfaitement immobile.

« Ils ont trouvé des emballages de nourriture et une bouteille de bière à côté du corps de Charlotte. Une autopsie pourrait probablement révéler au shérif si c'est Charlotte qui a mangé et bu.

– Que veux-tu dire, *si* c'est Charlotte ? » Il réfléchit. « Il y aurait eu quelqu'un avec elle ?

– Peut-être.

– Alors pourquoi ce fils de pute n'a-t-il rien fait pour la sauver ?

– J'imagine qu'il y a plusieurs possibilités. »

Un long silence s'installa, puis Kane énonça la plus sinistre des possibilités en question.

« Quelqu'un voulait qu'elle meure ?

– C'est une des possibilités.

– Qui ?

– Voilà une question que l'autopsie pourrait aider à résoudre. »

Cork regarda le point rouge descendre, et il entendit le bref crissement du tabac sec lorsque Fletcher Kane éteignit le cigare dans un cendrier. Quelques instants plus tard, une lampe s'alluma.

Kane était assis dans un fauteuil pivotant. Avec les années, il avait commencé à ressembler à son père, un homme aux proportions étirées et aux yeux de mouche. Cork pensa à une sauterelle géante.

« Je veux être seul, O'Connor. » Constatant que Cork ne bougeait pas, Kane ajouta : « Tu peux dire à Glory que je vais bien. »

Cork retourna à sa Bronco, mais il ne monta pas. Il resta à contempler Valhalla, inquiet à l'idée que la maison puisse s'embraser. Quelques minutes plus tard, il vit Kane à une fenêtre, une grande silhouette voûtée qui regardait la surface de l'eau. Les lèvres de Kane se mirent à bouger ; il énonça des mots que Cork ne put entendre. À ses pieds, comme si elle lui répondait, la glace du lac émit une plainte.

7

Corcoran O'Connor était trois quarts irlandais et un quart ojibwe. En dehors de quelques années à l'université puis quelques autres comme flic à Chicago, il avait vécu toute sa vie dans sa ville natale. Il avait reçu une éducation catholique ; baptisé à Sainte-Agnès, théâtre de sa première communion et de sa confirmation, il y avait été enfant de chœur, avait chanté à la messe, avait passé un temps raisonnable à se confesser. Il avait été important pour lui d'être catholique – autrefois. Mais depuis plusieurs années, il refusait de mettre les pieds à l'église et se fichait pas mal du commandement qui ordonnait de respecter le jour du Seigneur.

Ce dimanche après-midi d'avril, Cork était sur la rive gelée d'Iron Lake, devant Chez Sam. Le soleil était haut, sa chaleur pénétrait la terre gorgée d'eau, faisait fondre la glace qui figeait encore le sol en profondeur. L'air était mêlé d'un parfum de printemps. Il était venu avec ses outils et le vague projet de travailler dans la cabane, mais il savait qu'il n'allait pas déranger la paix qui régnait sur cette après-midi. Même s'il était en bisbille avec Dieu, il ne pouvait ignorer qu'un jour comme celui-ci enveloppait toutes choses d'un parfum de sacré.

C'était en partie dû à l'endroit, cette petite parcelle de terre que Sam Winter Moon avait léguée à Cork. Elle était bordée au nord par la brasserie Bear Paw et au sud par un bosquet de peupliers qui abritait les ruines d'une ancienne fonderie. À l'ouest passaient les voies de la Burlington Northern, au-delà desquelles s'étendaient les premiers faubourgs d'Aurora. À l'est, en dessous du soleil et sous la fine couche de glace, dormaient les eaux claires et profondes d'Iron Lake. Il y avait peut-être des endroits plus beaux que celui-ci, mais aucun, dans l'esprit de Cork, n'était plus singulier. Chaque fois qu'il venait sur ce petit bout de rivage, il sentait l'esprit de Sam Winter Moon bien présent.

Sam était le meilleur ami de son père. Lorsque Liam O'Connor était décédé, d'une balle en plein cœur, dans l'exercice de ses fonctions de shérif du comté de Tamarack, Sam Winter Moon était entré en scène et avait servi de guide à Corcoran O'Connor, alors âgé de quatorze ans, jusqu'à l'âge adulte. Sam avait accompli cette tâche avec le plus grand naturel, comme si les orphelins de père relevaient de la responsabilité de tous les hommes. L'été, quand il était lycéen, Cork travaillait Chez Sam, s'initiant aux subtilités du gril, des normes d'hygiène de l'État et des règles fondamentales de la comptabilité. Tout le temps qu'ils passaient ensemble était imprégné de l'esprit de l'homme qu'était Sam Winter Moon, une force tranquille exprimée dans un humour délicat, d'une sensibilité indubitablement ojibwe. En ce temps-là, malgré la mort de son père, Cork était toujours catholique pratiquant. Le meurtre de Sam Winter Moon, un crime brutal pour lequel Cork en voulait autant à lui-même qu'à Dieu, avait été la première d'une longue série de tragédies qui avaient endurci le cœur de Cork contre l'esprit de son baptême et l'église de sa confirmation.

Malgré tout, un jour comme celui-là, debout au bord d'Iron Lake, le visage effleuré par le doux, léger parfum du printemps, Cork ne pouvait s'empêcher de ressentir une certaine gratitude. Il se souvint des mots que grand-mère Dilsey, une Ojibwe pur sang, lui avait enseignés un jour. « Grand Esprit ! Nous t'honorons ce jour et nous te remercions pour la vie et toutes choses. Terre, Notre Mère ! Nous t'honorons ce jour et nous te remercions pour la vie et toutes choses. Tu es notre Mère. Tu nous donnes le manger, le vêtir, l'abri et le réconfort. Pour cela nous te remercions et t'honorons. »

Pour Cork, ses paroles embrassaient tout, aussi bien que toutes les prières de Thanksgiving qu'il ait jamais entendues.

Le bruit d'une voiture qui approchait le fit se retourner. La Toyota de Jo franchit le dos-d'âne des voies de chemin de fer et vint se garer sur le parking couvert de graviers. Jo n'était pas seule. Dorothy Winter Moon était avec elle.

Par son apparence, Dot Winter Moon rappelait beaucoup son oncle, Sam Winter Moon, à Cork. Elle était grande, bien bâtie ; ses cheveux étaient noirs, mais, sous une certaine lumière, ils révélaient un reflet rouge, comme une seconde personnalité. Elle portait un T-shirt à l'effigie du Grateful Dead dont les manches avaient été coupées, laissant apparaître ses bras musclés.

Lorsqu'elle avait seize ans, Dot avait quitté la réserve d'Iron Lake pour les Twin Cities. Elle était revenue quatre ans plus tard avec un petit garçon, son nom de jeune fille et pas la moindre envie de fournir une explication. Elle avait fait de son mieux pour élever son fils, Solemn, mais les premières années avaient été dures. Elle n'était pas très douée pour garder longtemps un emploi, essentiellement parce qu'elle était têtue comme une mule, pas particulièrement intéressée par la relation avec la clientèle, et parce qu'elle ne croyait pas aux excuses. Elle n'en demandait jamais et n'en faisait jamais. Elle était cependant d'une honnêteté irréprochable et d'une franchise à toute épreuve, et elle en attendait autant des autres. Elle avait fini par trouver sa place en travaillant pour le comté dans une équipe de terrassiers. Les hommes de l'équipe commencèrent par lui mener la vie dure – Que venait faire une femme dans ce domaine masculin ? – mais Dot donna le change, et même au-delà, et bientôt elle fut complètement intégrée au groupe d'hommes. Elle finit par se retrouver à conduire un camion-benne du printemps à l'automne, puis celui-ci fut équipé d'une lame chasse-neige en hiver. Ce n'était pas une femme qu'on remarquait, mais il y avait probablement des hommes qui la trouvaient séduisante, avec ses manières dures. Elle avait un visage large, buriné par le soleil, un corps mince et puissant, des yeux qui, avec les années, s'étaient plissés à force de travailler dehors.

Cork posa sa scie et sourit aux deux femmes.

« Hé... Salut, Dot. Ça fait un bout de temps.

– Cork. » Dot tendit la main et serra la sienne si fort que ses os craquèrent.

« Quelles nouvelles ?

– Les flics sont venus chez moi, dit Dot. Ils cherchaient Solemn. Ces fils de pute n'ont pas voulu me dire pourquoi.

– Solemn était là ?

– Je ne l'ai pas vu depuis deux ou trois jours. C'est ce que je leur ai dit.

– Il a eu des ennuis, récemment ?

– Pas que je sache.

– Ils avaient un mandat ?

– Non.

– Ils étaient combien ?

– Trois. »

Jo intervint.

« Au départ, je me suis dit que, après la découverte du corps de Charlotte, ils interrogent tous les gens qui étaient à la fête le soir où elle a disparu.

– Peut-être », répondit Cork. Mais il se dit : Ils ne feraient pas ça à trois.

« Ce serait bien qu'on puisse s'en assurer, dit Jo.

– Est-ce que tu as appelé Arne ? »

Elle hocha la tête.

« J'ai essayé. Il n'était pas disponible. Personne au commissariat n'a été capable de me fournir une explication.

– Tu es sûre que tu n'as pas la moindre idée de ce dont il pourrait s'agir, Dot ? »

Malgré toute sa force, Dorothy Winter Moon parut soudain très vulnérable.

S'il n'y avait pas eu Sam Winter Moon, le jeune Solemn aurait dû souvent se débrouiller tout seul pendant que sa mère travaillait pour gagner sa vie. L'été, Solemn passait ses journées Chez Sam et aidait à toutes les tâches accessibles à un petit garçon. Il nettoyait le terrain, balayait la cahute, lavait les vitres. Lorsqu'il ne travaillait pas, il pêchait depuis le ponton sur la propriété de Sam ou il nageait dans le lac. Chaque fois que Cork passait par là pour voir son vieil ami Sam, Solemn était là ; c'était un beau garçon mince, qui ne souriait pas beaucoup mais qui adorait raconter les blagues de Monsieur-Madame que Sam appréciait toujours.

Malgré tout, Solemn avait un côté sombre, même en ce temps-là. Sam le savait. Quelque chose montait en lui et le remplissait de colère, une ardente bouffée fulgurante qui allumait une flamme dans ses yeux et prêtait à ses mouvements une rapidité subite, comme des embrasements. Sam savait discerner le moment où son petit-neveu allait entrer en éruption. Ces jours-là, il envoyait Solemn sur le lac, seul, sur une barque, pour pêcher et lui ordonnait de ne pas rentrer avant d'avoir attrapé un enfileur entier de crapets-soleils. La solitude, le chaud soleil, peut-être le temps passant aussi permettaient au jeune Solemn de s'ouvrir et de libérer ce qui l'avait envahi. Lorsqu'il revenait après avoir amarré la barque au ponton, sa mine sombre avait disparu, et le garçon qui aimait Sam et les blagues était pleinement de retour.

Malheureusement, Sam n'était pas toujours dans le coin lorsque Solemn était en proie à un de ces accès, et son petit-neveu se fourrait souvent dans les ennuis. Surtout des bagarres. Troubles à l'ordre public. Cork, qui était shérif alors, avait eu maintes fois Solemn dans son bureau, attendant l'arrivée de Dot ou de Sam. En ce temps-là, les transgressions étaient la plupart du temps d'importance mineure. Solemn n'était pas un menteur ; il ne niait jamais sa culpabilité. Ce n'était pas un voleur ; il n'avait jamais rien volé. Il était simplement, dans ses périodes noires, mû par une envie soudaine d'en découdre, et lorsque la période passait, il s'en repentait. Généralement, des excuses suffisaient à effacer l'ardoise, ou parfois, s'il y avait eu des dégâts, un peu de temps et de travail pour réparer sa faute. Solemn n'essayait jamais de se soustraire à sa condamnation.

Au printemps où Solemn eut seize ans, Sam Winter Moon disparut ; il mourut dans les bras de Cork, la poitrine déchirée par une balle de fusil. C'était arrivé à un endroit appelé Burke's Landing lors d'un conflit tendu entre Blancs et Anishinaabegs pour des droits de pêche sur Iron Lake. Sans la main ferme et aimante de Sam pour le maintenir dans le droit chemin, Solemn perdit pied. Les ennuis dans lesquels il se fourrait devenaient plus graves. Il devint un jeune homme à la réputation sulfureuse.

Cork savait qu'il avait besoin d'aide. Il ne se souvenait que trop bien comment Sam Winter Moon était entré dans sa vie après la mort de son père pour le guider sur le long chemin de son deuil. Solemn avait besoin que quelqu'un endosse ce même rôle auprès de lui. Cette personne aurait dû être Cork. Mais la mort de Sam dévasta Corcoran O'Connor. Les Blancs autant que les Anishinaabegs lui firent porter la responsabilité du bain de sang à Burke's Landing. Cork s'en voulait aussi, tout le monde était donc unanime. Après cela, pendant un certain temps, sa vie se délita. Il perdit son job de shérif et toute estime de lui-même. Il faillit perdre sa femme et sa famille aussi. Il voyait le drame de Solemn du fond de sa propre solitude, de sa propre souffrance. Il avait beau savoir qu'il devait l'aider, il était lui-même incapable de commencer à s'extirper de son puits de ténèbres, et Solemn dut trouver sa voie seul.

Cork scruta le visage de Dorothy Winter Moon et elle tressaillit.

« Pourquoi veulent-ils parler à Solemn ?

– Autrefois, j'aurais su. Autrefois, il m'aurait dit quand ça commençait à sentir mauvais. Plus maintenant. Il est parti depuis deux jours, disparu, et voilà les hommes du shérif qui débarquent. Je me suis dit que c'était peut-être sérieux cette fois-ci, alors j'ai pris ma journée et je l'ai cherché. Ensuite, je suis allée voir Jo. »

Dot s'était souvent tournée vers Jo lorsque les accès de Solemn lui faisaient franchir la ligne. Depuis de nombreuses années, Jo représentait aussi bien la réserve d'Iron Lake que le peuple ojibwe devant les tribunaux. Cela ne l'avait pas fait aimer des citoyens d'Aurora, mais les Ojibwes lui faisaient confiance comme si elle était l'une des leurs. Jusque-là, Jo avait toujours réussi à négocier la liberté de Solemn devant la cour.

Jo dit :

« J'espérais que tu pourrais user de ton influence pour obtenir quelques réponses, Cork.

– Mon influence est limitée, ces temps-ci...

– Tu veux bien voir ce que tu peux faire ?

– Bien sûr. » Tout en rassemblant ses outils, il ajouta : « Il faut que je te prévienne, Dot, il s'agit peut-être de Charlotte Kane, et ça pourrait bien être très sérieux. Est-ce que Solemn n'était pas son petit ami à l'automne dernier ?

– Ils se sont séparés.

– Et ensuite, elle a disparu. Et son corps a été découvert il y a un peu plus d'une semaine, et maintenant Solemn s'est envolé. La police pourrait bien voir un lien.

– Mais c'était un accident de motoneige. C'est ce que tout le monde dit.

– Dot, Cork est simplement en train de réfléchir comme un flic, dit Jo. Je vais te déposer à ta voiture, et tu devrais rentrer à la maison. Lorsque j'aurai des nouvelles par Cork, je t'appellerai. Si Solemn réapparaît entre-temps, ou s'il te contacte, fais-le-moi savoir. »

Dot hocha la tête. Il était évident que la possibilité à laquelle Cork avait fait allusion l'avait secouée. Elle alla jusqu'à la voiture de Jo la tête baissée, les yeux rivés sur les graviers à ses pieds.

À voix basse, Jo demanda à Cork :

« Tu crois vraiment que ça pourrait être ça ? »

Il haussa les épaules.

« Comme tu l'as dit, j'essaie juste de raisonner comme un flic. »

Lorsque Charlotte Kane s'installa à Aurora avec son père, tout le monde nota sa beauté, qu'elle avait dû hériter de sa mère. Tout le monde remarqua ses bonnes manières, sa réserve – tout à fait typique des Kane – et son intelligence. Et lorsque, en dernière année de lycée, elle se mit à fréquenter Solemn Winter Moon, le choix désastreux de son petit ami fut largement commenté.

Pendant plusieurs semaines, depuis le bal des anciens élèves début novembre, où ils furent vus ensemble pour la première fois, jusqu'à la période de Noël, lorsque la rumeur se répandit que tout était fini entre eux, ils firent l'objet de tous les commérages. Elle, la beauté distante ; lui, le vilain garçon de la réserve. Elle, la jolie flammèche ; lui, le feu. À dix-neuf ans, Solemn était connu non seulement pour son comportement impulsif, mais aussi pour ses conquêtes. Ses cheveux étaient d'un noir de jais, et il les portait longs, très longs ; ils lui descendaient dans le dos comme une rivière éclairée par la pleine lune. Il était svelte, beau garçon, une expression sombre à la Marlon Brando sur le visage. Pour autant que Cork le sût, Dot n'avait jamais dit un mot sur le père de Solemn, mais il était clair qu'il n'avait pas que du sang indien dans les veines. Solemn utilisait tout cela, sa beauté, le mystère, le charme de l'appartenance à une culture qui, aux yeux des Blancs, avait quelque chose de mythique et d'interdit, pour harponner et attirer à lui les charmantes touristes rongées par l'ennui, négligées par leur mari qui passait des journées entières à pêcher sur Iron Lake. Aucune plainte n'avait jamais été déposée contre Solemn, mais la ville le considérait comme une sorte de Roméo ojibwe, et beaucoup de gens furent déçus lorsqu'une jeune fille aussi polie et réfléchie que Charlotte se laissa prendre dans les filets de l'Indien. S'il existait le moindre indice reliant sa mort à Solemn Winter Moon, Cork craignait que bon nombre des citoyens de la ville rendent un verdict de culpabilité bien avant qu'un procès ne puisse avoir lieu.

Lorsqu'il arriva au bureau du shérif, il trouva l'adjoint Duane Pender à l'accueil. Pender l'informa que le shérif Arne Soderberg était venu plus tôt mais qu'il était reparti. Pender ne consentit pas à en dire plus.

« Est-il prévu qu'il revienne aujourd'hui ?

– Je ne peux pas vous le dire.

– Vous ne le savez pas ? »

Pender ne répondit pas, se contentant de fixer Cork avec un visage aussi impassible que celui d'un garde de Buckingham Palace.

« D'accord. Alors, si vous me disiez pourquoi Arne a envoyé au lever du jour des hommes chez Dorothy Winter Moon, à la recherche de Solemn ?

– Il vous faudra vous adresser au shérif pour ça.

– Et il n'est pas là.

– Vous commencez à comprendre. »

Derrière Pender, Randy Gooding fit son apparition. Il portait une pile de papiers, et lorsqu'il vit Cork, il s'immobilisa et écouta l'échange entre les deux hommes. Cork se dit que la situation n'aurait guère été différente si Gooding avait été à l'accueil. Ils avaient probablement tous reçu l'ordre de ne rien dire. La différence aurait simplement été que Gooding n'aurait pas traité la chose comme un jeu.

« Il n'y a pas moyen que je fasse passer au shérif le message que je voudrais lui parler ?

– Je n'en vois aucun. »

Cork jeta un coup d'œil à sa montre.

« Serait-il possible qu'il soit chez lui ?

– Je ne peux rien vous dire à ce sujet. »

Cork vit que Randy Gooding esquissait un imperceptible hochement de tête.

« Merci, Duane, dit Cork. Vous m'avez été d'une plus grande aide que vous ne l'imaginez. »

Le visage de Pender se troubla légèrement tandis qu'il se demandait comme cela était possible.

Les Soderberg vivaient derrière un mur en brique rouge. Le mur ne montait que jusqu'à hauteur de la taille, mais la signification était claire. Chaque année, une fois que la terre s'était assez réchauffée pour accueillir de nouvelles racines, le terrain derrière le mur devenait une exposition de plantes commandées par l'épouse d'Arne, Lyla, et livrées par camions entiers. Lyla composait chaque année un jardin différent : de nouvelles fleurs, de nouveaux arrangements, des dispositions aussi complexes que magnifiques. Le terrain autour de la maison des Soderberg, en brique style Tudor, était si parfait, quand arrivait l'été, que même les oiseaux n'osaient pas chier sur la pelouse de Lyla.

Cork marqua une pause devant la grille en fer forgé et porta son regard vers l'extrémité de North Point Road où la maison de Fletcher Kane était à peine visible derrière les cèdres de la vieille propriété. Il n'avait pas vu Kane depuis qu'ils s'étaient parlé à Valhalla, et il se demanda comment il tenait le coup.

En avançant sur le chemin dallé qui menait jusqu'à la porte d'entrée, Cork entendit des éclats de voix à l'intérieur. C'était une chaude après-midi d'avril, quelques fenêtres étaient ouvertes, et les intonations vives de l'échange portaient facilement jusqu'au jardin. Les mots n'étaient pas clairs, mais les deux parties impliquées dans la dispute étaient identifiables. Arne et Lyla. Tout le monde en ville savait que l'union des Soderberg ne tenait plus qu'à un fil, qu'elle se maintenait seulement pour préserver les ambitions politiques d'Arne et les préoccupations de Lyla sur ce que les gens risquaient de penser.

Cork monta sur le porche. Au moment où il s'apprêtait à sonner, la porte d'entrée s'ouvrit brusquement et Tiffany Soderberg sortit en trombe. Elle fonça droit sur Cork, qui tendit un bras. Elle laissa échapper un petit cri de surprise et trébucha en arrière.

Il connaissait à peine Tiffany, même s'il la voyait souvent à Aurora depuis des années. Elle avait l'âge de Jenny, mais Jenny en parlait rarement. C'était une jeune fille aux cheveux couleur miel, jolie. Elle s'habillait bien, elle y mettait le prix, comme sa mère. Une fois remise de sa surprise, elle parut agacée.

« Oui ?

– Pardon, Tiffany. Je n'avais aucune intention de vous faire peur. Je suis venu parler à votre père. »

Elle jeta un coup d'œil vers la maison.

« Il est... euh... occupé.

– Je n'en ai pas pour longtemps.

– Qui est-ce ? » La voix de Lyla venait de quelque endroit non loin de la porte d'entrée, mais Mrs Soderberg restait invisible.

Tiffany roula des yeux.

« C'est Mr O'Connor. Il veut parler à papa. »

La porte s'ouvrit plus grand et Lyla apparut derrière sa fille.

Lyla avait autrefois représenté le Minnesota dans le concours de Miss America. Elle avait de longs cheveux blonds, de longues jambes bronzées, même en hiver, et des ongles parfaitement manucurés. Mais elle était connue pour ses sautes d'humeur. Elle portait un pull jaune tournesol et un jean Guess, qui moulaient joliment ce corps qui avait joué un rôle considérable dans son ascension jusqu'à Atlantic City.

« Que puis-je faire pour vous ? » demanda-t-elle. Il était clair que ce qu'elle voulait vraiment faire pour Cork, c'était le renvoyer de l'autre côté du portail.

« Je voudrais juste qu'Arne m'accorde quelques minutes de son temps.

– C'est une demande amicale ou officielle ?

– Je dirais qu'elle est plutôt officielle.

– Mon mari a terminé sa journée. »

Cork eut envie de lui répondre que, pour le shérif, la journée n'était jamais terminée.

Arne apparut derrière Lyla.

« Je suis là. »

Soderberg portait un pantalon en toile et un polo bleu marine. Il avait sans doute l'intention de se décontracter mais son visage révélait qu'il avait fait tout le contraire.

« J'm'en vais », dit Tiffany. Elle passa à côté de Cork et d'un pas pressé alla jusqu'à la PT Cruiser dorée – une pièce unique – de Lyla. La voiture était une splendeur, la seule du genre dans le comté, et Lyla s'en servait tout le temps.

« On mange à dix-huit heures trente, s'écria Lyla. Et si jamais tu reviens avec un pet sur ma voiture, jeune fille...

– Oh là là... » répondit la jeune fille avec un geste désinvolte de la main. Elle démarra la Cruiser, recula et disparut.

Lyla décocha un regard glacial à Cork. Avant qu'il fonde complètement, elle en envoya aussi un à son mari. Puis elle disparut dans la maison.

Arne sortit sur le porche et ferma la porte.

« Qu'y a-t-il, O'Connor ?

– J'ai parlé avec Dorothy Winter Moon tout à l'heure. Elle m'a dit que vos hommes se sont pointés chez elle à la première heure du jour, qu'ils cherchaient Solemn. Je me demande ce que vous lui voulez.

– Nous voudrions lui parler, c'est tout.

– De quoi ?

– Je préfère ne pas vous le dire.

– J'arrive de votre bureau. C'est motus et bouche cousue. On dirait que c'est du lourd. Je me demande si vous avez des preuves qui relieraient Solemn à la mort de Charlotte Kane. Quelque chose qui aurait été révélé par l'autopsie ? »

Soderberg croisa les bras et s'adossa à sa porte. On aurait dit qu'il venait de faire un dépôt d'un million de dollars sur son compte en banque.

« Vous le saurez en même temps que tout le monde. Vous n'avez pas un statut spécial, O'Connor.

– Il s'agissait juste d'une demande amicale, Arne. »

Soderberg se redressa et tendit la main vers la porte.

« J'ai beaucoup de choses à faire. Je ne vous accorderai pas une seconde de plus.

– Croyez-vous qu'il s'agit d'un meurtre, Arne ? Et croyez-vous qu'il a été commis par Solemn Winter Moon ? »

Soderberg lâcha la poignée de la porte et se retourna vers Cork.

« Je vais vous dire ce que je crois. Je crois que je vais pouvoir clore l'enquête sur la mort de Charlotte Kane très bientôt. Je n'ai pas besoin de votre aide. Et je ne veux pas que vous interveniez. »

8

Dot et Solemn Winter Moon vivaient sur la réserve d'Iron Lake, sur une route récemment goudronnée à quelques kilomètres au sud-est de la petite ville d'Alouette. Depuis des années, Solemn et elle habitaient dans une vieille caravane bien entretenue devant laquelle trônait un élan en céramique, posé sur leur étroite pelouse. L'élan peint, tout raide sur ses pattes, déconcertait toujours Cork ; Dot Winter Moon ne paraissait pourtant pas être une femme qui aimait les élans en céramique. Lorsque les bénéfices du Chippewa Grand Casino commencèrent à être redistribués aux Ojibwes d'Iron Lake, Dot remplaça la caravane par un joli mobile home de deux pièces, recouvert d'un placage en cèdre. Elle garda l'élan.

Personne ne répondit lorsque Cork frappa à la porte. La Chevrolet Blazer bleu vif dans laquelle circulait Dorothy Winter Moon était garée à côté de la maison. Cork frappa à nouveau, plus fort, puis contourna la maison ; un chemin s'enfonçait dans un étroit bosquet de pins rouges vers la surface chatoyante d'un petit lac qui avait reçu de la part de cartographes en mal d'inspiration le nom de Lac 27. C'était de cette direction que venait l'aboiement du chien. Cork s'engagea sur le chemin.

Le vent soufflait dans la direction du lac, droit sur le gros chien de Dot, Custer. Custer était un golden retriever, le chien le plus idiot que Cork ait jamais vu, et bien trop affectueux pour être d'une utilité quelconque à Dot en termes de protection. Le chien arriva du lac en gambadant et sauta tout autour de Cork en lui faisant la fête, la langue sortie comme un gros filet de saumon pendant de sa gueule.

« Salut, Custer. » Cork tendit le bras et caressa la longue fourrure de l'animal. « Où est Dot ?

– Là », l'entendit-il crier, loin derrière les arbres.

Il la trouva sur une grande pierre plate au bord de l'eau. Elle était assise en tailleur et fumait une cigarette en sirotant une cannette de Molson. Le crépuscule approchait. La température avait baissé et elle portait une veste en jean dont le dos arborait l'inscription DOT en clous cuivrés. Ce côté du lac était dans l'ombre. La lumière du soleil décrivait un arc qui partageait le lac en deux, et tout, au-delà de cette ligne, était d'une magnifique couleur dorée.

« Viens là, Custer, appela-t-elle, viens me voir. »

Le chien répondit, bondit sur la pierre grise et s'allongea tout contre elle.

« Jo a essayé de t'appeler, expliqua Cork. Pas de réponse.

– Désolée. » Dot fit tomber sa cendre dans une petite boîte en fer posée à côté d'elle. Elle ne portait pas d'étiquette mais elle ressemblait fort à une boîte de thon. Elle était pleine de mégots. « Suis venue là pour réfléchir. »

Elle laissa échapper la fumée par une mince fente entre ses lèvres.

« Qu'est-ce que j'ai merdé...

– Tu crois ? » demanda Cork.

Elle avait le regard posé sur le lac, à l'endroit où se rejoignaient l'or et l'ombre.

« À toujours vouloir faire les choses à ma façon. À envoyer tout le monde promener. Il y a longtemps qu'on me dit que

Solemn a besoin d'une aide professionnelle. Je ne sais pas, peut-être que ça lui aurait fait du bien d'avoir au moins un père, mais je ne voulais pas recruter une espèce de connard juste pour qu'il joue au ballon avec lui.

– Il avait ce qui ressemble le plus à un père. Il avait Sam.

– C'est sûr que ça lui aurait fait du bien d'avoir Sam ces dernières années. Et à moi aussi.» Elle éteignit sa cigarette sur le rocher et son mégot alla rejoindre les autres dans la boîte de conserve. «T'as appris quelque chose ?

– Je suis pratiquement sûr qu'ils veulent lui parler de Charlotte. Il doit y avoir assez d'indices pour laisser penser que sa mort n'était pas un accident.»

Elle finit sa bière d'une longue gorgée, posa la cannette délicatement à la verticale sur la pierre, serra le poing et l'écrasa d'un seul coup.

«Je ne sais pas exactement ce qu'ils ont, poursuivit Cork, mais ils s'intéressent à Solemn. Ce n'est pas bon qu'il ait disparu comme ça.»

Dot ramassa un paquet de Salem Light qui était posé à côté d'elle. Elle en sortit une cigarette qu'elle alluma avec un Bic jetable vert. Elle secoua la tête et la fumée se dispersa.

«Ce n'est pas inhabituel, chez lui. Quand il part en vrille, il s'en va un moment. Il revient quand il est prêt.

– As-tu une idée de l'endroit où il va ?»

Elle haussa les épaules.

«C'est ses affaires. Je ne lui ai jamais posé de question.

– Arne Soderberg s'est montré très suffisant. Je ne sais pas ce qu'ils ont, mais ça a l'air assez solide.»

Elle resta silencieuse. Au début, Cork pensa qu'elle regardait le lac à nouveau, puis il vit qu'elle avait les yeux fermés. Custer bougea un peu, posa la tête sur ses pattes et lança un coup d'œil à Cork.

« Depuis toujours, j'ai peur qu'un jour cette chose qui s'empare de lui soit la cause de gros ennuis. Mais ça... » Elle entoura ses jambes de ses bras, posa son front sur ses genoux. « Bon Dieu.

– Si tu as de ses nouvelles, essaie de lui faire comprendre que c'est important qu'il se présente au bureau et parle avec le shérif. Jo se fera un plaisir de l'accompagner. »

Dot leva les yeux et fit un signe de tête.

« Merci. »

Cork se leva et Custer bondit sur ses pattes.

« Non, toi, tu restes ici », dit Dot à son chien. Elle passa un bras autour de son cou et l'attira contre elle.

Cork la laissa au bord du lac, tout à sa contemplation de l'eau. En retournant vers sa voiture, il ne put s'empêcher de penser à Fletcher Kane qui, lorsque Cork l'avait quitté la dernière fois, regardait son lac à lui, son gouffre de chagrin.

Cork traversa Alouette, prit des petites routes, puis se retrouva au milieu des bois qui bordaient la frontière nord de la réserve. Il ralentit et finit par voir ce qu'il cherchait, une trouée dans les arbres sur le côté gauche de la route, un ancien chemin d'accès. Il l'emprunta et avança avec précaution entre les troncs des pins qui étaient si proches de la piste qu'ils menaçaient d'égratigner la peinture de sa Bronco. Il y avait environ cinq cents mètres à parcourir jusqu'à la cabane.

L'été, Sam Winter Moon vivait dans le fond de la hutte quonset sur Iron Lake pour faire marcher sa buvette. Mais du début de l'automne à la fin du printemps, il se retirait dans sa vieille cabane près des sources de Widow's Creek. C'était une petite construction rustique, une seule pièce chauffée par un vieux poêle ventru, pas d'électricité ni d'eau courante, et un appentis. Dans les années qui suivirent la mort de son père, Cork y avait passé beaucoup de temps avec Sam, apprenant un tas de choses sur lui-même grâce à un homme qui s'avérait un maître très patient.

En s'approchant, Cork vit une Ford Ranger noire garée devant la maison.

La lumière du soleil, basse dans le ciel, filtrait à travers les pins et dessinait sur la maisonnette de grandes taches lumineuses. En dehors de l'incessant croassement d'un corbeau, quelque part dans les hautes branches des arbres, et le gargouillis de Widow's Creek à une douzaine de mètres vers le nord, les bois étaient silencieux. Personne ne répondit lorsqu'il frappa à la porte, et Cork l'ouvrit. Il n'était entré qu'une fois, après la mort de Sam, et uniquement pour y prendre un objet important que Sam lui avait laissé. Une peau d'ours. En franchissant maintenant le seuil, en sentant les odeurs – les vieilles poutres et le poêle plein de suie, les courroies de cuir et les couvertures en laine –, Cork se retrouva instantanément plus de trente ans en arrière, pendant son adolescence. Un sentiment de grand bonheur l'envahissait lorsqu'il pensait à Sam. La pièce était bien tenue et Cork avait une idée assez claire de l'explication.

Il sortit et se trouva nez à nez avec le gouffre noir du canon d'un fusil.

« Qu'est-ce que tu fais ici ? » demanda Solemn Winter Moon.

Il était un peu plus grand que Cork, portait un jean, une chemise en flanelle aux manches retroussées, un gilet vert matelassé. Ses longs cheveux noirs étaient noués en queue-de-cheval. Cork ne put s'empêcher de voir, derrière ce beau visage sombre et ces yeux méfiants, le petit garçon qui pêchait des crapets-soleils depuis le ponton de Chez Sam.

«Je te cherche», répondit Cork.

Solemn abaissa le canon de son fusil. Une grouse était posée à ses pieds, dans la poussière, les plumes froissées et ensanglantées par les chevrotines.

«Ah ouais? Et pourquoi?

– J'espérais te trouver avant la police.» Cork marqua une pause. «Tu ne parais pas surpris, Solemn.

– Qu'est-ce qu'ils veulent?» Sa question ne paraissait pas vraiment spontanée.

«Parler de Charlotte Kane, j'imagine.

– C'est de l'histoire ancienne.

– Elle est d'actualité. Je crois que le shérif pense que quelqu'un l'a tuée, et tu pourrais bien être le suspect numéro un sur sa liste. Écoute, je suis là pour t'aider, pas pour te dénoncer.»

Cork le regarda dans les yeux, à la recherche d'un signe de ce feu qui pourrait annoncer un acte impulsif. Le gamin paraissait contrarié mais ne semblait pas avoir perdu son sang froid.

«Pourquoi as-tu disparu? demanda Cork.

– Je le fais parfois.

– Mauvais moment. Ça paraît assez suspect.» Le corbeau se tut. L'immobilité du crépuscule les encercla, et Cork ressentit la bonté des lieux. «Tu viens ici pour réfléchir?»

Solemn ne répondit pas.

«Tu sens sa présence ici, c'est ça? Je la sens, moi.»

Cork chercha une faille dans le mur que le gamin lui opposait, mais Solemn ne broncha pas.

«Il m'a sauvé la vie, un jour. Tu le savais?»

Pas le moindre acquiescement de la part de Solemn, pas le moindre intérêt.

«C'était à l'automne, une année après la mort de mon père. Sam m'a demandé de l'aider à fabriquer un piège à ours, quelque chose qu'il n'avait jamais fait auparavant. Nous l'avons posé à un peu plus d'un kilomètre de Widow's Creek, à côté de ce pré couvert de myrtilles. Tu vois ? » Solemn ne répondit pas, mais son visage changea un peu d'expression, manifesta un infime éclat d'intérêt. « L'ours a déclenché le piège, mais l'animal était tellement colossal qu'il a réussi à s'enfuir. Sam est parti à sa poursuite et m'a emmené avec lui. Je n'avais jamais été à la chasse à l'ours auparavant. Nous l'avons pisté pendant un jour et demi. On a fini par arriver dans une zone rocheuse où même Sam ne pouvait pas le pister et on a fait demi-tour. Je me souviens que Sam était heureux de savoir qu'il n'aurait pas à tuer une créature aussi magnifique que cet ours.

« Vers le soir, sur le chemin du retour, nous avons croisé une grosse étendue de sumacs, le truc rouge carmin. Nous l'avions vue plus tôt. Cette fois, Sam a senti quelque chose. Il m'a dit d'attendre et il s'est enfoncé parmi les sumacs. J'ai attendu, comme il avait dit. Puis j'ai entendu un bruissement dans les feuilles rouges. J'ai pensé que Sam revenait. Mais ce n'était pas lui. C'était le plus grand ours noir que j'aie jamais vu, en train de charger, droit sur moi. Il avait décrit un cercle. Les ours font parfois ça. J'étais tétanisé. Impossible de bouger. L'énorme ours s'est dressé sur ses pattes arrière, ses griffes étaient plus longues que mes doigts. J'étais certain qu'il allait littéralement me dépecer.

« C'est là que Sam a tiré. Au début, il ne s'est rien passé. Puis l'ours a oscillé, a penché vers l'arrière, et il est tombé. Il a essayé de se relever, de se défendre, mais il ne pouvait pas. Sam est sorti d'entre les sumacs, il a parlé à l'ours, il lui a dit quelque chose en ojibwe que je n'ai pas compris. Et il a achevé l'ours. Je voyais bien que cela l'attristait de devoir le faire. »

Solemn tenait le fusil en position sécurisée, le canon dirigé vers le sol. Il regardait l'endroit vers lequel pointait son arme.

«Je l'aimais aussi, Solemn. Il était comme mon père. Et il te dirait exactement ce que je suis en train de te dire. Accepte de parler au shérif. Jo est prête à y aller avec toi si tu veux. C'est toi qui décides.»

Cork se tourna, prêt à partir.

«Tu vas aller le dire à quelqu'un ? cria Solemn.

– Non.

– Même pas à ma mère ?

– Non, pas si tu ne veux pas que je le fasse. Ça va, si je lui dis que tu vas bien ?»

Solemn réfléchit.

«Ouais.»

Cork marqua une pause avant de remonter dans sa Bronco.

«Dans tout ce que nous nous rappelons, Sam est toujours vivant. Dans chaque décision que nous prenons, il est encore avec nous. Mais tu le sais. C'est pour ça que tu viens ici.»

La lumière baissait ; Cork s'éloigna. Solemn était toujours devant la maisonnette, sa silhouette s'assombrissait en même temps que le jour, son fusil pointé vers rien. La vérité, c'était que Cork détestait l'idée de le laisser ainsi tout seul. Mais il ne pouvait rien faire de plus. Solemn Winter Moon n'était plus un petit garçon.

9

En arrivant, Cork trouva toute la maisonnée retournée. Rose partait. Elle avait bouclé sa valise et elle était assise à côté de la porte d'entrée. Les enfants étaient rassemblés autour d'elle, le regard triste.

« Tu t'en vas ? » dit Cork.

Rose ouvrit son sac à main pour en vérifier une dernière fois le contenu.

« Ellie Gruber a appelé. Sa sœur s'est fracturé une hanche. Ellie part s'installer avec elle quelque temps pour l'aider. Elle m'a demandé si je voulais bien m'occuper du presbytère jusqu'à son retour.

– Une fracture de hanche... dit Cork. Cela pourrait signifier une longue absence.

– Oui, c'est possible. »

Rose ne paraissait pas inquiète mais, pour Cork et pour les enfants, à en croire leur mine, c'était comme si les O'Connor se retrouvaient orphelins.

« Où est Jo ? »

Rose referma son sac d'un claquement sec.

« Elle rentre tard. Ne t'inquiète pas. Tu trouveras un rôti et des pommes de terre dans le four. Les haricots verts sont dans une casserole sur la cuisinière. Une liste de menus est affichée sur le frigo. Vous les filles, vous savez vous débrouiller dans la cuisine et vous allez aider pendant mon absence. Et Stevie, il y a plein de choses que tu peux faire, toi aussi. »

Rose portait une robe imprimée verte, un vêtement ordinaire qui ne laissait guère deviner le contour de son corps potelé. Ses cheveux couleur sable étaient peignés mais, comme toujours, restaient un peu ébouriffés. Elle ne portait pas de maquillage. Rose n'était pas une femme dont la beauté frappait l'œil mais, pour quiconque la connaissait, sa beauté était évidente de bien des manières.

Elle regarda les enfants, leur tête d'enterrement, et elle éclata de rire.

« Pour l'amour de Dieu, je ne suis pas morte ! Je vais juste au presbytère de Sainte-Agnès. Tout se passera bien. »

Dans l'obscurité grandissante de la nuit tombante, le père Mal Thorne arrêta sa Nova jaune au bord du trottoir, coupa le moteur et monta jusqu'à la maison. Rose lui ouvrit la porte.

« Bonsoir, Cork. Salut, les enfants, dit Mal. Merci sincèrement, Rose.

– De rien, mon père.

– Vraiment, je ne crois pas que ce soit nécessaire, mais vous connaissez Mrs Gruber...

– Ellie a parfaitement raison. Vous ne pouvez pas vous occuper de tout, surtout avec le père Kelsey dans son état. »

Mal était l'un des deux prêtres qui vivaient au presbytère. Le père Kelsey était l'autre, un homme qui avait depuis longtemps dépassé l'âge de la retraite. La plupart des responsabilités liées aux devoirs envers la paroisse d'Aurora et à la mission de la réserve d'Iron Lake revenaient à Mal.

« J'apprécie vraiment. » Il lança un coup d'œil aux visages des enfants. « Et je prends la mesure de ce à quoi vous renoncez, tous. »

La Toyota de Jo s'engouffra sur l'allée et s'arrêta brusquement. Jo sortit et marcha jusqu'à la maison d'un pas rapide.

« Oh, je suis contente, je suis arrivée à temps. » Elle serra sa sœur dans ses bras. « Prends bien soin de nos deux pères.

– Et toi, prends soin de tout le monde ici.

– Tout ira bien », dit Jo.

Rose prit chaque enfant dans ses bras et les embrassa, puis Cork, et se tourna vers le prêtre.

« Nous devrions y aller. Avez-vous dîné ? »

Il ramassa sa valise.

« Je me suis dit que nous pourrions trouver quelque chose dans le réfrigérateur.

– Pas question. Je suis sûre qu'Ellie a laissé tout un approvisionnement. Je vais vous préparer un repas digne de ce nom. » Elle se retourna sur le perron. « Au revoir, mes chéris. »

Les enfants agitèrent mollement la main.

Jo referma la porte et éclata de rire en voyant leurs mines.

« Mon Dieu, on croirait qu'elle est partie pour le bout du monde. Allez, on met la table et on mange. »

Tandis que les enfants allaient dans la cuisine, Jo se tourna vers Cork.

« Est-ce que tu as parlé à Dot ?

– Oui. Et à Solemn.

– Solemn ? Tu l'as trouvé ? Où est-il ?

– Il m'a demandé de ne pas le dire et j'ai promis.

– Est-ce qu'il accepte de parler au shérif ?

– Je ne sais pas. Je lui ai dit que je pensais que c'était la meilleure chose à faire, mais c'est à lui de juger. J'ai ajouté que tu l'accompagnerais s'il se décidait.

– Bien. Et Dot ?

– Je l'ai appelée d'Alouette pour lui dire que Solemn allait bien.

– Merci. » Elle posa une main sur sa joue. « Tu es un type extra, tu le sais, ça ?

– Ça ne fait jamais de mal de l'entendre. »

Une fois la table mise, ils s'assirent et dirent les grâces. Le repas fut calme.

« Comment c'était, l'école ? » demanda Jo à tout le monde.

Jenny haussa les épaules.

Annie dit :

« Ça allait. »

Stevie promenait son morceau de viande au bout de sa fourchette dans son assiette.

« Tante Rose me manque.

– Cela ne va pas durer longtemps, dit Cork. Elle n'est pas loin. Elle viendra nous voir et vous pouvez aller la voir au presbytère quand vous voulez. »

Quelqu'un frappa à la porte de derrière. Cork se leva. Il alla dans la cuisine et alluma la lumière extérieure. Solemn était là, clignant des yeux, sa silhouette se découpait avec netteté dans les ténèbres.

Solemn regarda Cork, puis à l'intérieur de la maison. « Est-ce que Mrs O'Connor est là ? Je suis prêt à aller voir le shérif. »

Jo avait un cabinet dans l'Aurora Professional Building mais elle avait également un bureau à la maison, au premier étage. Elle monta l'escalier, Solemn la suivit. Cork aussi. Lorsqu'ils furent tous dans la pièce, il ferma la porte.

« Assieds-toi, Solemn », dit Jo. Elle alluma sa lampe de bureau, sortit un bloc et un crayon de son tiroir et s'assit.

« Est-ce que ta mère sait que tu es ici ?

– Non, je ne veux pas qu'elle le sache. Cela ne la concerne pas.

– Elle voit les choses différemment. Mais on s'occupera de ça plus tard. Ce qu'il faut que nous comprenions, c'est pourquoi le shérif veut te voir. Tu as une idée ?

– Lui en a une. » Solemn pointa un doigt vers Cork, qui était debout à côté des bibliothèques.

« Je sais ce que Cork pense, mais je veux aussi envisager toutes les autres possibilités. Y a-t-il des choses que je devrais savoir, moi qui suis ton avocate ?

– Rien.

– Tu es sûr ?

– Je vous l'ai dit. Rien.

– Bon. Alors, réfléchissons à Charlotte Kane et toi. Cork pense que le shérif a découvert quelque chose qui établit un lien entre la mort de Charlotte et toi. Tu as une idée de ce que ça pourrait être ?

– Non. »

Jo lança un coup d'œil à Cork.

Cork s'adressa à Solemn.

« Si Arne réfléchit correctement, il sait qu'il y a trois éléments essentiels pour qu'il y ait une accusation. Un mobile, une occasion et un lien physique avec le crime. »

Jo intervint.

« Commençons par le mobile. Ce n'est pas un secret, Solemn, on sait que Charlotte et toi, vous êtes sortis ensemble pendant un moment à l'automne dernier.

– On s'est séparés.

– Quand ?

– Quelques semaines avant Noël.

– Pourquoi ?

– Ben, vous voyez... » Il haussa les épaules.

« Non, je ne vois pas. Dis-moi.

– On s'est séparés, c'est tout.

– Vous avez pris la décision ensemble ?

– Ça venait de Charlotte.

– Elle voyait quelqu'un d'autre ? »

Solemn lui lança un regard noir mais ne dit rien.

« Qui était-ce ? »

Au bout d'un moment, il répondit.

« Je ne sais pas. Un type marié, je crois. »

Jo et Cork échangèrent un regard.

« Pourquoi penses-tu qu'il était marié ? demanda Jo.

– Elle ne voulait pas parler de lui. Elle se comportait comme si c'était un grand truc secret que personne ne devait savoir. J'me suis dit qu'il était marié.

– OK. Qu'est-ce que tu as ressenti quand elle t'a quitté ?

– Quel est le rapport ?

– Le mobile, Solemn, intervint Cork. Jo essaie de penser comme le shérif, comme ça, elle garde toujours une longueur d'avance sur lui. S'il cherche à te mettre la mort de Charlotte sur le dos, il faut qu'il ait un mobile. Le dépit amoureux est un mobile assez classique.

– Je m'en suis remis. Il y a longtemps.

– Mais à cette époque-là, dit Jo. C'était comment ?

– Dur. OK ? Ça a été dur.

– Tu l'aimais ? demanda Jo.

– Elle me plaisait vraiment.

– La mort de Charlotte a eu lieu à la suite d'une fête pour la Saint-Sylvestre à Valhalla. Tu y étais ?

– Ouais.

– Tu étais invité ?

– Non. J'en ai entendu parler. Je me suis pointé, j'ai bu quelques bières.

– Tu as vu Charlotte ?

– Bien sûr.
– Tu lui as parlé ?
– Ouais.
– De quoi ?
– De tout et de rien.
– De votre rupture ?
– Ouais, un peu.
– La conversation était-elle restée civile ?
– “Civile”, c’est-à-dire ?
– Comme celle qu’on a en ce moment.
– Elle ne m’a pas posé autant de questions.
– As-tu élevé la voix ?
– Il y avait beaucoup de bruit.
– Est-ce que tu l’as menacée ?
– Peut-être que je l’ai traitée de salope. Un truc comme ça.
– Est-ce que tu l’as touchée ?
– Peut-être que je lui suis rentré dedans. Il y avait beaucoup de monde.
– Tu ne l’as pas touchée d’une autre façon ?
– Je l’ai prise par le bras. Elle s’est dégagée. Mais rien de plus, je le jure. Pourquoi vous me demandez tout ça ?
– Lorsque Charlotte a disparu, est-ce que les hommes du shérif t’ont interrogé ?
– Ouais. Ils ont interrogé tous ceux qui étaient à la fête.
– Est-ce que tu leur as dit tout ce que tu viens de me dire ?
– Peut-être que je n’ai pas dit que je l’avais touchée.
– Moi, je pense qu’ils interrogent à nouveau tout le monde, cette fois un peu plus précisément, et je suis prête à parier que s’ils n’étaient pas au courant avant de ta conversation avec Charlotte, ils le sont aujourd’hui. Je veux juste m’assurer que j’en sais autant qu’eux. Qu’est-ce qui s’est passé après que vous vous êtes disputés ?
– Je suis parti.

– Quelle heure était-il ?

– Environ onze heures.

– Où es-tu allé ?

– Benoit's Bar. J'ai bu encore quelques bières là-bas, ensuite, j'me suis cassé.

– Ils t'ont servi ? s'étonna Cork. Tu n'as pas vingt et un ans.

– Comme si ça les dérangeait.

– Est-ce que quelqu'un t'a vu, au bar ?

– Ouais, je pourrais retrouver quelques personnes, vite fait.

– À quelle heure es-tu parti du Benoit's ?

– Un peu avant minuit. La boule débile de Times Square était pas encore descendue.

– Où es-tu allé ?

– À la maison.

– Directement ?

– Directement.

– À quelle heure es-tu arrivé ?

– Minuit et quart, peut-être.

– Et après ?

– Rien. J'me suis écroulé. Je me suis réveillé vers midi le lendemain.

– Est-ce que Dot était là ?

– Non. C'était la Saint-Sylvestre. Elle faisait la fête avec des gars de son équipe. Ensuite il a neigé, et elle a dû conduire la déneigeuse. Elle a passé la tête dans ma chambre quand elle est rentrée. Il devait être six ou sept heures. »

Jo lança un coup d'œil à Cork.

« Quoi ? fit Solemn.

– En tout, six heures où tu es resté seul, dit Cork. Avec personne pour se porter garant de tes actes pendant ce temps-là. »

Il fallut un moment à Solemn pour saisir les implications de ces paroles.

« Oh, merde.

– On a le mobile et l'occasion, dit Cork. Mais il faut qu'Arne ait plus que ça, quelque chose qui te relie directement à la mort de Charlotte. »

Jo se leva. « Nous allons chercher ce que c'est. »

10

Randy Gooding était resté tard. Il installa Jo, Cork et Solemn à l'un des bureaux dans la zone commune que les adjoints utilisaient pour les interrogatoires et la paperasse, puis il leur demanda d'attendre pendant qu'il appelait le shérif.

Il était presque neuf heures, et il ne se passait pas grand-chose dans le département. Marsha Dross occupait le poste de standardiste. Elle leur adressa un sourire cordial et dit bonjour, mais après cela elle évita soigneusement de les regarder. Pender rentra de sa patrouille, les vit, sourit d'un air entendu et chuchota quelque chose à Gooding, qui fronça les sourcils. Pender poursuivit son chemin d'un pas nonchalant, en sifflant faux, et disparut dans les vestiaires.

Bien que Lyla Soderberg ait dit que son mari avait fini sa journée, Arne fit son apparition, quinze minutes plus tard, vêtu d'un costume trois pièces noir ; il ressemblait à un courtier immobilier prêt à conclure une affaire d'un million de dollars.

« Allons dans mon bureau », dit-il. Il se tourna vers Gooding : « Allez chercher le matos. »

Gooding se dirigea vers le fond, vers la pièce que Cork savait être celle dédiée aux indices.

Cork se leva et suivit Jo et Solemn jusqu'au bureau du shérif. Soderberg posa une main sur la poitrine de Cork et l'arrêta. « Pas vous. Le gamin a son avocate. Vous n'avez rien à faire là. Vous restez dehors. »

Jo fit un signe de tête à Cork et lui lança un regard signifiant : Tiens-toi à carreau. Elle entra dans le bureau de Soderberg avec Solemn, et le shérif leur emboîta le pas. Cork regarda la porte se fermer. Il surprit Marsha Dross en train de l'observer. Elle détourna rapidement les yeux.

« Quoi de neuf, Marsha ? » C'était la première femme officier de police dans le comté de Tamarack, il l'avait engagée. Il traversa la pièce et vint se poster à côté d'elle.

« Pas grand-chose, Cork. Une soirée calme, en fait. » Elle tapota le dessus d'une enveloppe en papier kraft du bout de son crayon, dessinant une constellation de points.

« J'voulais dire, là-dedans. » Il désigna la porte du bureau du shérif d'un signe de tête.

« Ça, c'est les affaires du département, Cork. Tu sais que je ne peux pas en parler. Et si tu allais te chercher une tasse de café et que tu te détendais un peu ? »

Cork alla jusqu'à la cafetière, une grosse Hamilton Beach. Il restait à peine de quoi remplir une tasse. Il vida le fond dans un gobelet – un breuvage très odorant, qui devait être sur le brûleur depuis des heures. Comme il savait où se trouvait tout le matériel, il entreprit de préparer une nouvelle cafetière.

Il était occupé à compter les cuillerées de café qu'il mettait dans le filtre lorsque Randy Gooding revint, portant un carton étiqueté CHARLOTTE KANE #2731. Gooding lui lança un coup d'œil, puis il entra dans le bureau de Soderberg et referma la porte. Cork mit la cafetière en route, saisit son gobelet et but une gorgée du sirop amer qu'il venait d'y verser.

Quelques minutes plus tard, un grand bruit sourd venant du bureau du shérif fit tomber une photographie d'Iron Lake qui était accrochée au mur. Lorsque le cadre toucha le sol, le verre vola en éclats et se répandit sur le sol. La porte du bureau de Soderberg s'ouvrit brusquement et Solemn sortit en trombe, un éclair de folie dans le regard. Il fonça dans le flanc du bureau le plus proche et les papiers volèrent. Il tourna en cercles frénétiques, comme un jeune bison effrayé cerné par des chasseurs. Puis il se précipita vers l'issue de secours.

« Arrêtez-le », cria Soderberg.

Mais il était trop tard. Solemn était déjà sorti du hall et fonçait se mettre à l'abri dans l'obscurité.

Marsha Dross partit à sa poursuite immédiatement. Randy Gooding sortit du bureau de Soderberg en trébuchant, un filet de sang au coin de la bouche. Il emboîta le pas à Dross. Duane Pender surgit des bureaux du fond et, tout en courant, défit le rabat de son holster.

Jo était sortie aussi, maintenant, et lorsqu'elle vit l'arme dans la main de Pender, elle cria : « Bon sang, ne l'abattez pas. »

On ne pouvait pas savoir si Pender avait entendu. Il avait déjà franchi la porte et talonnait Gooding.

Cork se dit qu'ils avaient peu de chances de le rattraper. Solemn avait une bonne avance et il était en excellente condition physique. C'était aussi quelqu'un qui connaissait la pénombre, et Cork comptait sur les ténèbres pour l'accueillir et le protéger.

Le bureau fut soudain très calme. Cork s'approcha de Jo, qui avait encore l'air un peu abasourdie.

« Alors, dit-il, comment ça s'est passé ? »

Ils s'assirent tous deux dans le bureau de Soderberg, attendant de voir si les hommes du shérif parviendraient à rattraper Solemn pour le mettre en garde à vue.

Arne Soderberg tournicotait autour du standard et coordonnait en personne les mouvements de ses adjoints partis à sa recherche. Cork et Jo étaient seuls dans le bureau.

Sur le mur derrière le bureau était accrochée une photo agrandie d'Arne Soderberg avec son père, Big Mike. Comme le laissait supposer son sobriquet, Soderberg senior était une montagne de muscles et d'os, affichant un immense sourire satisfait. Big Mike était une légende dans l'Iron Range ; il avait repris la petite entreprise de camions de son père et en avait fait la plus grosse boîte de transport au nord des Twin Cities. Big Mike voulait un fils qui allait, comme lui, régner sur le nord du pays, mais sa femme lui donna un garçon qui, de l'avis de tous, n'en eut jamais la carrure. Même si Arne parlait comme un *winner*, ses performances ne furent jamais à la hauteur de ses promesses. Il avait été quarterback remplaçant à Hibbing High School, avait eu sa licence avec des notes très moyennes à Concordia College à Moorhead, il n'avait pas fini son MBA à Saint Thomas University à Saint Paul, et avait choisi une fac de droit de second rang. Il lui avait fallu passer trois fois l'examen du barreau. Les relations de Big Mike lui permirent de décrocher un emploi dans un cabinet prestigieux des Twin Cities, mais Arne n'eut jamais l'envergure d'un associé. Au bout de cinq années très ternes, il quitta le cabinet et retourna dans le comté de Tamarack pour travailler dans l'entreprise de son père.

Sur un bureau, une seule petite photo de famille devant un fond qui laissait supposer qu'on était au printemps. Arne avait un sourire forcé comme si deux hameçons tiraient les coins de sa bouche, Lyla avait l'air d'une parfaite ingénue et Tiffany s'ennuyait, apparemment.

Cork était sur une chaise positionnée de sorte qu'il pouvait voir par la fenêtre le clocher de l'église luthérienne de Zion à quelques centaines de mètres de là. Lorsqu'il était lui-même shérif, il s'était souvent assis dans cette position ; il regardait dehors tout en réfléchissant à un problème ardu. La vue ne changeait jamais, et il trouvait cela réconfortant. La tour était comme une présence spectrale dans le vide de la nuit.

« C'est ma faute, dit Jo. Arne était prêt à piéger Solemn et j'ai conduit ce gamin directement dans la gueule du loup.

– Qu'est-ce qu'il a, Arne ?

– D'abord, l'autopsie. La radio montre une fracture du crâne étirée, qui fait penser à un coup porté avec un objet comme un club ou une barre plutôt qu'à une chute sur une pierre lors d'un accident. On a aussi trouvé des traces d'activité sexuelle, plutôt violente d'après les hématomes, on ne peut donc pas exclure le viol. Ensuite, Randy Gooding a commencé à examiner de près les preuves qu'il avait rassemblées à Widow's Creek. Des emballages...

– ... de snacks. Et l'autopsie a montré qu'il n'y en avait pas dans son estomac, c'est ça ?

– Oui. Et il y avait une bouteille de bière.

– Une Corona.

– Je ne sais pas. Mais elle avait plein d'empreintes de Solemn.

– Merde.

– Une fois qu'ils ont eu ça, ils sont allés à Valhalla et ils ont passé la maison au peigne fin. Dans le coffre à bois de la maison d'invités, ils ont trouvé une grosse clé anglaise avec des traces de sang séché. Sur le manche étaient gravées les initiales S.W.M. Devine à qui appartiennent les empreintes qu'on a trouvées dessus.

– Et le sang était celui de Charlotte ?

– Gagné. Ils avaient déjà le mobile et le lien physique. Tout ce qu'il leur fallait établir, c'était l'occasion. Une fois que nous leur avons servi ça sur un plateau, ils ont sorti la boîte de preuves et ont déclenché le piège.

– Sacrée mise en scène. Qu'avait-il donc en tête ? s'étonna Cork. Il t'a fourni des informations qu'il n'aurait jamais dû te communiquer. »

Jo secoua la tête.

« Je crois qu'il pensait vraiment qu'il pouvait obtenir des aveux spontanés de Solemn, à la Perry Mason.

– Pas étonnant qu'il se soit enfui. » Cork se leva et alla jusqu'à la fenêtre. Dans le parc entre le bureau du shérif et l'église luthérienne, il y avait des jeux pour les enfants. Le vent s'était levé et, dans la lumière des réverbères, Cork parvenait juste à distinguer les balançoires qui oscillaient doucement d'avant en arrière, comme si des fantômes étaient en train de jouer. « Comment a réagi Solemn ?

– Tu as bien vu.

– Je veux dire, avant son coup d'éclat. »

Jo réfléchit un moment.

« Il était surpris.

– Surpris par les preuves ou surpris qu'ils les aient ?

– Si seulement je le savais. »

Soderberg entra, le visage grave et déterminé.

« Nous venons d'embarquer son pick-up devant chez vous. Où qu'il aille, il ira à pied.

– Avez-vous encore besoin de nous, shérif ?

– Rentrez chez vous. » Il tourna les talons et partit.

Jo se leva.

« Je crois qu'il est temps que j'appelle Dot. »

Ils ne se dirent pas grand-chose pendant le trajet de retour. Il était tard, et la plupart des maisons étaient déjà plongées dans l'obscurité. Aurora était généralement un endroit calme, ce qui était précieux pour Cork, et la nuit en particulier le silence pouvait être aussi profond que celui de la mort. Jo regardait par sa vitre. Quand ils passaient à côté d'un réverbère, ses cheveux d'un blond presque blanc étincelaient d'un éclat surprenant, comme au néon. Son visage, de profil, paraissait troublé. Elle finit par dire :

« Assez accablant...

– Et puis assez pratique, dit Cork. Tout est fourni à Arne, dans l'ordre A – B – C.

– Combien de fois m'as-tu dit que les gens qui commettent des crimes, et surtout des crimes passionnels, n'ont pas les idées claires. Il est tout à fait possible que Solemn ait laissé toutes ces preuves derrière lui.

– On dirait le procureur. Tu crois qu'il est coupable ?

– Il s'est enfui.

– Il a peur.

– Il a raison d'avoir peur. Ils ont déjà beaucoup de choses contre lui. » Elle changea de position de manière à être face à Cork. Elle posa une main légère sur sa cuisse. « Je sais que Solemn est quelqu'un d'important pour toi à cause de Sam Winter Moon. Mais nous savons tous les deux qu'il est impulsif, parfois violent.

– Il a participé à bon nombre de bagarres mais il n'a jamais été sur le point de tuer qui que ce soit.

– Cork, il ne nous a jamais dit qu'il ne l'a pas tuée.

– Nous ne lui avons jamais demandé. » Cork posa sa main sur celle de Jo. « Tu le défendras ? »

Sous l'effet de la surprise, elle rit et eut un mouvement de recul.

« Tu plaisantes, j'espère. Il va s'agir d'une accusation de meurtre. Je n'ai jamais défendu quelqu'un qui soit accusé de meurtre. »

Cork ralentit un moment et la regarda droit dans les yeux. Même dans le noir, il voyait le bleu glacial de ses yeux, son intensité.

« Il a confiance en toi.

– Il faut bien autre chose que de la confiance pour gagner un procès. » Elle détourna les yeux. « Le meilleur dans le comté de Tamarack pour une affaire comme celle-ci, c'est Oliver Bledsoe. »

Ils arrivèrent dans Gooseberry Lane et Cork vit immédiatement que le pick-up de Solemn avait disparu. Lorsqu'ils entrèrent dans la maison, Jenny et Annie les accueillirent toutes deux, l'air anxieux.

Avant que l'une ou l'autre ait pu dire quoi que ce soit, Cork demanda :

« Et Stevie ?

– Nous l'avons mis au lit il y a plusieurs heures déjà, dit Annie. Il dort profondément. Randy Gooding est passé. Il cherchait Solemn Winter Moon. Il a dit qu'un mandat d'arrêt est lancé contre lui.

– Parce qu'ils croient qu'il a tué Charlotte Kane, intervint Jenny.

– Et après, une remorqueuse est venue et a emporté son pick-up, ajouta Annie, un peu à bout de souffle.

– Est-ce qu'il a tué Charlotte ? » demanda Jenny. Sa voix trahissait son incrédulité, et peut-être un peu de peur.

Jo ôta sa veste, ouvrit le placard dans l'entrée et attrapa un cintre.

« Le shérif a des indices qui vont dans ce sens. »

Jenny s'appuya contre le mur et garda les yeux rivés sur le tapis.

« Lorsqu'ils ont commencé à sortir ensemble, on aurait dit que c'était Solemn qui la faisait marcher. Vers la fin, je me souviens que je me demandais qui faisait marcher qui.» Elle secoua la tête. «Mais la tuer?

– Il est innocent tant qu'on n'a pas prouvé sa culpabilité, Jen», rappela Cork.

Elle le regarda de ces yeux d'un bleu cristallin qu'elle tenait de sa mère.

«Pas Solemn Winter Moon, papa. Pas ici, dans cette ville.»

11

Sam Winter Moon disait toujours que les Blancs étaient comme des chiots. Si l'un pissait contre un arbre, il fallait que tous les autres pissent contre le même arbre. Le matin après que Solemn eut disparu dans la nuit, Cork découvrit à quel point les paroles de Sam étaient vraies.

Jo commençait sa journée par une audience et elle partit dans la lumière grise de l'aube pour se préparer. Cork s'assura que les enfants se lèvent, prennent leur petit déjeuner et partent pour l'école à l'heure. Ils burent du jus d'orange Minute Maid, mangèrent des Cocoa Puffs et des Kix, et se plaignirent parce que Rose leur préparait toujours un petit déjeuner chaud. Lorsqu'ils passèrent enfin la porte et prirent le chemin de l'école, Cork se dit qu'un petit déjeuner chaud était une bonne idée, effectivement ; il sauta dans sa Bronco et partit pour le Broiler.

Le Pinewood Broiler de Johnny Papp était une institution à Aurora, un endroit où se retrouvaient les gens du coin depuis une éternité. Son père, lorsqu'il était shérif, commençait souvent sa journée par là, côtoyant les bûcherons, les gars du bâtiment, les marchands et les hôteliers du comté de Tamarack. La plupart d'entre eux étaient des descendants des premiers immigrants – des Finnois, des Allemands, des Slaves, des Irlandais et une douzaine d'autres nationalités qui étaient venus autrefois, attirés par la promesse d'une vie agréable assurée par la richesse des forêts de grands pins blancs et des gisements de minerai de fer de Mesabi et Vermilion Range. Seuls quelques-uns d'entre eux devinrent riches, mais la plupart parvinrent à se faire une belle vie, à fonder un foyer et à jeter les bases de l'histoire. Le problème était que leur installation évinça un groupe entier de gens qui occupaient cette terre depuis des générations. Les hommes blancs les appelèrent les Chippewas, ce qui était une déformation de l'un des noms sous lesquels ils étaient connus, Ojibwe. Ils faisaient partie de la tribu anishinaabeg dont le territoire s'étendait, au moment de l'arrivée des colons blancs, des rivages est des Grands Lacs jusqu'au milieu des Grandes Plaines. Les Anishinaabegs se considéraient comme des intendants, n'ayant pas plus de droit sur la terre ou de besoin de la posséder que les faucons n'en avaient sur les courants aériens qui les soutenaient dans leur vol. La possession de la terre était un concept de l'homme blanc, et elle passa par une série de traités et de magouilles peu claires qui dépouillèrent les Anishinaabegs sans qu'ils s'en rendent compte.

Mais tout cela s'était passé longtemps auparavant, bien avant que les piliers du Broiler ne soient nés, et à leurs yeux, c'était de l'histoire ancienne, qui n'était pas pertinente dans leur vie. À moins que les membres les plus arrogants d'un conseil tribal ne décident de soulever la question à nouveau. Ce qui arrivait de temps à autre. L'aboutissement en était généralement un compromis qui ne satisfaisait personne.

Lorsque Cork entra dans le Broiler ce matin-là, le principal sujet de discussion était Solemn Winter Moon. Tout le monde paraissait être au courant des accusations et de la fuite de Solemn. Cork alla jusqu'au comptoir, appela Sara, une jeune serveuse à la peau brunie par de multiples séances d'UV et aux cheveux d'une blondeur artificielle, et lui commanda une tasse de café et une pile de galettes de sarrasin. Puis il se tourna pour écouter ce qui se disait à la table la plus proche.

Jeeter Hayes tenait le crachoir. Jeeter était le chef d'une équipe de bûcherons qui travaillaient pour le comté de Tamarack au service des espaces verts. C'était un homme grand et fort, dont les immenses tatouages faisaient ressembler ses bras au cuir vert d'un alligator. Il avait une petite tête, comparée à son énorme corps, et Cork avait toujours soupçonné que la taille de son crâne en disait long sur son contenu. Tout le monde à la table de Jeeter paraissait avoir en réserve une histoire de convention sociale bafouée ou de loi transgressée par Solemn, et chaque histoire semblait pire que la précédente.

Jeeter finit par regarder dans la direction de Cork.

« J'ai entendu dire qu'il lui avait fait des choses avant de la tuer. C'est vrai, Cork ?

– Si tu veux des détails, tu n'as qu'à les demander à Arne Soderberg. » Cork sirota son café et se demanda où pouvaient bien être ses crêpes.

« J'ai entendu dire que c'est ta femme qui le défend.

– Si tu veux le savoir, tu n'as qu'à le lui demander.

– J'ai toujours plutôt aimé Jo », dit Jeeter. Le ton sur lequel il prononça cette phrase laissait sous-entendre des connotations vaguement salaces. « Nous l'aimons tous, n'est-ce pas, les gars ? » Il hocha la tête, mais les autres se contentèrent de le regarder, comme s'ils se demandaient où tout cela pouvait bien mener. « On n'aime pas trop quand elle défend un truc pour eux, les mecs de la réserve, mais elle est devenue presque une des nôtres, maintenant. »

Jeeter se leva, alla jusqu'au comptoir et s'assit sur le tabouret voisin de celui de Cork. « Si elle défend un type comme Winter Moon, après ce qu'il a fait à Charlotte Kane, y a plein de gens qui vont pas l'oublier. J'ai pas raison ? »

Cork dit :

« Le gamin n'a pas encore été formellement accusé, et tu l'as déjà condamné et pendu, Jeeter. »

Jeeter regarda Cork en plissant les yeux.

« Un type qui est prêt à pisser sur une croix, putain, j'imagine bien qu'il est capable de tout. »

Solemn n'avait jamais pissé sur une croix. Mais il avait reconnu avoir vandalisé l'église Sainte-Agnès, entre autres, en pissant dans les fonds baptismaux et en peignant à la bombe des graffiti sur l'un des murs de l'église. Il avait écrit *Mendax.* L'acte avait eu lieu tard dans la nuit, quelques minutes avant minuit. Lors de l'enquête, allant de porte en porte dans le quartier à la suite de l'incident, les adjoints du shérif avaient trouvé quelqu'un qui avait vu le pick-up de Solemn garé dans la rue devant l'église. Lorsqu'ils allèrent chez Dot pour parler à Solemn, ils découvrirent une bombe de peinture noire dans son pick-up. Solemn n'essaya même pas de nier.

Jo l'avait défendu. Solemn prétendait avoir été ivre et avoir agi seul, mais elle lui avait posé une question à laquelle il avait été incapable de répondre ; cela lui avait fait supposer qu'il ne disait pas toute la vérité. Elle lui avait demandé ce que voulait dire *mendax.* Il lui dit qu'il ne savait pas. « Menteur », avait-elle répondu. Il jura que c'était la vérité. « Non, lui dit Jo, la traduction approximative de ce mot, c'est menteur. » Lorsqu'elle lui demanda pourquoi il avait écrit ce mot sur le mur de Sainte-Agnès, il refusa de répondre. Jo était convaincue que Solemn n'avait pas agi seul. Elle pensa qu'il avait été persuadé de le faire par quelqu'un et qu'il couvrait son complice. Selon elle, le candidat le plus probable était sa petite amie Charlotte Kane, qui était intelligente, catholique, et qui à cette époque-là manifestait une violente tendance à la rébellion qui étonnait tout le monde. Solemn insista pour endosser toute la responsabilité seul. Il présenta ses excuses en personne et par écrit, et il passa une journée à nettoyer le mur pour effacer l'inscription. Il accepta également de déblayer gratuitement les chemins d'accès à l'église jusqu'à la fin de l'hiver.

Au comptoir du Broiler, assis à côté de Cork, Jeeter leva ses deux paumes de main et dit, sur le ton de la plus candide innocence :

« Je rappelle juste le passé, O'Connor. Je me contente de retracer le chemin que ce gamin a déjà parcouru et les dégâts qu'il a laissés derrière lui. »

Cork répondit :

« Je t'ai arrêté quelques fois pour ivresse sur la voie publique, du temps où je portais l'insigne, Jeeter. Est-ce que ça veut dire que tu es prêt à tuer quelqu'un ? »

Jeeter se pencha. Cork pouvait sentir dans son haleine une odeur de brûlé, celle du bacon grillé.

« Tu veux savoir la vérité ? Je n'ai pas besoin d'attendre qu'un jury le déclare coupable. Je le sais déjà. Les jeunes Indiens, tu vois, ils adorent l'idée de se faire une femme blanche. Ils les font boire et, putain, ils se feraient n'importe laquelle. » Ses mots n'étaient pas énoncés d'une voix forte, mais ils résonnèrent dans le silence qui était tombé comme une chape sur le Broiler.

Cork se tourna vers les visages de gens qu'il connaissait mais qui parfois lui semblaient étrangers. Personne ne contredit Jeeter Hayes.

« Cette conversation est terminée, Jeeter », dit Cork.

Jeeter se redressa.

« Et si moi, je veux continuer à parler ? Tu vas m'arrêter ? Tu sais, j'me dis que c'est une putain de bonne chose que tu sois plus shérif par ici. Vu que t'es un sang mêlé. Tu sais quoi ? Les fois où tu m'as coffré, si t'avais pas porté d'insigne, toi et moi, on aurait pu faire quelques rounds. J'aurais bien aimé. »

Johnny Papp intervint à ce moment-là en posant bruyamment une assiette couverte de crêpes sur le comptoir entre les deux hommes.

« Retourne t'asseoir à ta table, Jeeter, dit Papp. Laisse-le tranquille.

– Bien sûr, dit Jeeter, au bout d'un long moment. J'ai du boulot, de toute façon. » Il se leva et alla jusqu'à la caisse. « Venez, les gars. On a pas mal d'arbres pourris à enlever, et le temps passe. »

Après leur départ, Johnny Papp dit :

« Désolé, Cork.

– C'est pas ta faute, Johnny. » Il descendit de son tabouret et ramassa sa note.

« Et tes crêpes ?

– Je n'ai plus faim. »

Papp tendit la main et prit la note.

« Alors, pas question que tu paies.

– J'ai bu ton café.

– C'est pour moi. » Papp froissa le papier. « Et juste pour que tu le saches, Jeeter Hayes est un connard, et tout le monde le sait. »

Le ciel était couvert. Un vent frais soufflait du nord-ouest, directement du Canada. De temps en temps, un flocon de neige mouillée venait s'écraser contre le pare-brise de la Bronco de Cork, comme un témoin tardif de l'hiver, mais dans ces contrées très au nord, on n'avait jamais de certitude sur ce sujet. Il était en route vers Chez Sam pour avancer dans ses préparatifs en prévision de l'ouverture au mois de mai. Le gris du ciel s'infiltra dans son humeur, et lorsqu'il arriva, il était franchement déprimé.

Il y a longtemps, après avoir acheté la hutte pour trois fois rien à l'Army National Guard, Sam Winter Moon avait divisé la bâtisse en deux parties. Devant, il avait installé un gril à gaz, un congélateur, un évier, des étagères et un plan de travail. Il avait découpé deux passe-plats dans le mur sud et, entre les deux, il avait accroché un panneau pyrogravé et peint à la main sur lequel on lisait CHEZ SAM. Pendant la saison touristique, la partie arrière de la hutte lui servait de logis. Il y avait aménagé une cuisine, une salle de bain, une pièce à vivre avec une table et des chaises que Sam avait fabriquées en bouleau, un bureau pour ses papiers et une couchette. Il s'y trouvait aussi une bibliothèque, parce que Sam adorait lire.

Cork ouvrit la porte et entra. Les rideaux étaient tirés devant les fenêtres et la pièce était sombre. Cork tendit la main vers l'interrupteur, mais s'arrêta lorsqu'une voix lui dit :

« Non.

– Solemn ? » Cork laissa tomber sa main, sans toucher l'interrupteur. Non parce qu'il avait reconnu la voix immédiatement, mais parce qu'il avait perçu la pertinence de la situation. Solemn allait forcément chercher un autre refuge dans un endroit où Sam Winter Moon avait vécu.

« Ferme la porte. »

Cork obéit. Ses yeux s'accommodaient à l'obscurité, et il distingua Solemn tapi à l'entrée de la salle de bain. Il avait quelque chose à la main, Cork supposa qu'il s'agissait d'une arme.

« Tu peux poser ton arme.

– Mon arme ?» Solemn rit doucement. Il avança dans le rai de lumière qui filtrait entre les rideaux et Cork vit que ce qu'il avait dans la main était un marteau. Solemn pointa le manche vers lui. « Bang.

– Tu as passé la nuit ici ?

– Pratiquement.

– Tu as faim ?»

Solemn parut surpris par la question.

« Je n'ai pas encore mangé, dit Cork. Je me suis dit que j'allais me faire des œufs. Si ça te dit, j'en fais pour nous deux. »

Solemn le regarda, comme s'il évaluait la situation. « Je mangerais bien quelque chose », dit-il.

Cork tira les rideaux au-dessus de l'évier pour éclairer un peu la pièce. Il ouvrit le réfrigérateur, où il gardait toujours quelques provisions – des œufs, du lait, du fromage, des fruits, du pain, au cas où il aurait faim en travaillant à la préparation de la saison. Pendant la période où la vie de Cork s'était délitée et que Jo et lui étaient séparés, il s'était installé Chez Sam. Les casseroles et les ustensiles dont il s'était servi à l'époque étaient encore dans les tiroirs et les placards. Bon nombre d'entre eux dataient de l'époque où Sam vivait là.

« Tu n'as pas bougé grand-chose », fit remarquer Solemn.

Cork alluma un feu sur la cuisinière et posa une poêle. Il y déposa un morceau de beurre, puis cassa six œufs dans une jatte, ajouta un peu de lait, du sel, du poivre, et se mit à battre le tout avec une fourchette.

« Je n'ai jamais trouvé que l'endroit avait besoin de changements, lança-t-il par-dessus son épaule. Sam l'avait vraiment bien aménagé.

– Même l'odeur est la même, dit Solemn. Celle de l'huile chaude. »

Cork versa les œufs battus dans la poêle. Il sortit une râpe d'un tiroir et se mit à râper du fromage sur une planche à découper.

« Café ?

– Ouais.

– Dans le placard, dans un pot. » Il fit un mouvement du menton vers la droite. « Je n'ai pas de cafetière automatique. Il faudra le faire passer sur la cuisinière. »

Solemn prit la vieille cafetière en aluminium sur la cuisinière et entreprit de préparer le café.

« Quand es-tu venu ici pour la dernière fois ? » demanda Cork. Avec une spatule, il remua doucement les œufs dans la poêle, attentif à les faire cuire lentement afin qu'ils ne deviennent pas trop secs.

« Il y a trois ans, avant la mort de Sam.

– Tu n'es jamais passé depuis que j'ai repris.

– Je me disais que ce serait pas pareil.

– Rien ne l'est. »

Solemn regarda autour de lui.

« Tu as fait du bon boulot, c'est bien entretenu.

– Je passe beaucoup de temps ici, même en hiver. Je m'en sers comme refuge.

– Pour échapper à quoi ?

– Aux factures, aux appels téléphoniques. À la vie. »

Solemn alluma un feu et posa la cafetière sur la cuisinière.

« Je connais un bon endroit pour pêcher, à environ cent mètres du bord.

– Je sais », répondit Cork.

Solemn alla jusqu'à la table et s'assit. Cork ajouta le fromage râpé dans les œufs et mélangea le tout.

« J'observe, parfois, dit Solemn.

– Tu observes quoi ?

– Toi. Ici. Avec tes enfants. Je reste là-bas, sous les arbres. » Il agita une main vers un bosquet de peupliers en direction du sud.

« Et qu'est-ce que tu cherches ? »

Solemn haussa les épaules.

« Ce que tu avais ici, autrefois, avec Sam, peut-être ? »

Solemn ne répondit pas.

Cork baissa le feu et posa un couvercle sur la poêle.

« Quand le café sera prêt, on mangera. » Il prit une chaise et s'assit à côté de Solemn. « Pourquoi t'es-tu enfui hier soir ?

– Parce qu'ils pensent que j'ai tué Charlotte et parce que ce connard me regardait et souriait comme si j'étais une espèce de rat qu'il avait attrapé dans une cage.

– Le shérif ?

– Ouais.

– C'est Gooding à qui t'en as collé une.

– Ah bon ? Je ne me souviens pas de grand-chose. Je savais juste qu'il fallait que je me tire de là.

– Et comment tu réagis à la nouvelle que Charlotte a été assassinée ? »

Malgré ses accès de fureur, Solemn pouvait, comme beaucoup d'Ojibwes, faire disparaître en un instant toute trace d'émotion de son visage, devenir totalement indéchiffrable, et c'est ce qu'il fit. Mais c'était en soi significatif. Il avait quelque chose à cacher. Était-ce de la culpabilité ? Ou tenait-il vraiment à Charlotte et il ne voulait pas que Cork ni personne le sache ?

Le café siffla. Cork alla jusqu'au placard et en sortit deux assiettes et deux tasses. Il prit des couverts dans le tiroir et posa le tout sur la table. Il laissa le café remonter jusqu'à ce qu'il ait une belle couleur marron foncé.

« Verse-nous donc du café, dit-il à Solemn, pendant que je vais chercher les œufs. »

Le début du repas se passa dans le silence. La situation délicate dans laquelle Solemn se trouvait n'affectait pas son appétit. Il enfournait des portions énormes de nourriture dans sa bouche et faisait descendre chaque bouchée avec une grande gorgée de café. Il mangeait comme un adolescent affamé, comme si chaque repas allait être le dernier. En observant Solemn, Cork remarqua beaucoup de choses chez le jeune homme qui n'était pas encore adulte, mais encore en devenir.

« Que vas-tu faire maintenant ? finit par demander Cork.

– Je ne sais pas. Le fait de parler au shérif ne m'a pas fait de bien, en tout cas.

– Au moins, tu sais où tu en es.

– Ouais. Dans une grosse merde. » Il avait la bouche pleine de nourriture. « J'envisage de partir au Canada.

– Ton pick-up est parti en fourrière.

– Pas grave, depuis ici, j'pourrai y aller à pied.

– Et après ?

– Je ne sais pas. Je trouverai bien.

– Pas terrible, comme plan. »

Solemn cessa de manger et pendant un moment chipota dans son assiette.

« Qu'est-ce que je devrais faire, à ton avis ? »

Cork le regarda, plongea son regard dans ces yeux qui n'étaient pas vraiment ceux d'un Indien, pas vraiment ceux d'un Blanc, dans ce visage qui n'était pas vraiment celui d'un homme adulte. Et il posa la question que personne ne s'était encore donné la peine de poser.

« Est-ce que tu l'as tuée ? »

Solemn posa sa fourchette.

« Non.

– Alors, à mon avis, tu devrais te rendre.

– Tu rigoles ou quoi ?» Le regard de Solemn commença à s'assombrir. «Ils en ont assez pour me mettre derrière les barreaux jusqu'à la fin de mes jours.

– Si tu t'enfuis, il me semble que tu te fourreras juste dans un autre genre de prison, qui n'est pas vraiment plus confortable.

– Pas question.» Solemn recula sa chaise et se leva d'un bond. Il se mit à arpenter la pièce de long en large. «Il me faut de l'argent.

– Si c'est ce que tu espérais trouver auprès de moi, tu t'es trompé.

– Je ne t'en demande pas. Mais je suis dans ce merdier parce que je t'ai écouté.

– Tu y étais déjà. Maintenant, si tu veux que je t'aide, je t'aiderai. Ce qui veut dire faire face, comme un homme, et pas t'enfuir.»

Solemn avait le regard apeuré, comme s'il regardait la porte qui ouvrait sur la liberté se refermer devant lui.

«Tout ça, c'est des mensonges. Je n'ai rien fait.

– Alors, quelqu'un se donne beaucoup de mal pour faire croire que c'est toi. Je vais faire tout ce que je peux pour découvrir qui c'est.

– Tout ce que tu peux ?» Sa voix était tendue, elle avait grimpé dans les aigus.

«C'est tout ce que je peux t'offrir. Mais je vais te faire une promesse. Je t'accompagnerai du début à la fin. Tu ne traverseras pas tout ça seul.»

Solemn donnait l'impression d'hésiter entre le rire et les larmes.

«Est-ce que c'est censé signifier quelque chose ? Tu penses que tu es qui, toi, d'abord ? Tu fais des hamburgers !»

Cork attendit un moment, puis dit calmement.

« Sam aussi faisait des hamburgers. »

Solemn se détourna dans un mouvement de colère.

« Est-ce que tu vois quelqu'un d'autre autour de toi, Solemn ? Je suis prêt à t'aider, mais le choix t'appartient. Voici ce que je vais faire. Je vais partir d'ici et aller chercher Jo. Nous reviendrons ici. Si tu es encore là, nous irons ensemble au département du shérif. Si tu n'es plus là... eh bien, Solemn, j'imagine que tu seras seul. »

Cork se leva et alla jusqu'à la porte. Il se retourna, la main déjà posée sur la poignée. Solemn le suivait des yeux.

« Pendant que je suis parti, dit Cork, tu pourrais faire la vaisselle. »

12

Cork se gara devant Pflugelmann's Rexall Drugstore en face du tribunal du comté. Il trouva Jo dans la salle d'audience du juge Daniel Hickey. Elle était assise à la table du plaignant et prenait des notes tandis qu'Ed Mendez, l'avocat de la défense, discutait d'un détail concernant l'« interprétation d'un point de droit ». Hickey avait l'air de s'ennuyer ferme. Les personnes concernées n'étaient pas présentes, et la salle d'audience était plutôt vide. Cork s'assit derrière Jo, sur un banc, dans la partie réservée aux spectateurs, derrière la balustrade. Il attendit quelques minutes que l'occasion se présente pour signifier à Jo qu'il était là. Elle arriva lorsque le juge demanda à prendre connaissance d'un document que tenait Mendez. Au moment où l'avocat de la défense approchait de l'estrade, Cork se pencha par-dessus la balustrade et tendit à Jo un morceau de papier sur lequel il avait gribouillé quelques mots. Elle les lut et hocha la tête.

Lorsque Mendez revint à sa place, Jo se leva.

« Votre Honneur, je vous prie de bien vouloir m'excuser, mais je voudrais demander une interruption de dix minutes. Il s'agit d'une affaire personnelle assez urgente. »

Hickey, un homme de petite taille portant une barbichette blanche, fit remonter d'un coup de poignet la grande manche de sa robe et jeta un coup d'œil à sa montre.

« Aucune objection, Ed ? »

Mendez réfléchit un instant.

« Non, pas de problème.

– D'accord. Dix minutes, c'est quelque chose que nous pouvons nous permettre, Jo. L'audience reprendra à neuf heures quarante. » Il ponctua sa déclaration d'un coup de maillet et quitta la salle en bâillant.

Jo se tourna vers Cork.

« Pas ici. » Il l'emmena dans un coin de la salle d'audience.

« Où est-il ? demanda Jo.

– Chez Sam, répondit-il à voix basse. Il y a passé la nuit. Il est prêt à se rendre. »

Jo secoua la tête.

« Je te l'ai dit, je ne peux pas le représenter.

– Non, tu as dit que tu ne voulais pas. C'est différent. Il a besoin de ton aide.

– Je ne peux pas partir d'ici comme ça. Je suis au beau milieu d'une audience. » Elle désigna le fauteuil du juge.

« Solemn n'est qu'un gamin, Jo, et il a peur. Il peut détaler d'un instant à l'autre. Tu ne pourrais pas demander à Hickey un ajournement par exemple ? »

Jo posa le bout de ses doigts sur son front et ferma les yeux un instant.

« Écoute, va voir Oliver Bledsoe. Il est vraiment le plus grand espoir de Solemn. Il est là aujourd'hui. Salle d'audience B. Cork, je suis désolée, mais je ne peux pas aider Solemn, pas dans la situation dans laquelle il se trouve aujourd'hui.

– Tu veux bien venir avec moi parler à Ollie ? »

Jo jeta un coup d'œil à sa montre.

« S'il est disponible. »

Ils étaient vernis. Bledsoe se trouvait dans le hall, devant la porte de la salle d'audience, en train de consulter son Palm.

Le fait de s'être coupé une partie du pied avait été finalement une bénédiction pour Oliver Bledsoe. Il était auparavant un jeune homme qui ne voyait pas plus loin que l'argent qu'il pouvait gagner pour le dépenser ensuite à se faire plaisir. Pendant sa convalescence après l'accident, il avait décidé des bouleversements considérables dans sa vie. Le premier fut de s'inscrire à l'université. Il obtint sa licence à l'université du Minnesota à Duluth en trois ans et enchaîna immédiatement avec son droit. Il sortit de William Mitchell School of Law à Saint Paul second de sa promotion. Pour ce qui était des cabinets, il avait l'embarras du choix. Mais il décida de poser sa plaque sur East Franklin Avenue dans le quartier Philips de Minneapolis, un quartier qui à l'époque concentrait la plus grande communauté d'Indiens du pays. Il représenta des gens qui souvent avaient peu d'espoir et encore moins d'argent. Sa pratique allait des simples successions à la défense de clients accusés de meurtre. Finalement, il se fit un nom dans la profession. Son cabinet prit de l'ampleur avec le temps ; il alla jusqu'à compter une demi-douzaine d'avocats, dont certains avaient quitté des emplois lucratifs pour travailler dans ce qu'ils considéraient comme les premières lignes de la justice américaine. Au bout de vingt ans, Oliver Bledsoe s'était convaincu de rentrer chez lui et de diriger le nouveau bureau des affaires juridiques pour les Ojibwes d'Iron Lake. Les profits générés par le casino lui permettaient d'être mieux payé, mais les clients et leurs problèmes avaient bien peu changé.

Bledsoe leva les yeux lorsque Cork et Jo approchèrent, et sourit.

« T'aurais une minute ? demanda Cork.

– À peine.

– Tu as entendu parler de Solemn Winter Moon ?

– Il faudrait être sourd pour ne pas être au courant.

– Il est prêt à se rendre. Il va avoir besoin d'un avocat. »

Les yeux de Bledsoe se tournèrent vers Jo.

Elle leva les mains pour signifier son objection.

« Je ne peux pas. Je n'ai jamais pris une affaire criminelle aussi lourde. »

Bledsoe hocha la tête.

« Je crains de ne pas pouvoir l'aider non plus.

– Tu as l'expérience, dit Cork.

– Mais je ne suis pas en position de le faire. Cork, je représente les Ojibwes d'Iron Lake. Je les représente officiellement. Tu sais mieux que personne à quel point la relation est délicate entre la réserve et le reste du comté de Tamarack. Les exactions de Solemn confortent certains des pires stéréotypes que les Blancs véhiculent sur les Indiens. Je ne peux pas risquer la possibilité que des gens l'associent, lui, en tant qu'individu, et tout le merdier dans lequel il s'est fourré, avec le fait que je représente officiellement la réserve. Si les droits civiques de Solemn étaient violés ou, disons, si je croyais vraiment qu'il était accusé à tort...

– Parce que tu ne le crois pas ? fit Cork.

– D'après ce que je comprends, il y a beaucoup de preuves contre lui.

– Malgré tout, il a droit au meilleur avocat possible.

– Écoute, pourquoi tu n'essaierais pas Bob Carruthers ? C'est un bon avocat dans les affaires criminelles, et il est expérimenté.

– Expérimenté, d'accord, dit Jo, tu pousses un peu avec bon. »

Bledsoe regarda sa montre. Cork commençait à trouver agaçant que, dans ce tribunal, le temps paraisse à tout le monde plus important que la justice. Mais il tint sa langue.

« Je suis désolé, dit Bledsoe. La cour m'attend. Bonne chance. » Il tourna les talons.

Cork posa les yeux sur Jo. Elle resta un moment tendue, puis elle laissa échapper un soupir.

« D'accord, dit-elle. Je vais accompagner Solemn quand il va se rendre pour qu'il ait quelqu'un pour le représenter, mais je ne suis pas en train d'accepter de me charger de cette affaire. Je donne un coup de main jusqu'à ce qu'on trouve un avocat capable de bien le soutenir dans cette histoire.

– Merci.

– Ouais, dit Jo sans le moindre enthousiasme. Je ne sais pas du tout ce que je vais pouvoir raconter au juge Hickey. »

Les flocons isolés s'étaient transformés en une sinistre pluie fine et froide lorsque Cork et Jo se garèrent devant Chez Sam. Iron Lake avait disparu derrière une brume morose. En traversant le parking, ils sentaient le gravier crisser comme du granité sous leurs pieds. Cork ouvrit la porte de la hutte et appela : « Solemn ? »

Pas de réponse.

Il regarda plus avant ; la pluie dégoulinait sur les vitres des passe-plats. Solemn ne se cachait pas là. Cork se retourna vers Jo.

« Tu m'as dit qu'il n'avait pas vraiment promis qu'il resterait, dit-elle. Tu as essayé de l'aider. Que demander de plus ? »

Cork resta dans la pièce où il pensait avoir établi un vrai lien avec Solemn. Il sentit qu'il avait d'une certaine façon déçu le jeune homme, sans pouvoir en expliquer exactement les raisons. Il jeta un coup d'œil à l'évier et découvrit qu'il était vide. Avant de disparaître, Solemn avait fait la dernière chose que Cork lui avait demandée. Il avait fait la vaisselle.

MAI

13

Un matin ensoleillé de printemps, quelques jours après l'autopsie, Charlotte fut enterrée sur la douce pente d'une colline du cimetière de Lakeview. Si cela avait encore été possible, elle aurait admiré une vue magnifique depuis le petit carré de terre qui allait être sa demeure éternelle. En contrebas s'étendait Iron Lake. En hiver, il était gelé, aussi blanc qu'une dent de castor, et, en été, il était si bleu qu'on aurait dit un morceau de ciel tombé sur la terre. Si elle avait été encore douée de tous ses sens, elle aurait senti la douce caresse du vent venant du lac et le parfum frais, profond qu'exhalaient un million de pins. Dans l'esprit de Cork, si on était condamné à rester quelque part pour l'éternité, ce flanc de colline était un assez bel endroit. Les gens invités à assister à la cérémonie toute simple de l'enterrement n'étaient pas nombreux. Rose et les Soderberg étaient parmi eux. Rose avait parlé à Glory d'une veillée, pour que les gens d'Aurora – ou de Sainte-Agnès au moins – puissent présenter leurs respects, mais Glory n'accepta rien de ce genre. Apparemment, le désir le plus pressant de Glory était de partir : le matin suivant, elle quitta la ville. Sans un mot à qui que ce soit. Peu de monde s'en serait soucié. Rose dit à Cork que Fletcher lui avait annoncé la nouvelle lorsqu'elle était passée à la vieille demeure Parrant pour voir Glory. « Partie. » Il n'avait rien dit de plus. Et il n'avait pas la moindre idée de sa destination. Cork voyait bien que le brusque départ de son amie avait laissé Rose perplexe, et qu'elle était peut-être un peu blessée que Glory ne lui ait pas dit au revoir.

La chaleur d'avril laissa progressivement la place au mois de mai. La glace sur Iron Lake s'affina, puis disparut complètement. Les trembles et les peupliers bourgeonnaient et au-dessus de leur cîme les oies passaient, elles retournaient au Boundary Waters et, plus loin, vers les Grands Lacs.

Les Anishinaabegs appelaient le mois de mai *wabigwunigizis*, ce qui signifiait le mois des fleurs. C'était le moment où Grand-Mère Terre se réveillait et où les conteurs se taisaient, attendant, pour dire les histoires sacrées, que le riz sauvage soit récolté, que la neige soit revenue, que Grand-Mère Terre se soit rendormie.

C'était la saison des tiques. Les informations ne cessaient de rapporter des cas de maladie de Lyme, de diffuser des avertissements, et les cabinets médicaux étaient pleins de patients paniqués par la moindre petite égratignure.

C'était la saison du softball, et l'équipe préférée de Cork, les Aurora High Voyageurs, dans laquelle sa fille Annie lançait, était donnée favorite pour remporter le titre.

C'était l'ouverture de la saison de la pêche, le début de ces mois où les touristes affluaient à Aurora, attirés par les perches et la beauté des hauts Northwoods dépourvus de neige.

Et c'était, comme toujours, la saison des amours.

« Papa ? demanda Annie.

– Ouais ?

– Qu'est-ce qu'ils veulent, les garçons ? »

C'était un samedi après-midi. Cork était grimpé sur un tabouret au milieu de la hutte, vérifiant la consistance de la mixture pour la machine à milk-shake. Il n'y avait pas eu grand monde ce jour-là, ce qui était une bonne chose parce qu'Annie avait paru préoccupée.

« C'est une vaste question, répondit Cork. Avec beaucoup de réponses possibles...

– Ce que je veux dire, c'est : Qu'est-ce que les garçons cherchent chez une fille ? »

Annie était la seconde fille de Cork, elle avait quinze ans et elle avait développé un peu plus tard que ses amies les courbes et les rondeurs qui pouvaient attirer l'œil d'un jeune homme. Elle n'était jamais sortie avec un garçon, consacrait toute son énergie au sport, en particulier au softball. C'était une élève honorable, même si ses résultats scolaires étaient beaucoup moins importants pour elle que pour sa sœur Jenny. Mais ces derniers temps, ses notes dégringolaient et Cork se demanda si la question qu'elle posait n'était pas unc possible explication. C'était un sujet de conversation inhabituel avec Annie. Généralement, ils parlaient de sport. Mais Cork fit de son mieux.

« Je ne peux pas parler pour tous les garçons. Je suis tombé amoureux de ta mère parce qu'elle était forte, indépendante, intelligente. J'aimais bien ça. Et en plus, elle riait à mes blagues. »

Annie s'accouda au comptoir devant son passe-plat. Elle portait un jean et un sweat-shirt bleu marine avec VOYAGEURS inscrit sur le devant. Elle avait commencé à laisser pousser ses cheveux roux ; ils avaient atteint une longueur intermédiaire et formaient une auréole de flammes tout autour de sa tête.

« Et elle était jolie, non ? » demanda Annie.

Cork remit le couvercle sur la machine et descendit de son tabouret.

« C'était mon avis. Mais tu sais, l'amour a le chic pour rendre les gens beaux. Aux yeux de leur amoureux, du moins. » Il rangea le tabouret dans un coin à côté d'une pile de boîtes de chips.

Annie resta silencieuse un moment.

« Tu trouves que je suis jolie ? »

Il la regarda. Le soleil éclairait la moitié de son visage, et les taches de rousseur sur sa joue gauche évoquaient un champ de fleurs éclatantes.

« Magnifique, dit-il.

– Pour de vrai ?

– Pour de vrai. Magnifique.

– Oh, papa. »

Cork vit qu'elle était contente. Elle porta son regard à nouveau sur le lac, un saphir immense et étincelant.

« Nous parlions de sexe l'autre soir au groupe de jeunes. Enfin, rien d'officiel, ajouta-t-elle précipitamment, en voyant l'expression du visage de son père. On était quelques-uns, après le groupe. Nous avons posé des questions à Randy, tu vois, pour le coincer, pour voir si on pouvait le mettre dans une situation embarrassante. »

Elle parlait de Gooding, qui animait le club des jeunes à Sainte-Agnès.

« Et ça a marché ?

– Ça oui. Il est devenu tout rouge. C'était rigolo. » Elle utilisait « rigolo » comme les enfants quand ils veulent dire « réjouissant » avec une cruauté diabolique.

« Qu'est-ce qu'il a dit ? »

Elle passa nonchalamment un doigt sur le rebord du passe-plat.

« Que les hommes veulent généralement une femme qu'ils peuvent respecter et qui leur rendra ce respect. C'est important, le respect, on dirait ?

– Je suis d'accord. »

Elle lui lança un regard plein de malice.

« Quand tu m'as dit pourquoi tu es tombé amoureux de maman, tu n'as pas parlé de respect.

– Le respect avait précédé l'amour », dit-il du tac au tac.

Annie posa sa tête sur ses bras croisés comme un chien fatigué et réfléchit un moment.

« Gwen Burdick s'est fait percer le nombril et elle porte des T-shirts super courts pour que tout le monde voie son anneau. Les garçons ont l'air d'aimer ça mais, pour moi, ça n'a pas grand-chose à voir avec le respect. »

Cork faillit dire qu'il y avait beaucoup de choses que les garçons aimaient et qui n'avaient pas grand-chose à voir avec le respect, mais il ne voulait pas ouvrir la voie vers un sujet sur lequel il ne se sentait pas à l'aise.

« Je suis en train de réfléchir à me faire percer les oreilles.

– Tu en as parlé à maman ? » Cork ouvrit un carton de chips et sortit une demi-douzaine de sachets qu'il accrocha sur le présentoir à côté de l'autre passe-plat.

« Ouais, elle a dit que les oreilles, ça allait, mais que ça s'arrêtait là. »

Dieu merci, Jo existe, pensa Cork.

Deux jours plus tard, Annie apparut au travail une heure en retard, avec un rouge à lèvres noir qui la faisait ressembler à un vampire en fin de repas, et de l'ombre à paupières foncée qui faisait croire qu'elle avait deux cocards. Des clous dorés lui traversaient les oreilles. Elle portait un haut rouge près du corps et un jean qui lui moulait les fesses. Elle fit ce qu'elle avait à faire comme s'il n'y avait rien d'inhabituel. Sur son maquillage et sa tenue,

Cork se garda bien de la moindre remarque, pensant qu'il en parlerait avec Jo d'abord. Sur les oreilles percées, il se contenta d'un : « C'est joli, ma petite. »

Jenny, qui travaillait aussi Chez Sam, fut plus abrupte.

« Tu ressembles à une fan de KISS. Je peux te montrer comment te maquiller.

– Et qui t'es, toi, pour tout savoir sur la mode, d'abord ?

– Comme tu voudras. Si ça te branche de sortir avec des zombies, tu as le look qu'il faut. Le jour où tu décideras de sortir avec des garçons, dis-le-moi et je te ferai bénéficier de l'excellence de mon goût. »

Un peu avant sept heures le soir, Annie prit une pause et sortit. Cork la regarda descendre sur le ponton, se pencher et étudier son reflet dans l'eau d'Iron Lake. Il espéra qu'elle verrait au-delà de cette horrible couche de maquillage, qu'elle verrait ce qu'il voyait lui, son rire spontané, sa grâce lorsqu'elle se déplaçait sur le terrain de softball, sa spiritualité rayonnante. Il espérait que c'était cela qu'un jeune homme verrait un jour, mais Annie avait probablement raison. Les garçons étaient plus faciles à impressionner avec des nombrils percés et exposés.

Randy Gooding arriva dans sa Tracker, se gara et s'avança jusqu'au passe-plat.

« Hé, Cork, Annie est dans le coin ?

– Elle prend une pause. Elle est là-bas, au bord du lac. Qu'est-ce qui se passe ?

– Il faut que je lui parle de l'organisation du lavage de voitures le week-end prochain. Elle en est responsable, elle te l'a dit ?

– Je crois que oui.

– Je peux aller la voir ? »

Cork envisagea d'avertir Randy du nouveau look d'Annie, mais finit par s'abstenir. « Vas-y. »

Cork et Jenny regardèrent Gooding descendre d'un pas vif jusqu'au ponton. Annie était si absorbée dans la contemplation de son propre reflet qu'elle ne l'entendit pas arriver. Gooding l'appela. Elle se redressa et se tourna vers lui, un sourire avenant sur les lèvres. Il s'arrêta net. Il resta immobile, un instant, à la regarder. Il avait le dos tourné et ni Cork ni Jenny ne pouvaient voir son visage, mais son expression devait être terrible parce qu'Annie eut une réaction d'horreur. Gooding finit par parler, et Annie partit en courant, en direction d'Aurora et de la maison.

Cork sortit en trombe de Chez Sam et descendit sur le ponton.

« Que s'est-il passé ? »

Gooding fixait d'un regard féroce la direction qu'avait prise Annie.

« Mon Dieu, Cork, tu ne l'as donc pas vue ?

– Si, je l'ai vue.

– Et tu n'as rien dit ?

– Sur quoi ?

– Sur le fait qu'elle cherche des ennuis. »

Cork savait que beaucoup d'hommes pensaient ainsi, beaucoup de flics aussi, mais cela le surprit de la part de Gooding. Et parce que c'était Annie, cela le vexa aussi.

« C'est un look, Randy. Rien de plus qu'un look. Elle ne cherche rien du tout.

– Peut-être, mais ce genre de look peut mettre une fille en danger, même une chouette fille comme Annie.

– Tu lui as dit ?

– Évidemment que je lui ai dit !

– Mais qu'est-ce qui t'est passé par la tête, bon Dieu ? » Cork recula d'un pas et se donna quelques instants pour retrouver son sang-froid. « Cela ne te ressemble pas, Randy.

C'est Annie qui vient de partir en pleurs. Elle qui ne jure que par toi.»

Gooding regarda la silhouette d'Annie diminuer à chacun de ses pas, et, lentement, son visage changea.

«Qu'est-ce qui se passe, Randy?»

Gooding ne quitta pas Annie des yeux jusqu'à ce qu'elle disparaisse dans le lointain.

«Randy?

– Tu as raison. Je n'aurais pas dû lui parler de cette façon. C'est juste que...

– Juste que quoi?

– Écoute, ce n'est pas Annie que je voyais. C'était Nina.» Il se frotta les tempes du bout des doigts et eut l'air sincèrement peiné. «Tu as une minute?

– J'ai tout mon temps pour une bonne explication.»

C'était la tombée du jour et tout était plongé dans un dégradé de bleus délavés. Gooding se dandina d'un pied sur l'autre et les vieilles planches du ponton grincèrent sous son poids. Il tira sur les poils roux de sa courte barbe et porta son regard vers l'étoile du berger qui était déjà visible, à l'est.

«Je ne sais pas si je t'en ai déjà parlé, mais j'ai grandi dans un centre d'accueil, dit-il. La plupart d'entre nous n'avaient plus de parents.

– Je ne savais pas.» La colère de Cork s'adoucit. Il ajouta: «Ça a dû être dur.

– Ça allait, en fait. On avait l'impression d'être une famille, tous ensemble. Il y avait une fille en particulier qui a été pour moi presque aussi proche qu'une sœur, Nina. Nina van Zoot. Elle venait de Holland, dans le Michigan. Après notre départ, nous sommes restés en contact, Nina et moi. Elle est allée à Chicago. J'ai passé un peu de temps au séminaire, puis j'ai fini mes études à Ann Arbor et j'ai décidé de travailler pour le FBI. J'ai demandé à être affecté à Chicago, essentiellement parce que Nina était là-bas. Il n'y avait pas de poste, alors, j'ai atterri à Milwaukee. Mais ça allait – je n'étais qu'à deux ou trois heures de Nina.

Dans ses lettres, elle m'avait dit qu'elle travaillait pour l'Église, mais lorsque je lui ai rendu visite, je me suis rendu compte que c'était un mensonge. Elle me racontait ce que j'avais envie d'entendre. La vérité, c'était qu'elle faisait le trottoir. Une prostituée. Ça m'a brisé le cœur, Cork. J'ai essayé de l'aider. Nina est intelligente, elle aurait pu faire n'importe quoi, ce qu'elle voulait. Mais elle ne le voulait pas. Elle s'était dégoté un proxénète de première classe. Un mec qui lui avait dit qu'elle était une fille en or, et elle l'a cru. Mon Dieu, quel gâchis. »

Il marqua une pause, baissa les yeux, secoua la tête.

« Lorsque j'ai vu Annie, avec tout ce maquillage, l'espace d'un instant, je n'ai vu que Nina.

– Je crois que je peux comprendre. »

Le visage de Gooding avait pris une couleur bleu pâle, un peu trouble dans la lumière du soir.

« J'ai quitté le séminaire, abandonné la préparation de la prêtrise parce que je ne trouvais pas la force de pardonner. Je n'ai toujours pas pardonné à Nina. Et son salaud de mac, j'espère qu'il va brûler en enfer. »

Cork attendit un moment, puis dit :

« Je crois que tu as raison. Tu aurais probablement fait un prêtre déplorable. Mais tu es un assez bon flic. »

Gooding ouvrit des mains impuissantes.

« Et qu'est-ce que je vais dire à Annie, maintenant ?

– Et si tu nous laissais le temps de recoller un peu les morceaux d'abord ? »

Gooding hocha la tête, l'air toujours très peiné.

« Bon sang, je m'en veux.

– Elle est jeune, elle va s'en remettre. »

Gooding fit un pas, comme s'il allait partir, mais s'interrompit et, sur un ton grave, dit :

« Je n'étais pas complètement à l'ouest, Cork. Tu le sais aussi bien que moi. Même une chouette fille comme Annie, avec ce look, elle donne aux hommes une mauvaise impression.

– Nous allons lui parler, Randy.

– D'accord. » Il retourna d'un pas lent jusqu'à sa Tracker.

Cork ferma la buvette sur-le-champ et Jenny et lui rentrèrent à la maison. Jo leur ouvrit la porte.

« Annie est là ? demanda Cork.

– Elle est arrivée il y a quelques minutes, en pleurs. Elle est montée et s'est enfermée dans sa chambre. Que s'est-il passé ?

– Randy Gooding lui a dit quelque chose.

– Randy ? Mais qu'est-ce qu'il a bien pu lui dire ?

– Elle s'est fait percer les oreilles aujourd'hui.

– Je savais qu'elle en avait l'intention. »

Jenny intervint.

« Maman, est-ce que tu as bien vu son visage ?

– Non. Pourquoi ?

– Elle a essayé de se maquiller. Elle ressemble à une figurante de *La Nuit des morts-vivants*. Et sa tenue, on aurait dit qu'elle sortait droit de Pétasse-shop.

– Randy a pris l'initiative de lui dire qu'elle cherchait les ennuis, dit Cork. Il n'a pas été très diplomate sur ce coup-là. Est-ce que tu as essayé de lui parler ?

– J'ai frappé. Elle m'a dit de m'en aller.

– Et si j'essayais, moi ? suggéra Cork.

– Laisse-la un peu seule. »

Quelqu'un frappa à la porte. Cork se retourna, vit Gooding à travers la porte à moustiquaire sur le porche ;

il sortit le rejoindre. Randy ressemblait à un grand gamin empoté.

« Cork, je me demandais si tu voulais bien donner quelque chose à Annie de ma part. »

Randy lui tendit une grande feuille arrachée à un bloc à dessin. En plus de la formation que le FBI assurait à toutes ses recrues, Gooding avait reçu des cours de dessinateur de portraits-robots, parce que le Bureau avait remarqué son talent particulier. Désormais, il dessinait pour son plaisir. Même s'il se considérait comme un barbouilleur, il était assez bon et on réussissait à le convaincre d'offrir ses dessins en cadeaux. Ce qu'il donna à Cork était un très joli portrait au fusain d'Annie dépourvue de maquillage et de boucles d'oreilles.

« C'est pour m'excuser, expliqua-t-il.

– Ce dessin est récent ?

– Pas tout à fait. J'ai fait des portraits de la plupart des jeunes du groupe, juste pour m'amuser, mais je n'en ai jamais donné à qui que ce soit. J'ai vraiment merdé sur ce coup-là et je voulais faire quelque chose de spécial pour Annie.

– Je lui donnerai.

– Comment va-t-elle ?

– À mon avis, son mascara a coulé jusqu'à son menton.

– Je suis tellement désolé... Mais j'ai une nouvelle qui va peut-être lui remonter le moral. Je tiens de source sûre que Damon Fielding essaie depuis un moment de trouver le courage pour lui demander de sortir avec lui.

– Damon Fielding ?

– Le fils de Brad et Cindy Fielding.

– Je sais qui c'est. Recordman de ligue pour le nombre de buts volés l'an dernier. Plutôt rapide, le garçon. Comment sais-tu qu'il s'intéresse à Annie ?

– Il est le trésorier du club de jeunes et il ne sait pas garder un secret.

– C'est un charmant garçon.

– Le plus charmant du monde.

– Je lui ferai savoir. Mais tu lui dois quand même des excuses personnelles.

– Elle les aura. »

Gooding redescendit les marches et s'enfonça dans la pénombre grandissante tandis que la nuit tombait sur Aurora.

Cork retourna dans le salon, où attendaient Jo et Jenny.

« Je vais monter parler à Annie. OK ?

– Ça devrait aller maintenant », dit Jo.

Une fois en haut, il frappa à sa porte. Au début, pas de réponse. Puis Annie répondit d'une toute petite voix.

« Oui ?

– C'est papa. Je peux entrer ?

– Une minute. »

Il attendit. Dans sa chambre, il perçut un minuscule clic, et un filet de lumière accueillant apparut sous sa porte. Quelques secondes plus tard, elle ouvrit.

Il n'avait pas exagéré lorsqu'il avait parlé à Gooding. Le mascara noir avait laissé deux larges coulures en zigzag sur les joues d'Annie. Ses beaux yeux étaient rouges tant elle avait pleuré. Ses cheveux étaient complètement ébouriffés. Elle se retourna, se dirigea vers son lit et s'assit, tout avachie. Cork prit place à côté d'elle et posa le dessin de Gooding par terre, retourné.

« Je viens de parler à Randy Gooding.

– Ici ? » Elle parut affolée.

« Il est passé pour s'excuser. »

Elle cacha son visage dans ses mains.

« Je ne veux pas qu'il me voie comme ça. »

Cork passa son bras autour des épaules de sa fille.

« Il est parti.

– Oh... papa. » Elle lui tomba dans les bras et enfouit son visage contre sa poitrine. « J'ai foiré.

– Non, tu n'as pas foiré. »

Elle s'écarta de lui et attrapa ses lobes d'oreille.

« Je vais enlever ces trucs horribles. Je ne les porterai plus jamais.

– Attends... attends une seconde. » Cork lui saisit les poignets tout doucement pour la retenir. « Ta mère a les oreilles percées. Tu trouves ça si affreux ?

– Non. » Elle descendit ses mains et Cork la lâcha.

« Avant de voir Randy, tu étais contente de ce que tu avais fait ?

– Oui.

– Alors, ne change rien. »

Annie réfléchit.

« Tu crois ?

– Absolument. » Il frotta doucement du bout du doigt la trace de mascara. « Ce serait peut-être judicieux de parler à Jenny. Pour avoir des tuyaux sur le maquillage. »

Elle hocha la tête l'air décidé.

« Je ne porterai plus jamais de maquillage.

– Ce n'est pas une mauvaise idée, dit Cork. Tu es très belle sans.

– Vraiment ?

– Je te le jure. »

Annie déposa un baiser sur la joue de son père.

« Merci.

– Randy a déposé ça pour toi. »

Il lui donna le dessin, et son visage s'éclaira d'un magnifique sourire.

« Encore une chose, dit Cork. Je tiens de source sûre que Damon Fielding veut te demander de sortir avec lui.

– Damon ?

– C'est ce qu'on m'a dit. »

Ses yeux pétillèrent.

« Trop génial. »

Cork la laissa, assise sur son lit, le cadeau de Gooding entre les mains et des rêves de Damon Fielding plein la tête.

Après la réaction que Gooding avait manifestée devant Annie, Cork pensa beaucoup à Charlotte Kane, se demanda si quelque chose avait horriblement mal tourné lorsque cette jeune fille douce avait tenté de se rendre désirable, et, comme Gooding l'avait craint, qu'elle s'était retrouvée embarquée dans une affaire dangereuse qui l'avait complètement dépassée, peut-être avec l'homme marié dont Solemn avait parlé. Il voulait en apprendre plus sur cette éventualité mais le jeune homme avait complètement disparu. Après avoir parlé à Dorothy Winter Moon, Cork savait que la mère n'avait rien donné à son fils. Elle affirmait ne pas avoir vu Solemn du tout depuis sa disparition. Si elle disait la vérité, Solemn n'avait pas un sou en poche. Son pick-up était toujours à la fourrière, il n'avait donc aucun moyen de transport. Il n'avait pas d'autres vêtements que ceux qu'il portait lorsque Cork l'avait vu pour la dernière fois. Qu'était-il advenu de Solemn Winter Moon ?

Périodiquement, Cork se rendait à la vieille cabane sur Widow's Creek, cherchant un signe du retour de Solemn à l'endroit où il avait passé de bons moments avec Sam. De bonne heure, un dimanche matin ensoleillé de la mi-mai, il alla jusqu'à la réserve, par Alouette, puis vers le nord vers Widow's Creek. L'herbe était haute sur l'étroit chemin qui menait à la cabane de Sam, entre les pins. Cork se gara et entra. Il y régnait une odeur de moisi, d'abandon. Il vit qu'une araignée avait tissé sa toile dans une des lanternes à kérosène et avait déjà attrapé et enveloppé de soie une bonne quantité de petites proies. Debout au milieu de la maisonnette vide, il perçut des petits pas furtifs sous la couchette. Il comprit. La cabane était en passe d'être colonisée. En fin de compte, la forêt récupérerait la terre et les matériaux que Sam avait empruntés pour construire sa petite maison.

Il marcha jusqu'au torrent. La fonte était terminée et l'eau était redevenue claire, nourrie par une source qui sortait en bouillonnant entre des rochers à flanc de colline à un bon kilomètre au nord-est. Sam avait bâti sa cabane à côté d'une petite cascade en dessous de laquelle le torrent s'évasait en un bassin d'environ quatre mètres de diamètre. L'eau que Sam prenait dans le bassin servait pour tout – boire, cuisiner, se laver. Tout l'hiver, même lorsque le froid glacial recouvrait le torrent d'une épaisse couche de glace, Sam maintenait un trou dans le bassin. Le seau dans lequel il transportait l'eau était toujours là, posé sur une pierre plate au bord de l'eau. Cork jeta un coup d'œil au fond. Un serpent noir était installé. Il leva la tête vers Cork et sortit sa langue fourchue pour tâter l'air. C'était une inoffensive couleuvre, pas dangereuse du tout. Pourtant, sa présence dans le seau surprit Cork et lui laissa un sentiment de malaise.

Une fois encore il regarda tout autour de lui et il était sur le point de retourner à sa Bronco lorsque quelque chose attira son regard et lui fit tendre l'oreille. Quelques centaines de mètres vers le sud, le long du torrent, une douzaine de corbeaux tournoyèrent, piquèrent puis remontèrent. Ils croassaient furieusement de cette manière propre aux charognards lorsqu'ils se disputent un festin. Leurs cris grinçants perturbaient le calme des bois et ne firent qu'aggraver le sentiment de malaise de Cork. Il commença à marcher vers le myrte bâtard qui poussait dru sur les berges de Widow's Creek. Il ne lui fallut pas longtemps pour se rendre compte qu'il était en train de suivre une piste à peine visible qui avait été laissée, peu de temps auparavant, à travers le sous-bois épineux.

Tout dans cet endroit paraissait un peu décalé, comme si l'orientation générale des lieux avait été modifiée. Son malaise se transforma en une véritable sensation de menace et il regretta de ne pas avoir pris son fusil.

Les craquements qu'il émit en se frayant un chemin dans le sous-bois alertèrent les corbeaux. À son approche, ils se dispersèrent. Ils étaient en train de se nourrir d'une proie qui gisait au milieu de fougères à plumes d'autruche d'un mètre de haut. Cork distinguait le contour de la végétation affaissée, mais les frondes étaient trop épaisses et trop hautes pour qu'il puisse identifier immédiatement de quoi il s'agissait. La taille était à peu près celle d'un corps humain. Il aperçut une surface beige et lisse comme un manteau de cuir et, presque aussitôt, fut assailli par une forte odeur de chair en décomposition. Il s'arma de courage et avança.

Il s'agissait, effectivement, d'un cadavre, mais pas exactement ce à quoi il s'attendait. La carcasse d'un jeune élan était étendue sur un lit de fougères ensanglantées. Il avait la gorge tranchée, son abdomen était déchiré et béant, vidé. Cork se dit qu'il avait été descendu là par des loups qui avaient festoyé avant de laisser les restes aux charognards. Il resta sur place un moment, les yeux rivés sur la chair couverte de tant de mouches qu'elle ressemblait à une peau noire ondoyante. À quoi s'était-il attendu ? De quoi avait-il eu peur ? De trouver Solemn ? Et pourquoi donc ? Parce que la mort aurait facilement expliqué comment Solemn avait pu disparaître si complètement de la surface de la terre. Et parce qu'une ombre était venue envahir toutes les pensées de Cork, des ténèbres qui noircissaient toutes ses attentes de sinistres pressentiments.

Les corbeaux lui lancèrent des cris pleins d'amertume depuis les branches des pins où ils s'étaient réfugiés. Cork quitta les lieux et retourna à sa Bronco, incapable de se débarrasser de l'impression que, dans ces bois, il y avait beaucoup de choses qui n'étaient pas tout à fait normales.

14

Son sentiment de malaise persista. Comme cette impression était apparue dans les bois, et comme elle semblait suscitée par une part de sa sensibilité dénuée de toute logique, il décida finalement d'aller chercher conseil auprès d'un homme qui comprenait ces choses.

Henry Meloux était un Mide, un Midewiwin, de la Grand Medecine Society. C'était un vieil homme, un très vieil homme, qui vivait seul dans une cabane sur une zone reculée de la réserve, au nord d'Iron Lake. Une après-midi ensoleillée, après s'être assuré de l'aide d'Annie et de Jenny pour faire tourner la buvette, Cork quitta Aurora par le nord, empruntant des chemins de traverse, jusqu'à un endroit, en bordure d'une petite route de graviers, marqué par un bouleau au tronc double ; Cork gara sa Bronco, sortit et s'engagea sur le petit sentier à peine visible. Au bout d'un moment, il sut qu'il était passé des terres contrôlées par le US Forest Service à celles qui appartenaient aux Ojibwes d'Iron Lake. Un bon kilomètre plus loin, il dut franchir en bondissant d'une pierre à l'autre un cours d'eau appelé Wine Creek. Son nom lui venait de la couleur de l'eau, qui avait une nuance un peu rouge due au fer présent en abondance dans la terre qu'elle traversait et aux suintements des tourbières sur ses berges. Quelques minutes plus tard, il déboula dans une clairière s'étendant jusqu'à Crow Point, une étroite péninsule qui s'enfonçait dans Iron Lake. Cork aperçut la maisonnette de Meloux à l'extrémité de la langue de terre. L'édifice était aussi vieux que Meloux, et tout aussi robuste. Il était constitué de poutres de cèdre, et la charpente était couverte d'écorce de bouleau. L'écorce était aussi efficace que les bardeaux ou le shingle, et elle était plus facile à remplacer. De la fumée s'échappait d'un tuyau de poêle qui sortait dans le toit et, même de loin, Cork sentit les arômes d'un ragoût.

La porte de la cabane était grande ouverte.

« Henry ? »

Il ne reçut pas de réponse ; il entra. Dans la cabane de Meloux se reflétait le temps qui passe. Les murs étaient décorés de nombreux objets qui témoignaient des temps anciens. Un arc dont la corde était un tendon de tortue hargneuse, une pipe taillée dans un bois de cerf, une petite luge. Il y avait aussi un calendrier de pin-ups datant de 1948, provenant d'une station-service. Punaisé à un poteau à côté du poêle ventru, un Polaroïd en couleur de Henry Meloux posant avec l'activiste Winona LaDuk. Et posé sur la couchette de Meloux, le dernier catalogue de Lands'End.

Le ragoût mijotait dans une casserole en fonte posée sur le feu. Du poisson, du riz sauvage, des oignons, des champignons, le tout assaisonné de sauge et de poivre. La table était mise, deux bols et deux cuillères. Cork n'était pas surpris de constater que Meloux avait prévu un couvert pour lui. Le vieil homme avait la capacité étonnante de savoir à quel moment il allait recevoir de la visite.

L'aboiement d'un chien lui parvint, venu de l'extrémité de la pointe. Walleye, le vieux chien jaune de Meloux. L'aboiement se fit plus fort et Cork se dit que Meloux devait être en train de revenir du lac. Il sortit de la maison. Le dernier rayon de l'après-midi vint l'éblouir directement et, pendant un moment, il fut aveuglé. Il leva sa main pour se protéger et vit deux silhouettes se dessiner, deux personnes avec le chien qui trottinait à leurs côtés. Meloux était reconnaissable, à cause de sa petite taille et de son dos un peu voûté, mais Cork ne parvenait pas à identifier l'autre. Lorsqu'ils s'approchèrent, Cork découvrit qui accompagnait le vieil homme et il ne cacha pas sa surprise.

Solemn Winter Moon sourit lorsqu'il aperçut Cork debout devant la porte. Il hocha la tête et dit: « Le moment est venu. »

Meloux posa un troisième bol et une cuillère supplémentaire sur la table, et servit le ragoût. Les hommes mangèrent sans parler, Meloux faisant résonner la grande pièce calme du bruit qu'il faisait en avalant goulûment chaque cuillerée. Il avait jeté à Walleye un gros os de jambon que le chien rongeait avec satisfaction dans un coin. Après le repas, Cork sortit un paquet de Lucky Strike qu'il avait acheté au Food-N-Fuel d'Aurora et le tendit à Meloux. Le vieux Mide accepta l'offrande. Sans mot dire, il se leva et Cork et Solemn lui emboîtèrent le pas. Meloux sortit, les emmena sur un petit chemin qui menait au lac, entre deux affleurements rocheux, jusqu'à un endroit où des pierres couvertes de suie entouraient un rond de cendres. Le lac s'étendait devant eux, l'eau couleur abricot reflétant un ciel gorgé des teintes laissées par le coucher du soleil. Meloux s'assit sur une souche d'érable, les autres s'installèrent sur le sol. Walleye, qui les avait suivis, décrivit deux cercles autour du petit groupe, puis, avec un soupir de fatigue, se laissa tomber par terre aux pieds de son maître. Du paquet que Cork lui avait donné, Meloux sortit une cigarette. Doucement, il déchira le papier et recueillit le tabac au creux de sa paume. Il en prit une pincée qu'il dispersa vers l'ouest, puis le nord, l'est et le sud. Il en prit une autre pincée et l'offrit au ciel ; une dernière pincée fut offerte à la terre. Lorsque ce fut fait, il prit une autre cigarette pour lui, puis passa le paquet aux autres. Meloux fouilla de sa main burinée dans la poche de sa salopette et en sortit une petite boîte d'allumettes. L'un après l'autre, les hommes allumèrent leur cigarette et fumèrent pendant un moment, laissant le silence qui s'était instauré pendant le repas se prolonger. Dans la lumière dorée, Cork observa le visage de Solemn.

Il y avait quelque chose de très différent chez le jeune homme. Depuis la disparition de Sam, les muscles autour des yeux de Solemn étaient toujours tendus, las, figés dans l'attente, l'expectative d'un malheur qui pourrait survenir. Cette tension avait disparu. Cork avait l'impression qu'il voyait enfin clairement les yeux de Solemn. Et c'était des yeux magnifiques, brun foncé, pétillants.

Meloux avait le lac derrière lui. Il soufflait de la fumée dans l'air du soir mêlé à l'odeur de pin et, à cet endroit particulier, à celle de bois brûlé et de cendre de nombreux feux.

Sans regarder Solemn directement, Meloux dit :

« Je crois que tu as raison. Je crois qu'il est temps. »

Solemn parut deviner la perplexité de Cork.

« Nous parlons de ce que j'ai fui, dit-il. Il est temps d'y retourner et d'y faire face.

– Je commençais à penser que tu étais mort », dit Cork.

Solemn rit.

« D'une certaine façon, je l'étais. Après que tu m'as laissé Chez Sam ce jour-là, j'ai réfléchi aux chances que j'aurais avec la justice. Je savais ce que les gens pensaient de moi.

Je ne voyais pas comment j'allais m'en tirer. Tu sais, je sentais presque ces barres de fer en train de se refermer sur moi. J'ai pris peur et je me suis sauvé. J'ai suivi la rive du lac vers le nord, me disant que j'allais pousser jusqu'au Canada et que, une fois là-bas, je trouverais ce que j'y ferais. Mais je ne suis pas arrivé au Canada. Je suis tombé sur Henry. »

Le vieux Mide secoua la tête.

« Tu es tombé sur Walleye. »

Solemn tendit un doigt vers les arbres au nord-ouest, au bord du lac.

« Là-bas, dans les bois, à côté de Half Mile Spring. Walleye ne voulait pas me laisser passer. Quelques minutes plus tard, Henry est apparu. »

Meloux enchaîna :

« Je me suis dit que Walleye avait levé un lapin. Il s'est avéré que c'était un lapin effrayé dans la peau d'un jeune homme. »

Il sourit et Solemn rit.

« Je lui ai fourni le gîte, dit Meloux, et le couvert. J'ai écouté son histoire. Je lui ai permis de rester, j'ai fait brûler du cèdre et j'ai réfléchi à ce qu'il fallait faire. Le neveu de Sam Winter Moon, voilà un sujet de réflexion. S'il était véritablement un homme, je lui aurais dit de faire demi-tour et d'affronter ses problèmes. Mais je voyais bien que ce n'était pas le cas. C'est alors que j'ai compris. » Le vieil homme tira une bouffée sur sa cigarette et laissa doucement échapper la fumée. « *Giigwishimowin.* »

Cork connaissait le nom, le rite. Avant que les Blancs ne bouleversent le mode de vie des Anishinaabegs, *giigwishimowin* signifiait l'expérience qui marquait le passage du garçon à l'âge d'homme. Lorsque le temps était venu, le jeune homme, généralement adolescent, était envoyé seul dans la forêt pour jeûner et attendre que lui apparaisse la vision qui le guiderait tout au long de sa vie. Il ne retournait pas dans son village avant que Kitchimanidoo, le Grand Esprit, ne lui accorde la vision qui lui montrerait la voie qu'il devait suivre et qui le mènerait à une vie en harmonie avec la création. En partant, c'était un adolescent, et en revenant, un homme, à ses propres yeux et aux yeux de son peuple.

«Je le lui ai expliqué, parce que c'était quelque chose dont il n'avait jamais entendu parler, dit Meloux.

– Un Shinnob moderne.» Solemn rit devant tant d'ignorance de sa part. « Un drôle de charabia, j'ai pensé. Mais je me suis dit que je ferais n'importe quoi pour ne pas me retrouver derrière les barreaux. Henry m'a emmené dans les bois. Nous avons marché pendant deux ou trois heures. Je n'avais pas la moindre idée de l'endroit où nous allions, de l'endroit où nous nous trouvions. Pour finir, Henry s'est arrêté et a dit: "Ici." C'est tout. Un homme de peu de mots.

– Celui qui parle bien n'a pas besoin de parler beaucoup, répondit Meloux.

– Nous étions dans cette grande combe, traversée par un torrent, continua Solemn. J'ai demandé à Henry ce que j'étais censé manger. Il a dit: "Rien." Je lui ai demandé ce que j'étais censé faire. Il a dit: "Rien." Je lui ai demandé quand il allait revenir. Il a dit: "Quand le moment sera venu." Et puis il est parti.

«Au début, je m'ennuyais, tu vois. Le temps passait très lentement. Puis la nuit est tombée. Je me suis endormi. Peut-être que j'ai rêvé, je ne me rappelle pas. Le jour suivant, j'ai commencé à avoir faim. J'ai pensé chercher quelque chose à manger, mais Henry m'avait dit de ne rien manger, alors j'ai obéi. Quand j'avais soif, je buvais de l'eau du torrent. Je suis resté assis, j'ai pensé, j'ai dormi, j'ai réfléchi encore. Jour après jour. Mon estomac grondait comme un ours. La nuit, il faisait de plus en plus froid. Les seules visites que j'avais, c'était celles des mouches noires et des tiques. Plus d'une fois je me suis dit que je refusais de moisir là. Et après ? Mais je n'avais pas d'endroit où aller. Je n'ai plus su compter les jours. Mes pensées ont commencé à s'embrouiller. Henry me dit que j'étais là-bas depuis seize jours quand c'est arrivé, quand j'ai finalement eu ma vision.

« J'étais assis contre un gros rocher à côté du torrent quand Il est sorti de la forêt. Il s'est approché de moi et Il a souri. Il s'est assis et nous avons parlé. »

Les yeux pétillants de Solemn reflétaient la couleur du ciel, celle du lac, celle d'un feu qui brûlait par-delà l'horizon mais qui rayonnait encore.

« Qui était-ce ? finit par demander Cork.

– Ça va te plaire, dit Solemn. C'était Jésus. »

Cork regarda Meloux, qui, devant cette déclaration fracassante, resta impassible.

« Jésus ? dit Cork.

– Le fils de Dieu, confirma Solemn.

– Il t'est apparu ?

– Nous avons bavardé un bon moment. »

Cork regarda attentivement le visage de Solemn. Il n'y vit pas le moindre signe d'une plaisanterie, d'un canular ou d'une diversion. En fait, ce qu'il voyait dans ces yeux, c'était la paix absolue.

Cork dit :

« Que portait-Il ?

– Un jean. Une vieille chemise en flanelle. Et des mocassins Minnetonka, je crois.

– Il était habillé comme un touriste du Minnesota ?

– Peut-être qu'au Mexique Il porte un sombrero», fit Solemn.

Cork sentit une brûlure au bout de ses doigts et il se rendit compte qu'il avait complètement oublié sa cigarette. Elle s'était consumée jusqu'au bout du filtre et le brûlait. Il lâcha le mégot et porta son doigt à sa bouche pour atténuer la douleur.

«Est-ce qu'Il t'a chargé d'un message que tu dois diffuser?

– On a juste parlé.»

Cork souffla sur ses doigts.

«De quoi?

– Il m'a dit qu'Il comprenait ce que c'était que d'être accusé d'un crime qu'on n'a pas commis. Il m'a dit que c'était normal d'avoir peur, mais que toutes les choses se produisaient selon un certain dessein et que je devais croire que tout ceci n'arrivait pas par hasard.

– Est-ce qu'Il t'a donné la raison?

– Non, Il m'a juste dit que je devais le croire.

– Et ensuite, que s'est-il passé?

– Il m'a dit qu'Il savait que j'étais fatigué et que je devais m'allonger et dormir. J'ai obéi. Quand je me suis réveillé, Il était parti.

– Quand tu t'es réveillé, reprit Cork.

– Tu crois que c'était juste un rêve», dit Solemn.

Cork lança un regard à Henry Meloux.

«Qu'en penses-tu?»

Meloux finit sa cigarette, écrasa le mégot incandescent contre la souche de l'érable et le jeta dans les cendres au milieu des pierres.

«La question qui se pose lors de la quête de la vision est la suivante: la vision guide-t-elle la vie? Lorsque Solemn Winter Moon est entré dans ces bois, il était perdu.

Lorsqu'il en est sorti, il s'était trouvé. Regarde-le, Corcoran. Tu vois bien le changement.

– Henry, tu crois vraiment que Jésus est apparu à Solemn ? »

Le vieux Mide réfléchit un bon moment.

« Dans une situation comme celle-ci, dit-il enfin, ce que pense un homme, ou même ce que pensent beaucoup d'hommes, n'est pas important. Le cours d'une vie a changé. C'est un homme bon qui marche à nos côtés aujourd'hui. Et ceci est toujours une raison de se réjouir. »

Cork se tourna vers Solemn.

« C'est arrivé comme ça ?

– Oui, comme ça », répondit Solemn. Il se lécha les doigts, pinça l'extrémité incandescente de sa cigarette pour l'éteindre et envoya le mégot rejoindre celui de Meloux dans les cendres. « J'imagine que ta venue ici est un signe qu'il est temps d'y retourner. »

Solemn se leva, puis Henry et Cork l'imitèrent. Walleye, voyant les autres bouger, bâilla, s'étira et finit par se mettre sur ses pattes.

« *Migwech* », dit Solemn à Henry. *Merci.*

Henry, l'homme à la parole rare, ferma les yeux et hocha la tête. Une seule fois.

15

Cork et Solemn retournèrent à la Bronco tandis que la nuit engloutissait la lumière du ciel. Cork était prudent, le sentier était de plus en plus difficile à voir. Ils arrivèrent à Wine Creek. Au moment où ils s'apprêtaient à franchir le cours d'eau, Solemn se mit à parler à Cork, qui lui tournait le dos.

« Tu ne me crois pas.

– Je crois que tu crois en ce que tu as vu, dit Cork.

– Mais tu penses que ce n'était pas vrai. Juste un rêve. Ou une hallucination provoquée par le jeûne. »

Cork se retourna.

« À quoi ressemblait-il ? De quelle couleur étaient ses cheveux ?

– Noirs.

– Longs ou courts ?

– Longs.

– Et ses yeux ?

– Brun foncé, comme des marrons, mais si doux qu'on avait envie de s'y abandonner.

– Tu viens de décrire un Shinnob. Ne serait-il pas possible que ce soit une hallucination ? Ou alors... tu connais le sens de l'humour shinnob. Peut-être que quelqu'un t'a fait une blague, et comme tu étais affaibli, tu as tout gobé, l'hameçon, le flotteur et la ligne.

– Ce que j'ai vu était bien réel. C'est important que tu le croies.

– Ce qui est important, c'est ce que les hommes du shérif vont croire. Mets-toi à leur place. Un type avec un passé comme le tien déboule au beau milieu d'une enquête de meurtre et, pas le temps de dire ouf, il prétend qu'il a parlé à Jésus-Christ. Ils vont penser soit que tu tentes un truc parce que tu espères pouvoir plaider la démence, soit que tu es vraiment fou.

– Parce que les gens ne parlent pas à Jésus ? demanda Solemn.

– Parce que Jésus ne débarque pas au milieu des bois chaussé de mocassins Minnetonka.

– Et moi, je te dis que parfois ça Lui arrive. »

Solemn se pencha si près de Cork que son visage était à moins de trente centimètres du sien. Pendant un temps si long que c'en devint inconfortable, il regarda Cork droit dans les yeux, ce que les Ojibwes ne faisaient pas normalement. Regarder quelqu'un dans les yeux, c'était, d'une certaine manière, le transpercer. Et Cork se sentit transpercé.

« Qu'est-ce que tu as vu ? demanda enfin Solemn.

– Je ne sais pas de quoi tu parles.

– C'est dans tes yeux. Tu as vu quelque chose, toi aussi, mais tu ne le comprends pas. Qu'est-ce que c'est ? »

Solemn faisait-il référence au visage gris qui avait guidé Cork dans le jour blanc et lui avait sauvé la vie, sur Fisheye Lake ? Comment pouvait-il être au courant ?

« Tu te trompes », dit Cork en se détournant. Il scruta les ténèbres à la recherche des pierres qui leur permettraient de traverser le cours d'eau.

« Tu m'as dit que si je me rendais, tu serais à mes côtés, dit Solemn. Est-ce que tu vas tenir ta promesse ?

– Oui.

– Même si tu ne me crois pas ?

– Je crois que tu n'as pas tué Charlotte.

– Je t'en suis reconnaissant. » Puis Solemn dit quelque chose d'étrange. « Ce qui s'annonce ne va pas être facile.

– C'est exactement ce que j'essaie de te dire, répondit Cork. Tu es bien dans la merde.

– Je veux dire, pour toi... J'ai parlé à Jésus. Cela me donne de la force et du réconfort. Mais je sais que toi, tu doutes de Dieu.

– Pour moi, Dieu importe peu. Ce qui importe, c'est que je t'ai donné ma parole. »

Il posa le pied sur la première pierre et il franchit Wine Creek.

Cork se servit du téléphone payant dans la salle d'attente, au département du shérif, pour appeler Jo, puis Dot Winter Moon, mais il tomba sur son répondeur ; il lui laissa un message. Enfin, il passa un coup de fil à ses filles Chez Sam pour s'excuser de les avoir abandonnées. Lorsqu'elles entendirent ses explications, elles ne lui en voulurent pas et acceptèrent de faire la fermeture.

Randy Gooding sortit de la zone réservée au personnel et s'assit sur le banc en plastique où Cork s'était installé en attendant Jo.

« Winter Moon prend tout ça assez calmement.

– Il a eu le temps de réfléchir. »

Gooding se gratta la nuque.

« Comment l'as-tu trouvé ?

– Peu importe.

– Tu l'as convaincu de venir ?

– C'était son idée. »

Gooding hocha la tête.

« Le shérif est en route. Nous avons eu du mal à le trouver. Il était à un dîner chic au Four Seasons. Il va probablement débarquer en smoking.

– Personne ne porte de smoking à Aurora, sauf le jour de son mariage. »

Gooding eut un timide sourire.

« Avoir Winter Moon en garde à vue, c'est une telle occasion pour Arne que je ne serais pas surpris qu'il prenne le temps de s'arrêter chez lui et d'en passer un. Il s'en est beaucoup voulu de l'avoir laissé s'enfuir. Mais s'il boucle cette affaire, son avenir est aussi joliment ficelé qu'un gros havane. »

Cork se pencha en avant et se frotta les mains.

« Ce n'est pas Solemn, le coupable.

– Mais beaucoup d'indices tendent à prouver le contraire. »

La porte d'entrée s'ouvrit et Jo entra. Elle s'était visiblement dépêchée. Elle portait un jean et un sweat-shirt gris. Ses lunettes de lecture étaient encore calées sur le sommet de sa tête. Elle tenait Stevie par la main. Depuis que Stevie était en âge d'avoir des souvenirs, il n'était jamais entré dans le bureau du shérif. Ses yeux étaient comme deux grosses braises ardentes ; il regardait partout autour de lui.

« Je n'avais personne qui puisse le garder, dit Jo en réponse au regard surpris de Cork. Les filles sont Chez Sam et Rose, au presbytère.

– Pas de problème, dit Cork. Viens là t'asseoir avec moi, Stevie. »

À la minute où Jo était apparue, Randy Gooding s'était levé, par politesse. Stevie s'installa à la place laissée libre par l'adjoint du shérif.

« Où est Solemn ? » demanda Jo.

Gooding répondit :

« Nous l'avons mis en cellule pour le moment. Le shérif n'est pas encore arrivé.

– Est-ce que quelqu'un lui a parlé ?

– Je lui ai lu ses droits, mais on lui avait déjà fortement conseillé de ne pas faire la moindre déclaration sans qu'un avocat soit présent. » Gooding lança un regard en coin à Cork. « Il n'a pas été désagréable, mais il n'a rien dit.

– Je voudrais le voir.

– Je préférerais que vous attendiez que le shérif... »

Arne Soderberg passa le seuil en trombe. Il ne portait pas un smoking mais un costume bleu marine qui avait certainement coûté une somme qui aurait suffi à Cork pour vivre toutes ses années de retraite. Les yeux du shérif balayèrent rapidement l'ensemble des gens présents dans la zone d'accueil, mais lorsqu'il parla, il ne s'adressa qu'à Gooding.

« Il est en cellule ?

– Oui.

– Vous l'avez déjà interrogé ?

– Il a demandé la présence d'un avocat. »

Soderberg regarda Jo.

« La cause est perdue, maître. Le procureur dit qu'on en a déjà assez pour le coincer.

– C'est précisément ce que les procureurs sont censés dire », répliqua Jo.

Soderberg daigna enfin parler à Cork.

« C'est vous qui l'avez amené ?

– Solemn est venu de son plein gré. Je me suis contenté de fournir le moyen de transport.

– Bien. » Soderberg sourit et attrapa Gooding par l'épaule. « Super journée, Randy. Super. Et si nous allions bavarder avec Winter Moon ? »

Soderberg et Gooding se tournèrent vers la porte blindée. Jo lança un coup d'œil à Cork.

«Je reste ici pour tenir compagnie à Stevie, dit-il. Va t'occuper de Solemn.»

Jo parla à voix basse, mais avec une grande fermeté.

«Je ne vais pas prendre cette affaire, Cork. Je vais simplement l'accompagner jusqu'à ce qu'il ait quelqu'un pour le représenter, c'est tout.

– Il veut que ce soit toi qui le représentes.

– C'est bien dommage. Ce sera quelqu'un d'autre.

– Essaie de le lui dire.»

Jo lui jeta un regard glacial, mais il savait que ce n'était rien, comparé à la réaction que Solemn aurait à subir lorsqu'il formulerait sa requête.

«Où est-ce qu'ils mettent les méchants? demanda Stevie, une fois que tout le monde fut parti.

– Ce n'est pas parce qu'on a été arrêté qu'on est forcément un méchant. Parfois, la police aussi commet des erreurs.»

L'heure de son coucher approchait et Stevie se cala tout contre son père et bâilla.

«Est-ce que je peux voir la prison?

– Pas ce soir.

– Est-ce que tu es déjà allé en prison?

– Plein de fois. Mais heureusement, j'avais toujours la clé.» Il chatouilla la joue de son fils.

Stevie rit et repoussa la main de son père.

«Est-ce que maman va être occupée longtemps?

– Je ne sais pas. Peut-être.»

Stevie se laissa glisser, s'allongea de tout son long sur le banc et posa sa tête sur les genoux de son père. Cork caressa les cheveux de son fils. Ils étaient gras, un shampoing leur aurait fait du bien. Mais vu ce qui s'annonçait, ils rentreraient trop tard pour prendre un bain. On attendrait demain.

«Solemn, c'est un drôle de nom», dit Stevie. Il regarda les puissantes lumières encastrées dans le plafond, qui se reflétaient dans ses yeux noirs. Il paraissait fasciné. Ou plus probablement fatigué.

«Peut-être, oui», répondit Cork.

Le regard de Stevie continua à se troubler. Quelques minutes plus tard, ses paupières commencèrent à tomber sous le poids de la fatigue. Il finit par les laisser se fermer.

Il se passa presque une heure avant que Jo ne réapparaisse. Elle vint à pas lents vers le banc où Cork était assis, la tête de Stevie posée sur ses genoux. Ses yeux normalement d'un bleu vif paraissaient éteints, un peu déconcertés.

«Ça va ? demanda Cork.

– Je n'en sais rien, répondit Jo.

– Que s'est-il passé ?»

Elle parla comme si elle n'arrivait pas tout à fait à croire ce qu'elle disait.

«J'ai accepté de le défendre.»

Le vent se leva et souffla toute la nuit. Jo, allongée dans le lit aux côtés de Cork, écoutait les arbres gémir et grelotter sous le vent qui s'engouffrait dans les feuilles, dans un bruit de cascade. Les rideaux s'agitaient en une danse frénétique. Pour finir, elle se leva et alla fermer les fenêtres de la chambre. En revenant se coucher, elle dit :

«Demain matin, tous les bourgeons des lilas se seront envolés.»

Cork lui prit la main sous les couvertures.

«Comment te sens-tu ?

– Inquiète. Je ne crois pas être la personne qui convienne pour aider Solemn. Je ne sais pas si je peux faire quoi que ce soit.

– Tu n'as pas eu beaucoup le temps d'y penser. Je suis certain que lorsque tu l'auras, tu sauras comment faire.

– Les preuves sont plutôt accablantes.

– Alors pourquoi as-tu accepté de prendre cette affaire ? »

Jo prit une grande inspiration et secoua la tête.

« J'ai regardé au fond de ses yeux et je n'ai pas pu dire non.

– Quelque chose est arrivé à ce garçon, il n'y a aucun doute. »

Jo se mit sur le côté et examina le visage de Cork.

« Tu crois à son histoire ?

– Lui, il croit à son histoire. Ce que je crois, moi, c'est qu'il n'a pas tué Charlotte Kane, en dépit de ce que semblent dire les preuves. Et toi ?

– Si seulement je savais ce qu'il faut croire. Sur son histoire, sur son innocence.

– Tu as regardé au fond de ses yeux et tu n'as pas pu dire non. Qu'est-ce que ça t'apprend ?

– Que je me ramollis avec l'âge. » Elle posa son bras sur la poitrine de Cork. « Oh, Cork, je ne sais pas comment je vais m'en sortir seule. Avec le travail que j'ai pour mes autres clients, je suis déjà écrasée.

– De quoi as-tu besoin ? »

Elle réfléchit un moment.

« Eh bien, j'imagine que ça m'aiderait si j'avais un enquêteur. Quelqu'un qui puisse s'occuper des interrogatoires, suivre les pistes et m'aider à réfléchir aux indices et à tout ce que j'ignore sur les affaires d'homicide. J'ai besoin de toi, Cork.

– Je vais trouver un moyen d'arranger ça. » Cork porta la main de Jo jusqu'à ses lèvres et déposa un doux baiser au creux de sa paume. « Vous bénéficiez désormais des services d'un enquêteur, m'dame. »

Dans le calme relatif qui avait suivi la fermeture des fenêtres, Cork entendit un léger bruissement devant la porte de la chambre. Il se mit en appui sur ses coudes et vit la petite silhouette sombre de Stevie, debout sur le seuil.

« Qu'est-ce qu'il y a, p'tit gars ?

– J'arrête pas d'entendre des trucs. »

Stevie entendait des choses même lorsqu'il n'y avait rien à entendre. Cork et Jo ne le réprimandaient jamais lorsque apparaissaient ces peurs causées par des bruits nocturnes, réels ou imaginaires. Ils avaient décidé que la meilleure façon d'aider leur fils était de lui faire savoir qu'il n'était jamais seul.

« J'y vais, dit Jo. De toute manière, je n'arrive pas à dormir. »

Elle se leva, alla jusqu'à la porte, passa son bras autour des épaules de son enfant, et la mère et le fils repartirent dans le couloir.

Le vent continuait à malmener les arbres, dehors, comme une créature géante et apeurée. Une fois seul, Cork resta immobile, les yeux rivés sur le plafond, à penser à Solemn Winter Moon, aux indices, à ce que Jo aurait à combattre. Il finit par se redresser et alluma la lumière de la table de nuit. Il sortit un crayon et un bloc du tiroir et entreprit de dresser une liste de tous les éléments qui pouvaient être retenus contre Solemn.

1. Rupture avec Charlotte Kane.

2. Vu en train de se disputer avec Charlotte à la fête du réveillon.

3. Pas d'alibi.

4. L'arme du crime lui appartient ; on y trouve ses empreintes.

5. Ses empreintes sont sur une bouteille de bière retrouvée sur la scène de crime.

Il regarda sa liste et se dit que, à Aurora, ce n'était pas les seuls éléments qui pouvaient influencer la décision d'un jury. Il ajouta deux points :

6. Lourd passé.

7. Solemn est indien.

Il traça une ligne en dessous pour faire une séparation sur la page et commença à lister les éléments qui pourraient jouer en faveur de Solemn.

1. Pas d'aveux. Il nie sa culpabilité.

C'était important, parce que, en dépit de ce qu'on voyait dans les films et les séries télé sur le poids des indices fournis par la médecine légale dans une condamnation, la vérité était que, dans la grande majorité des affaires d'homicides, les aveux du meurtrier étaient la preuve la plus accablante que l'accusation pouvait produire.

2. Pas de témoin oculaire.

Pour le moment, personne ne pouvait catégoriquement situer Solemn sur la scène au moment où le crime avait eu lieu. Ce qui voulait dire que les preuves que l'on avait contre lui n'étaient qu'indirectes, et un bon avocat de la défense pouvait monter une attaque efficace sur cette seule base. Malgré tout, avec des preuves indirectes, la décision finale du jury restait une grande inconnue.

Cork chercha autre chose qui serait susceptible de jouer en faveur de Solemn. Il ne lui apparut qu'une possibilité et il décida de la noter.

3. A parlé avec Jésus.

Cork regarda cette ligne un long moment, pesant l'effet que cela pourrait produire sur quelqu'un qui réfléchirait à cette affaire. Solemn paraissait croire sincèrement en ce qu'il avait vécu et cette croyance l'avait changé du tout au tout. Mais peut-être ce changement ne serait-il pas visible par tous, peut-être certains ne le croiraient-ils pas sincère. Peut-être que la réflexion de Cork était influencée par l'amour qu'il avait porté à Sam Winter Moon et par ce qu'il pensait devoir au petit-neveu de Sam. Dans une ville comme Aurora, une fois qu'une opinion se propageait, tenter de la changer était aussi difficile que d'inverser la rotation de la terre. Solemn était un rebelle, un fauteur de troubles, un vandale. De là à croire qu'il avait tué Charlotte Kane, il n'y avait qu'un pas. Il était aussi le profanateur de Sainte-Agnès, et le fait qu'il prétendait avoir parlé à Jésus pouvait bien passer pour l'ultime blasphème.

Cork barra cette troisième entrée dans la liste des points qui pouvaient servir la cause de Solemn et lui attribua le numéro huit dans la série des éléments à charge. Puis il relut ses notes du début à la fin. Jo avait raison d'être inquiète. Sur le papier, Solemn était déjà perdu.

16

Le matin suivant, dès que les enfants furent partis pour l'école, Cork fila à Sainte-Agnès pour parler à Mal Thorne. Il alla d'abord au presbytère. Lorsqu'il frappa, ce fut Rose qui ouvrit la porte.

Elle avait quitté la maison des O'Connor plus d'un mois auparavant, et Cork ne l'avait revue que deux ou trois fois ; de plus, pas récemment. Les enfants et Jo passaient régulièrement par le presbytère, et ils la voyaient tous les dimanches matin, mais Cork ne prévoyait jamais dans son planning une visite à Sainte-Agnès. Il était là, sur le seuil de la résidence des prêtres, et il regarda Rose comme s'il se trouvait devant une étrangère. Pendant un moment, il se contenta de la regarder, bouche bée.

Elle sourit.

« Bonjour, Cork.

– Rose ? »

Elle rit, s'avança et le serra dans ses bras.

« Tu as perdu du poids, dit-il.

– Oui, quelques kilos.

– Tu as une nouvelle robe, aussi.

– Oui. Mes anciens vêtements ont tendance à flotter un peu, ces derniers temps.

– Et tes cheveux, ils ne sont pas pareils.

– J'ai décidé de les laisser pousser un peu. »

Ce n'était pas les seules différences. Il y avait une étincelle dans ses yeux, une espèce d'aura rosée autour d'elle, même un très léger parfum, attrayant, alors que, à la connaissance de Cork, Rose n'en portait jamais.

« Entre », proposa-t-elle.

De l'intérieur lui parvenait le son de la télévision à plein volume. « Le Juste Prix ». Le père Kelsey, se dit Cork, parce que le vieux prêtre était presque complètement sourd, et Rose ne regardait jamais la télévision pendant la journée. Cork ne commenta pas.

« Je cherche Mal. Est-ce qu'il est là ?

– Ce matin, il travaille dans son bureau à l'église.

– Tu crois qu'il m'en voudrait si je passais le voir ?

– Toi ? À Sainte-Agnès ? Il y verrait un véritable miracle et il en serait ravi.

– Je vais y aller. » Cork lança un dernier regard à sa belle-sœur. « Tu sais, Rose, tu es resplendissante.

– Eh bien merci, Cork. »

En marchant vers l'église, Cork se mit à réfléchir au changement qu'il avait constaté chez Rose. Il commença par se dire que le simple fait d'avoir quitté la maison O'Connor avait provoqué cette métamorphose, mais ce n'était pas convaincant. Il se passait autre chose.

Mal Thorne était assis à son bureau et jouait avec la souris de son ordinateur. Cork frappa à la porte et le prêtre leva les yeux. La bonne surprise de voir Corcoran O'Connor sur le pas de sa porte fit apparaître un grand sourire sur son visage.

« Entre, je t'en prie. » Il se leva et s'avança vers Cork d'un pas vif, la main déjà tendue pour le saluer.

« Je suis d'abord passé au presbytère. Rose m'a dit que je vous trouverais ici.

– Je viens tout juste de faire du café. Ça te dit ?

– Volontiers. »

Mal s'approcha d'une petite table calée contre le mur, au-dessus de laquelle était accroché un dessin au fusain de Sainte-Agnès.

« Beau dessin, dit Cork. Où l'avez-vous trouvé ?

– Il vient de Randy Gooding. Un cadeau de Noël. Remarquable, n'est-ce pas ? » Mal prit la cafetière et remplit une tasse en plastique. « Tout ce que j'ai, c'est cet horrible lait concentré.

– Je m'en passerai, merci. » Cork prit son café. « Rose paraît tout à fait à l'aise dans son rôle de remplaçante d'Ellie Gruber.

– Tu plaisantes ? Rose est une sainte. » Le prêtre inclina le pot de lait et en versa un peu dans son café. « Je n'ai jamais vu personne traiter le père Kelsey d'une main aussi ferme et aussi aimante. Ne te méprends pas. Mrs Gruber est très bien. C'est juste que Rose a quelque chose de spécial. Mais je suis sûr que tu le sais déjà. »

Cork but un peu de café. Il était chaud et fort, exactement comme il l'aimait.

« En tout cas, ça lui va très bien. Elle est resplendissante.

– Elle est absolument adorable. » Mal se concentra sur la cuillère en plastique blanche qu'il remuait dans son café, comme s'il en avait trop dit. Il désigna une chaise à Cork et il se rassit dans le fauteuil pivotant devant l'ordinateur.

« Quoi de neuf ? »

Cork s'assit.

« Solemn Winter Moon est venu se rendre hier soir. »

Le prêtre était sur le point de boire une gorgée, mais il s'interrompit.

« Est-ce que Fletcher Kane est au courant ?

– Je suis sûr que, maintenant, il l'est. Mal, il y a un truc tordu, quelque chose qui ne colle pas dans cette affaire.

– Comment cela ?

– Solemn prétend qu'il a eu une vision. Il prétend qu'il a parlé à Jésus.

– Pendant la prière ?

– Non, une conversation, comme celle que nous avons en ce moment.

– Avec Jésus en personne ?

– C'est ce qu'il dit.

– Quand ?

– Pendant qu'il était dans les bois. »

Cork lui parla de Henry Meloux, de *giigwishimowin* et de l'apparition qu'avait eue Solemn dans la clairière.

Lorsque Cork eut terminé, Mal tourna son café quelques instants, puis dit :

« Des mocassins Minnetonka ?

– C'est ce qu'il dit. J'espérais que vous accepteriez de parler à Solemn.

– À l'homme qui a uriné dans les fonds baptismaux ?

– S'il vous plaît. Il s'agit juste de lui parler.

– Dans quel but ?

– Je voudrais connaître votre réaction à ce qu'il dit et au changement qui s'est opéré chez lui.

– Au changement ?

– Parlez-lui. Vous comprendrez ce que je veux dire.

– Comment faire pour le rencontrer ?

– Il va falloir que je demande à Jo d'organiser ça. Elle a accepté de le représenter. Il doit être déféré dans la matinée d'aujourd'hui. Peut-être que vous pourriez le voir cette après-midi.

– J'imagine que cela ne pourrait pas faire de mal.

– Merci. » Cork avala une dernière gorgée.

Mal Thorne se leva en même temps que lui.

« Crois-tu possible qu'il ait pu parler à Jésus ? »

Cork répondit :

« Ce que je crois n'a pas d'importance.

– Moi, je pense que ça en a », dit le prêtre. Il posa doucement sa grande main sur l'épaule de Cork. « C'est plus important que tu ne le penses. »

17

À onze heures, Solemn Winter Moon fut mis en accusation au tribunal du comté de Tamarack simplement pour agression contre un officier de police. Vêtu de l'uniforme bleu et des sandales en plastique des prisonniers du comté, avec ses longs cheveux noirs qui lui descendaient dans le dos, Solemn se tint devant le juge Norbert Olmstead et plaida non coupable.

Nestor Cole, le procureur, avait un visage allongé et ses yeux, de part et d'autre de son nez étroit, ressemblaient à deux huîtres bouillies. Il portait des lunettes cerclées de noir qui lui donnaient plutôt l'air d'un professeur de sciences que d'un homme de loi. Tout le monde savait qu'il était en bonne position pour devenir juge lorsqu'un poste se libérerait, à condition qu'il reste un peu discret et qu'il ne bousille rien de trop important. Il soutint avec véhémence que Solemn risquait fort de s'enfuir. Vers la fin de son argument, il claqua sa main sur la table mais son timing était un poil décalé et son geste parut excessivement théâtral.

Jo répondit que la première absence de Solemn n'était pas une fuite ; il allait souvent s'isoler dans l'ancienne maison de Sam Winter Moon. Elle soutint que la seconde fois, il avait été pris de panique, ce qui était compréhensible au vu de la tactique discutable à laquelle le shérif avait eu recours pour interroger son client. Les deux fois, fit-elle remarquer, Solemn était revenu de son plein gré.

Cork savait que l'opinion publique avait un préjugé contre Solemn, qu'il serait probablement accusé du meurtre de Charlotte, finalement, et qu'il serait plus malin de le garder sous le coude jusqu'à ce qu'une accusation formelle de meurtre puisse être portée. Le juge Olmstead, un homme voûté dont l'œil droit qui se plissait à intervalles réguliers le faisait ressembler à un pickpocket nerveux, fixa la caution à deux cent cinquante mille dollars.

Jo bondit instantanément sur ses pieds.

« Pour avoir agressé un officier de police ?

– Maître, rétorqua le juge. J'envisageais cinq cent mille dollars et vous m'avez convaincu d'être indulgent. » Il fit usage de son maillet pour sceller sa décision et dit aux deux avocats qu'il voulait les voir dans son cabinet pour discuter de la date de la mise au rôle.

Fletcher Kane était venu assister à la lecture de l'acte d'accusation. Il était assis seul au fond de la salle. Bien qu'il n'ait pas dit un mot, le poids de sa présence était perceptible dans l'attitude du juge Olmstead qui regardait continuellement dans sa direction. Une fois que le montant exorbitant de la caution fut fixé, Kane desserra ses mains et se leva du banc sur lequel il était assis. Tandis qu'il sortait tranquillement de la salle, son visage ne trahit pas la moindre émotion.

Dorothy Winter Moon avait pris sa matinée. Elle s'était préparée avec le plus grand soin pour venir au tribunal, et on aurait dit qu'elle passait ses journées à manipuler des documents immobiliers plutôt qu'à se battre avec le volant d'un camion à benne d'une capacité de dix tonnes. Lorsque la caution fut fixée, elle murmura, dans un souffle, mais assez fort pour que le juge Olmstead puisse entendre s'il avait tendu l'oreille à ce moment précis : « Quel connard de fils de pute de républicain. » Jo expliqua à Dot et à Solemn que la seule option s'ils n'avaient pas deux cent cinquante mille dollars en liquide sous la main, c'était qu'un garant se porte caution. Pour que cela puisse se faire, il faudrait que quelqu'un soit disposé à casquer, et à refiler au garant la somme de vingt-cinq mille dollars, qu'il ne récupérerait pas.

Dot paraissait complètement bouleversée.

« Je vais trouver un moyen, je te le promets, dit-elle.

– Garde ton argent, m'man, dit Solemn. Je n'ai pas peur. » Il l'embrassa juste avant que les adjoints ne l'emmènent.

Après le départ de Solemn, Dot se tourna vers Jo. Elle s'essuya les yeux de sa main calleuse. « Il est indien. Et il ne va jamais à l'église. Pourquoi Jésus viendrait-Il lui parler ? »

Il était presque midi lorsque Cork arriva Chez Sam. Tandis qu'il se garait, un bateau avec deux pêcheurs à bord arriva droit sur le ponton et jeta les amarres. Cork se précipita à l'intérieur et se dépêcha de tout préparer pour les clients.

Peu avant trois heures, Mal Thorne vint se garer sur le parking couvert de graviers et s'approcha du passe-plat. Jenny n'arriverait pas avant une demi-heure et Cork était encore seul. Mal attendit que Cork ait terminé avec les seuls clients présents, un homme et une femme qui avaient demandé des sundaes au chocolat, puis il se pencha et passa la tête par l'ouverture.

« Je sors juste d'une conversation avec Solemn Winter Moon, dit-il.

– Alors ?

– Tu sais, Cork, lorsque j'étais directeur de la mission à Chicago, il y avait un habitué là-bas, un vieil homme qui se faisait appeler Jericho. Je ne sais pas du tout si c'était son vrai nom ni si c'était sous ce nom qu'on le désignait. À ma connaissance, il n'avait pas de famille, pas de maison. C'était un pauvre vieux complètement inoffensif. Il portait toujours un béret écossais, comme s'il venait de là-bas ou quelque chose de ce genre. Bref, malgré le fait qu'il vivait dans la rue, Jericho était un homme foncièrement heureux. Pourquoi ? Il disait qu'il avait une conversation avec Dieu tous les jours et que c'était comme ça. Et ce n'était pas dans le contexte de la prière, attention.

– Comme ce que Solemn prétend avoir eu avec Jésus ?

– Exactement. Je lui ai souvent demandé ce que Dieu lui disait, mais il refusait de m'en parler. Un jour, je reçois ce coup de fil du Cook County General. Jericho vient d'être admis après avoir été heurté par le camion d'un livreur de fleurs. Il est assez amoché et ils pensent qu'il ne va pas s'en sortir. Il me réclame. Alors je vais à son chevet, je lui administre les derniers sacrements. Lorsque j'ai terminé, il me fait signe de me rapprocher et il me chuchote à l'oreille : "Vous avez toujours voulu savoir ce que Dieu me disait. Eh bien, mon père, je vais vous le dire. Je n'ai jamais compris un mot parce qu'Il me parlait toujours en hébreu." En fait, poursuivit le prêtre, était-ce si important que ses conversations avec Dieu aient été des illusions ? Pas vraiment, elles le rendaient heureux.

– Vous pensez que Solemn s'illusionne ?

– Je pense que cette expérience, quelle qu'elle soit, l'a changé et dans le bon sens, et, pour moi, c'est la seule chose qui importe.

– Mais vous ne pensez pas vraiment qu'il a parlé avec Jésus ?

– Dieu manifeste Sa présence de nombreuses manières. Dans des actes d'amour, des actes de courage désintéressés, la compassion humaine au quotidien. Nous n'avons aucune raison de ne pas croire que la main de Dieu est intervenue dans le changement de Solemn Winter Moon. Mais je dois ajouter ceci. J'ai prié avec énergie, dévotion, passion pendant la plus grande partie de ma vie et je n'ai jamais eu le genre de vision que Solemn prétend avoir eue. En tant que prêtre, il faut que j'accepte cette possibilité, mais, en tant qu'homme, je suis assailli de doutes. » Il vit l'inquiétude qui se peignit sur le visage de Cork. « Qu'espériez-vous ? Que je donnerais ma bénédiction ?

– Je me suis simplement dit que vous seriez meilleur juge que moi, c'est tout.

– Au fait, il m'a demandé de lui apporter une bible. J'ai promis de le faire. »

Une camionnette arriva en trombe sur le parking et fit voler des graviers en s'arrêtant dans un grand dérapage. Une demi-douzaine d'adolescents se déversèrent par les portières.

« On dirait que tu vas avoir de quoi faire, dit Mal. Je file.

– Merci. »

Le prêtre s'attarda encore quelques instants.

« Ce serait facile si nous avions tous des visions ou si nous croyions tous ceux qui en ont. Mon sentiment est que la foi n'a jamais été une chose facile. »

Il était presque cinq heures lorsque Cork vit la Toyota de Jo passer en cahotant sur les rails de la Burlington Northern. C'était un moment de creux, et il sortit pour l'accueillir. Lorsqu'elle descendit de sa voiture, Cork vit à son visage tendu qu'elle était préoccupée.

« J'arrive de la réserve, dit-elle. J'ai parlé à George LeDuc et Ollie Bledsoe de la possibilité que la caution de Solemn soit fournie par les fonds du casino.

– Ça ne marche pas, c'est ça ? »

Elle secoua la tête.

«J'ai pensé que ça valait la peine d'essayer. Mais j'ai aussi essayé de tirer les vers du nez à Ollie, tant que j'y étais. Je n'arrivais pas à comprendre pourquoi Nestor Cole n'avait pas accusé Solemn de meurtre. Il avait eu tout le temps de se préparer, et il a tout ce qu'il lui faut pour monter une accusation de meurtre au second degré, intentionnel ou pas. Il pouvait mettre Solemn à l'ombre pour au moins une douzaine d'années. Plus encore, s'il ajoutait la "cruauté particulière", ce qui serait un bon argument puisqu'il apparaît que celui qui a tué Charlotte s'est offert un petit festin tout en la regardant mourir de froid.

– Et qu'est-ce qu'a dit Bledsoe ?

– Il pense que Nestor Cole est probablement en train d'envisager de porter l'affaire devant le grand jury pour voir si une accusation de meurtre au premier degré peut passer. Si le jury refuse d'inculper, il ne perd rien à l'affaire. S'ils prononcent l'acte d'accusation mais que Solemn n'est pas condamné, il peut toujours hausser les épaules et dire que c'est le grand jury qui a décidé de sortir la grosse artillerie, pas lui. Comme ça, il ne risque pas de perdre la face, et du même coup ses chances de devenir juge.» Elle paraissait fâchée. «Solemn est peut-être en train de se confronter à l'idée de passer le reste de sa vie en prison, et les abrutis qui ont la responsabilité de rendre la justice par ici ne pensent qu'aux enjeux politiques.

– Tu as l'air fatiguée.

– Il me reste encore beaucoup de choses à comprendre. Je ne connaîtrai pas tous les éléments de l'accusation avant que Cole ne se décide enfin à accuser Solemn d'homicide, mais j'aimerais bien avoir une idée de ce qu'on va avoir en face. Je me suis dit que j'allais pousser jusqu'à la prison et parler à nouveau à Solemn. J'espérais que tu pourrais te libérer pour m'accompagner.»

Cork jeta un coup d'œil vers le passe-plat. Un gamin maigrichon était appuyé sur le comptoir et parlait à Jenny, mais il ne paraissait pas pressé de commander.

«Jenny, appela Cork. Tu peux gérer toute seule pendant un moment?

– Bien sûr, papa.» Elle sourit et fit un petit signe de la main à sa mère.

Duane Pender escorta Solemn jusqu'à la pièce où Cork et Jo l'attendaient. Avant de refermer la porte, Pender dit:

«Les prisonniers sont nourris dans une demi-heure. Si Winter Moon est encore en train de vous parler à ce moment-là, il dormira le ventre vide.

– T'aimes bien faire chier, hein, Duane?»

Pender haussa les épaules.

«Je ne lui ai pas envoyé de carton d'invitation. Et c'est pas moi qui fais le règlement.» Il referma la porte et donna un tour de clé.

«Comment ça va? demanda Jo.

– Bien. Le père Mal est passé me voir cette après-midi. Nous avons eu une longue conversation. Il a dit que c'est vous qui lui avez demandé de venir, Cork. Merci.»

Jo gratifia Cork d'un regard genre «qu'est-ce que c'est que ce plan», et il se rendit compte qu'il ne lui avait pas dit un mot sur sa visite au prêtre.

«Solemn, je veux que tu saches comment ça se présente pour toi, dit Jo. Je suis presque certaine que tu vas être accusé du meurtre de Charlotte Kane. Je pense que cela n'arrivera qu'après la réunion du grand jury.

– Mais vous allez me défendre.

– Pas devant le grand jury. Seule l'accusation peut y être entendue. La question qu'ils vont examiner est celle-ci: y a-t-il assez d'éléments pour t'accuser de meurtre au premier degré ? S'ils prononcent une mise en accusation, tu vas au procès et j'assure ta défense. Maintenant, si le procureur n'obtient pas de mise en accusation, il t'accusera probablement de meurtre au second degré. Dans cette configuration, nous aurons peut-être un peu de marge de manœuvre.

– Quel genre de marge ?

– Une possibilité, c'est la négociation de peine.

– Il faudrait que je reconnaisse quelque chose, alors.

– Oui.

– Alors, il n'y aura pas de négociation. Je n'ai rien à voir avec la mort de Charlotte.

– Parlons de Charlotte. » Jo sortit un petit bloc et un stylo à bille Cross en argent. « Tu nous as déjà dit que tu pensais que Charlotte fréquentait quelqu'un d'autre alors que vous sortiez ensemble. Que c'est la raison pour laquelle elle avait rompu avec toi. Tu as dit que tu pensais que c'était peut-être un homme marié. Pourquoi as-tu pensé ça ? »

Solemn resta silencieux un moment, pensif. Il était très calme et ne paraissait pas pressé de répondre. La pièce n'avait pas de fenêtre. Il faisait chaud et l'atmosphère était étouffante. Cork sentit un filet de sueur descendre lentement sous son aisselle. Jo gardait les yeux rivés sur Solemn, la pointe de son stylo posée sur le bloc.

« Je connais beaucoup de Shinnobs qui n'ont presque rien, mais ils sont quand même heureux, finit par dire Solemn. Charlotte avait tout, mais c'était une des personnes les plus tristes que j'aie jamais connues. On ne l'aurait jamais deviné, à la regarder. Elle semblait avoir une vie parfaite, mais la vérité, c'était qu'elle ne s'aimait pas du tout. Parfois, elle paraissait vouloir désespérément être aimée.

– Toi, tu l'aimais ?

– Au début, ce que je ressentais venait surtout d'en dessous la ceinture. » Il énonça cette phrase avec regret. « Mais à la fin, ouais, mon cœur s'est laissé embarquer.

– Est-ce qu'elle t'aimait ? »

Solemn réfléchit à cette question.

« Au début, je me suis dit que j'étais juste son fruit défendu. Une bonne fille catholique bien calme, une élève irréprochable, qui cherche un petit frisson. Mais à partir des choses qu'elle m'a dites, j'ai fini par décider qu'elle me voyait pour l'effet de choc. Qu'elle se servait de moi pour atteindre quelqu'un. Probablement le gars qui l'intéressait vraiment.

– Et malgré tout, tu avais des sentiments pour elle ?

– La tête et le cœur, vous savez, ça marche pas toujours ensemble.

– Est-ce qu'elle t'a donné la moindre indication sur l'identité du gars ?

– Non.

– Mais tu penses qu'il était marié.

– Vu comment elle se comportait, avec tous ces mystères, je me suis dit qu'il était marié.

– Essaie de te souvenir. Est-ce qu'elle a jamais dit quelque chose qui aurait pu être une indication sur qui il était ? »

Solemn ferma les yeux un moment.

« Non.

– OK. Parle-moi de Charlotte.

– Pour vous dire quoi ?

– Tout ce qui, à ton avis, pourrait être important. »

Solemn réfléchit.

« Elle était belle, mais elle ne se voyait pas ainsi. Elle avait toujours besoin de compliments. Elle était très déprimée. Elle prenait des espèces de médicaments. Elle faisait une fixation sur la mort. Elle m'a dit qu'elle avait essayé de se suicider, un jour. Elle pensait qu'elle mourrait jeune. » Solemn baissa les yeux. « Elle avait raison, pour le coup.

– Elle prenait de la drogue ?

– Ouais. Et de l'alcool aussi. Mais elle faisait plein d'efforts pour que ça ne se voie pas. »

Jo écrivit dans son bloc, puis leva les yeux.

« Parlons de ta clé anglaise, dit-elle. Celle qui a été utilisée pour tuer Charlotte. Est-ce que tu avais remarqué qu'elle manquait ?

– Oui.

– Quand ?

– Deux ou trois jours après la disparition de Charlotte. La courroie de mon ventilateur grinçait. J'ai pensé qu'elle était un peu détendue. J'ai une boîte à outils intégrée à l'arrière de mon pick-up. Je suis allé y chercher une clé. Le loquet de la boîte était cassé. J'ai tout fouillé. Il ne manquait que la clé anglaise. Je suis allé à Hardware Hank's et j'en ai acheté une autre. Et aussi un nouveau loquet.

– Et avant ça, c'était quand la dernière fois que tu avais fouillé dans ta boîte à outils ? »

À nouveau, il ferma les yeux et se donna le temps d'être sûr.

« Je ne me souviens pas.

– Est-ce que tu as un reçu pour l'achat de la clé et du loquet ?

– Je l'ai probablement jeté à la poubelle. »

Cork intervint : « Tu te souviens de la personne qui s'est occupée de toi ?

– Ouais. C'était le vieux Springer. »

Cork lança un coup d'œil à Jo.

«Je vais aller le voir, peut-être qu'il se souvient.»

Jo hocha la tête.

«OK. Parlons maintenant de la bouteille qu'on a trouvée sur la scène de crime. La nuit où Charlotte a disparu, est-ce que tu as bu une Corona ?»

Il lui sourit.

«La Corona, c'est ma bière préférée. Tout le monde le sait. J'en bois tout le temps.

– Est-ce que tu en buvais à Valhalla ?

– Ouais.

– Et que faisais-tu de tes bouteilles vides ?»

Solemn se gratta la joue en réfléchissant.

«Je ne me souviens pas.

– OK.

– Attendez. Quand je suis parti, j'ai pris une bière avec moi, jusqu'à mon pick-up. Il a fallu que j'aille pisser, alors j'ai posé la bouteille dans la neige pendant que je faisais ce que j'avais à faire. Je ne me souviens pas l'avoir ramassée.

– Bien.» Jo regarda Solemn, le visage grave. «Est-ce que tu as couché avec Charlotte Kane ?

– Oui. Et depuis le tout début. Elle savait ce qu'elle faisait. Cela m'a surpris. Ça ne paraissait pas être son genre, pourtant.

– Je veux dire, ce soir-là. Est-ce que tu as couché avec elle le soir de la Saint-Sylvestre, avant qu'elle disparaisse ?

– Non, on n'était plus ensemble, à ce moment-là.»

Jo dit :

«Parle-moi de ton entrée par effraction à Sainte-Agnès. Tu n'étais pas seul, n'est-ce pas ? Je suis prête à parier que Charlotte était avec toi, ce soir-là.

– Ouais, mais c'est mon pick-up qui a été signalé, et quand ils m'ont chopé, je n'ai pas vu l'utilité de la mêler à ça.

– L'effraction, c'était ton idée ou celle de Charlotte ?
– La sienne. Mais c'est moi qui ai taggué.
– Pourquoi *Mendax* ? Pourquoi "menteur" ?
– Je ne sais pas. Elle était fâchée.
– Contre l'Église ?
– J'ai eu l'impression que c'était contre le prêtre.
– Le père Mal ? Pourquoi ? »
Il haussa les épaules.
« En général, elle était difficile à comprendre.
– Est-ce qu'elle a parlé de lui ?
– Non.
– De quoi parlait-elle ?
– De réincarnation. Elle était vraiment à fond là-dessus. Toujours en train de parler d'autres vies, de choses qui s'y étaient passées.
– Comme quoi ?
– Des choses horribles, généralement. Elle prétendait que, dans sa première vie, elle avait été violée quand elle était enfant. Dans sa seconde vie, elle était une prostituée.
– Elle y croyait ?
– Oh oui.
– Et dans sa vie suivante, elle a été assassinée, dit Cork. Qu'est-ce que c'est que ce karma ? » Il se souvint du poème dont Jenny lui avait parlé, celui que Charlotte avait écrit. Lazare, furieux d'avoir été réveillé d'entre les morts. Sachant ce qu'il savait maintenant, il se dit qu'il percevait mieux l'état d'esprit de la jeune fille.
« C'est presque l'heure du dîner, dit Solemn. Et j'ai faim. Ça vous ennuie qu'on en reste là ?
– Encore une question. Dans ta déclaration, tu as reconnu t'être disputé avec Charlotte peu de temps avant Noël. Son père vous a surpris. Il prétend que tu l'as menacée. Est-ce vrai ?

– Non. Ce que j'ai dit, c'est qu'un jour quelqu'un allait lui arracher le cœur comme elle m'avait arraché le mien.

– C'est tout ? Pas de menace ?

– Juste un truc pour lui faire mal. Comme si elle avait besoin de plus, dans ce genre.

– Je crois que nous pouvons nous arrêter là. Si tu as besoin de quoi que ce soit, fais-le-moi savoir. » Jo saisit le téléphone mural et appela Pender.

L'adjoint entra dans la pièce. « Allez, Winter Moon, j'ai un dîner réservé pour toi. » Il tenait une petite bible noire à la main. « Au fait, le prêtre est passé, et il t'a apporté ça. Le shérif m'a demandé de l'examiner avant de te la donner. » Tout en grommelant, il tendit la bible à Solemn. « Crois-moi, il n'y a rien là-dedans qui puisse faire le moindre bien aux types comme toi. »

« Tu ne dis rien, observa Cork tandis qu'ils rentraient en voiture.

– Je repense à Charlotte. Elle n'était pas tout à fait la jeune fille que nous croyions tous qu'elle était. » Jo regarda par la fenêtre. « J'ai mal au cœur pour elle, Cork. Et je me sens un peu coupable qu'aucun d'entre nous n'ait vu à quel point elle souffrait.

– Nous avons nos propres enfants dont nous devons nous occuper.

– Et qui s'occupe de toutes les Charlotte Kane ? »

Au bout d'un moment, Cork dit :

« J'aimerais bien savoir exactement quelles cartes a Nestor Cole, sur quoi il a l'intention de fonder son accusation.

– Des documents que j'ai pu consulter jusqu'à présent, dit Jo, ça ressemble à peu près à ça. À la fête, juste avant minuit, Charlotte a dit clairement qu'elle allait jusqu'à la maison des invités chercher sa motoneige pour faire un tour, un genre de plan délirant pour passer le cap de la nouvelle année. Mais d'après les déclarations de certains des gamins qui étaient à la fête, la motoneige n'est pas partie avant environ une heure du matin. Entre-temps, Charlotte a couché avec quelqu'un. Elle a probablement été frappée avec la clé anglaise de Solemn après avoir quitté la maison d'invités, puisqu'on n'a pas trouvé de sang à l'intérieur. Si elle a saigné dehors, la neige a tout recouvert. Elle a été portée jusqu'à la motoneige, emmenée jusqu'à Moccasin Creek où l'accident a été mis en scène. Après cela, quelqu'un s'est offert tranquillement un en-cas et a regardé la jeune fille mourir de froid. Puis son agresseur est soit retourné à Valhalla, qui n'était qu'à deux kilomètres de là, ou est allé rejoindre un véhicule garé sur le parking au départ du chemin de randonnée.

« Nestor a la bouteille trouvée sur la scène de crime avec les empreintes de Solemn partout, et l'arme du crime avec ses empreintes aussi. Il y a la dispute à la fête, et le fait que Solemn n'a pas d'alibi. Cela reste indirect. Je ne cesse de penser qu'il y a autre chose, quelque chose que nous ignorons, et que nous ne découvrirons probablement pas avant que Solemn soit accusé. »

Cork s'arrêta au feu à l'intersection d'Oak et Fox.

« Je ne cesse de me demander... si ce n'est pas Solemn qui a tué Charlotte, qui est-ce ? dit-il.

– Et pourquoi ?

– Commençons par le pourquoi. Peut-être que cela nous conduira au qui.

– Je suis certaine que Solemn va être accusé de crime passionnel. Peut-être que ce qui pourrait être un mobile valable pour Solemn pourrait éventuellement en être un pour quelqu'un d'autre. Peut-être pour l'homme avec qui elle avait une liaison ?

– Ce serait logique. Lorsque je l'ai vue près du torrent, elle avait l'air paisible, les bras croisés sur la poitrine. Elle semblait calme, reposant dans une sorte de douceur, comme si celui qui l'avait tuée l'avait fait passer de vie à trépas tout doucement. Si c'est vrai, cela pourrait indiquer une personne qui avait des émotions très contradictoires, quelqu'un qui l'aimait et qui l'a peut-être tuée dans un moment de rage, sous l'effet de la jalousie. Cela collerait avec un certain nombre d'autres choses que nous savons. Il l'a tuée avec un objet qu'il a trouvé sur place, la clé anglaise de Solemn. Et la bouteille de bière qui indique la culpabilité de Solemn, je ne vois pas comment une chose pareille aurait pu être préméditée. C'est juste pas de chance pour Solemn qu'il l'ait laissée dans la neige. Tout ceci tendrait à montrer qu'il n'y a pas eu beaucoup de préméditation dans ce meurtre. Peut-être qu'il est arrivé à la fête, a vu le pick-up de Solemn, s'est dit que Charlotte et lui étaient à nouveau ensemble, et il a perdu la boule.

– D'un autre côté, enchaîna Jo, peut-être qu'il voulait déjà la tuer. Peut-être qu'elle ne se satisfaisait pas d'une liaison illicite et qu'elle voulait plus. Qu'elle l'avait menacé de tout raconter si... s'il ne quittait pas sa femme pour l'épouser, elle, par exemple. À la fête, il a vu que l'occasion se présentait et il l'a tuée. »

Une voiture klaxonna derrière eux et Cork se rendit compte que le feu était passé au vert.

Jo se reposa contre l'appuie-tête et regarda par la fenêtre les maisons familières d'Aurora. Elle aurait été capable de donner le nom de toutes les familles qui y habitaient. Lorsqu'elle se remit à parler, sa voix trahissait sa lassitude, et sa tristesse.

« Tout ceci paraît irréel. Est-ce que tu te rends compte, Cork ? Nous sommes en train de parler d'Aurora, de quelqu'un que nous croisons peut-être tous les jours dans la rue ? Ça paraît dégueulasse, de formuler ce genre de spéculations. Est-ce ainsi que la police regarde les gens pendant une enquête ?

– Les bons flics, oui, dit Cork. Ceux qui savent que n'importe qui peut devenir un assassin dans certaines circonstances. Ce n'est pas le boulot d'un flic de juger. Une fois qu'on met le jugement de côté, les spéculations gênantes deviennent supportables. Alors, dit-il. Qui ?

– Je ne sais pas.

– Pensons aux adultes avec lesquels elle était régulièrement en contact. De qui s'agirait-il ? »

Jo réfléchit.

« Des professeurs. »

Cork hocha la tête.

« Une bonne idée. Des affaires comme ça, on en voit tout le temps. Qui d'autre ?

– Son employeur.

– Peut-être. Mais avec l'argent qu'ont les Kane, je ne pense pas que Charlotte ait jamais eu un boulot.

– Un ami de la famille.

– Ça vaut le coup de vérifier. »

Jo se tut. Cork sentait qu'elle était en train de se refermer, qu'elle se détournait de toutes ces spéculations.

« Je n'aime pas cette façon de penser, dit-elle.

– Personne. Mais c'est ce qu'on fait lorsqu'on est à la recherche de la vérité. » Cork hésita un moment puis lui demanda. « Pourquoi crois-tu qu'elle était en colère contre Mal ?

– Ne va pas par là, Cork. » Jo balaya l'air devant elle d'un geste de la main, comme pour chasser cette pensée. « Ça me rend malade. Je ne peux pas faire ça.

– C'est pour cela que tu m'as demandé de t'aider, dit Cork. Parce que moi, je peux. »

Jo resta silencieuse un long moment. Lorsque Cork prit le virage dans Gooseberry Lane, elle posa sa main sur le bras de son mari.

« Je m'inquiète à l'idée que nous poursuivions cette piste. Je crains que tout ce que cela produise, c'est de l'agitation. Tant que nous ne savons pas quels sont les plans de Nestor Cole, en particulier s'il envisage le grand jury, j'aimerais que tu évites de poser des questions, surtout si elles risquent de faire soupçonner une liaison. Je ne veux pas qu'on se mette tout le comté à dos avant même le début de cette affaire.

– La question restera malgré tout en suspens, sans réponse. Qui a tué Charlotte ?

– Mon boulot, c'est d'éviter que Solemn aille en prison.

– Il y a quelques minutes tu m'as demandé qui s'occupait des Charlotte Kane.

– Elle est morte, Cork. Je ne peux plus l'aider. »

Dans son esprit, il vit une sombre silhouette, perdue dans la solitude, qui lui faisait signe.

« Les morts ne peuvent pas se défendre, dit-il. Ils n'ont aucun moyen de réclamer la justice. Ce qui reste derrière eux, dans les détails des circonstances de leur mort, est le seul espoir qu'ils ont : cela peut conduire à la vérité et quelqu'un devrait y porter attention. » Il ralentit et regarda Jo. « C'est cela qu'on appelle le zèle minutieux, Jo. C'est ce qui fait un bon flic. Il prend en compte toutes les possibilités, retourne toutes les pierres, et il essaie de le faire sans préjugé. Arne ne le fera pas. Il n'est pas flic. Comme tout le monde, il pense que Solemn est coupable et il ne cherchera pas plus loin. La vérité devra être découverte par quelqu'un d'autre. Et, ma chérie, on dirait qu'en ce moment il n'y a que toi et moi.

– Je comprends ce que tu dis. Vraiment. Et c'est une des choses que j'aime chez toi. Mais je vais quand même te demander d'attendre un peu avant de lever des lièvres. Juste un peu. OK ? »

Cork ne répondit pas.

« OK ? »

Il se gara devant la maison et coupa le moteur. Dans la pâle lueur du soir qui filtrait entre les arbres et éclairait faiblement la voiture, il regarda Jo. Pour lui, elle était belle de si nombreuses façons. Il l'aimait tant que, parfois, il en avait mal. Souvent lorsqu'il était seul Chez Sam, comme ça, sans raison, il se mettait à penser à elle, et c'était toujours comme si son cœur gonflait tel un ballon et lui emplissait toute la poitrine. Mais en la regardant à ce moment-là, il comprit qu'ils étaient deux personnes très différentes, et qu'il y avait des choses profondément enfouies dans le cœur de chacun, des choses que l'autre ne pourrait jamais toucher, que l'autre ne comprendrait jamais. Cela le rendit triste mais il n'en parla pas. Il dit seulement : « Je ferai de mon mieux pour me tenir. »

18

Le matin suivant, Cork se rendit au Aurora High, le lycée d'Aurora. Il s'arrêta d'abord à l'administration, parla avec Jake Giles, le proviseur adjoint, et on lui donna le planning des cours que Charlotte Kane avait suivis quand elle y était élève, et une liste de ses activités extrascolaires. Puis Cork alla voir Juanita Sherburne.

C'était la psychologue attachée à l'établissement. Son bureau était au premier étage du nouveau bâtiment réhabilité qui avait été bâti trois ans auparavant, à la sortie ouest de la ville, près de la gravière. On voyait souvent Sherburne, qui était une femme sportive, courir avec son mari et leurs deux lévriers afghans sur Lakeshore Drive. Les Sherburne étaient des amateurs passionnés de canoë et ils emmenaient régulièrement des groupes d'étudiants en excursion au Boundary Waters Canoe Area Wilderness, au nord d'Aurora. Elle avait une quarantaine d'années, des cheveux noirs et courts, et, malgré ses traits légèrement hispaniques, parlait avec un accent traînant, nasillard, qui trahissait une enfance quelque part au cœur du pays laitier, au fond du Wisconsin. En plus de sa charge de psychologue à l'école, elle entraînait l'équipe féminine de softball.

« Cork. » Elle était assise à son bureau et elle se leva, la main tendue.

«J'aurais probablement dû prendre rendez-vous, Juanita. Je me demandais si je pouvais vous parler quelques minutes.

– D'Annie, j'imagine ?

– D'Annie ?

– De ses notes en chute libre. N'est-ce pas la raison pour laquelle vous êtes venu ?

– Il y a de quoi s'inquiéter ? » demanda Cork.

Le bureau était dépouillé, bien rangé. Des armoires à classement marron étaient alignées contre les murs, et au-dessus étaient accrochées des photographies des équipes qu'elle avait entraînées ces cinq dernières années. Derrière elle, la fenêtre donnait sur l'ouest ; visible au-delà d'une ligne de bouleaux blancs, le long tunnel aérien de la gravière de North Star Aggregates.

Cork attendit que son interlocutrice se rassoie, puis il s'installa lui aussi.

«Je ne crois pas. Elle est un peu distraite, ces derniers temps. Je le vois sur le terrain aussi. Je l'ai mis sur le compte de troubles adolescents normaux. Vous voyez le genre, les garçons, le statut social, les garçons encore. Est-ce qu'elle a un petit ami ?

– Elle vient de commencer à sortir avec Damon Fielding.

– Damon ? Très gentil garçon. Eh bien, voilà. Je ne m'inquiète pas ; sauf si ses notes ne remontent pas. Mais j'ai confiance. Annie n'est pas une jeune fille frivole. Elle est sérieuse quand il s'agit de sujets qui l'intéressent.

– Autrefois, il n'y avait que le sport et la religion, dit Cork.

– Si vous voulez, je peux lui en parler, voir si je peux obtenir qu'elle se concentre un peu plus sur ses études – et sur son lancer.

– J'apprécierais beaucoup.

– J'ai une motivation égoïste pour le faire. Elle est un de nos atouts majeurs pour que l'équipe des Voyageurs fasse une grande saison. Est-ce tout ?

– Il y a autre chose », dit Cork.

La cloche sonna et dans le couloir, devant son bureau, se déversa une rivière déchaînée de corps tourbillonnants en tous sens.

« Un instant », dit-elle. Elle se leva pour aller fermer la porte.

« Je suis très inquiet à propos d'une autre jeune femme que je connais. Elle n'a que dix-sept ans et je crois qu'elle a une liaison avec un homme marié.

– Sur quoi se fonde votre inquiétude ?

– Je suis inquiet, c'est tout. Vous ne le seriez pas à ma place ? »

Elle retourna à son bureau et s'assit.

« Que pouvez-vous me dire d'elle ?

– Peu d'estime de soi. Déprimée. Une tentative de suicide. Une fixation sur la mort.

– Comportement sexuel compulsif ?

– Peut-être.

– Drogues ? Automutilation ? Troubles alimentaires ?

– Drogues, oui. Je ne sais pas pour le reste. Pourquoi ?

– Il s'agit de signes qui peuvent indiquer un abus sexuel. En général, plus les symptômes sont marqués, plus l'abus est ancien. »

Cette information fit reculer Cork sur son siège.

« Je n'ai pas dit que c'était toujours le cas, se hâta-t-elle d'ajouter. De nombreux adolescents présentent certains de ces symptômes. C'est une question de nombre et de degré. Il faudrait que je fasse un bilan complet.

– Si vous remarquiez ce genre de chose chez l'une de vos élèves, vous seriez obligée d'en faire un rapport, n'est-ce pas ?

– Si je m'en rendais compte. Le truc, c'est que les adolescents qui ont été abusés sexuellement peuvent être très forts pour cacher les symptômes au monde extérieur.

– En cas d'abus sexuel, qui pourrait être le coupable ?

– Eh bien, si on en croit les statistiques, c'est le plus souvent un membre de la famille. » Le chaos dans le couloir se calma, et le bureau de la psychologue fut soudain plongé dans le silence. Elle le regarda longuement. « Ce n'est pas pour Annie que vous êtes venu.

– Non.

– Pouvez-vous me dire de qui il s'agit ?

– Je préférerais ne pas vous le dire, à moins d'être certain de ce que j'avance.

– Je comprends, Cork. Mais une jeune femme dans cette situation a vraiment besoin d'aide et, généralement, elle ne sait pas comment la demander.

– C'est un peu plus compliqué que vous ne l'imaginez.

– Ce genre de chose est toujours compliqué.

– Je me demande si un professeur ne serait pas impliqué.

– Un enseignant d'ici ?

– Si c'est un professeur, ce serait ici. »

Elle secoua légèrement la tête d'un air dubitatif.

« Les symptômes que vous décrivez rappellent plutôt un abus ancien, quelque chose qui a commencé bien avant que cette jeune fille n'entre au lycée.

– J'imagine pourtant qu'une fille comme elle serait plus vulnérable à une relation sexuelle avec un adulte ?

– C'est possible.

– Alors elle pourrait avoir une liaison avec un enseignant, quelqu'un qui n'avait rien à voir avec les événements de son passé ?

– Je suppose que oui. Cork, j'aimerais que vous me disiez de qui il s'agit, pour que je puisse vous aider.

– Elle ne peut plus être aidée, Juanita. »

La femme resta interloquée un moment, puis une lueur apparut dans ses yeux.

« Jo assure la défense de Solemn Winter Moon. Vous vous interrogez sur Charlotte Kane.

– Je ne crois pas que Solemn ait une implication quelconque dans le meurtre de la jeune fille.

– C'est un gamin à problèmes.

– Je ne pense pas qu'il l'ait commis, malgré tout. Solemn croit que, avant sa mort, Charlotte fréquentait quelqu'un, peut-être un homme marié.

– Un professeur, vous croyez ? Quelqu'un d'ici ? J'espère que ce n'est pas la raison pour laquelle vous êtes venu me voir. Je refuse de commencer à spéculer sur un sujet pareil.

– Je comprends. Mais, Juanita, si Solemn est innocent, il y a un meurtrier quelque part, qui court toujours. Peut-être même en train d'arpenter les couloirs d'Aurora High. Vous avez dit qu'une liaison entre un professeur et une élève n'était pas impossible.

– Une liaison qui se terminerait par un meurtre est impossible.

– Je ne vous demande pas d'accuser qui que ce soit, juste de m'aider à réfléchir. Cela pourrait sauver un jeune homme innocent. Est-ce que ça aurait pu être un enseignant ?

– Je suis certaine que ce genre de chose arrive dans certains établissements, mais pas ici. Je refuse de poursuivre cette conversation.

– Je vous demande juste de m'écouter jusqu'au bout.

– Restons-en là. »

Cork s'apprêtait à parler mais il vit la tension qui l'habitait.

« D'accord. Je ne voulais pas vous mettre dans une position délicate sur le plan professionnel. J'essaie juste de sauver un jeune homme que je crois innocent.

– Je comprends. »

Cork se leva et tendit la main. Le visage de Juanita se détendit lentement.

« J'ai entendu dire que Solemn prétend avoir parlé avec Jésus, dit-elle. Est-ce vrai ?

– D'où tenez-vous cela ?

– La rumeur. J'ai aussi entendu dire que Jésus portait des mocassins Minnetonka.

– C'est ce que dit Solemn. »

Elle s'autorisa un bref sourire.

« C'est drôle. J'ai toujours pensé qu'Il était du genre à porter des Birkenstock. »

Cette nuit-là, lorsque Cork rentra de Chez Sam, Jo le coinça dans la cuisine.

« Annie m'a dit qu'elle t'a vu en train de traîner dans les couloirs de l'école aujourd'hui.

– Je ne l'ai pas vue, moi, dit Cork. Et pourquoi ne m'a-t-elle pas dit bonjour ?

– Tu plaisantes, j'espère ? Reconnaître la présence d'un de ses parents dans l'enceinte du lycée ? Mais tu viens de quelle planète ? » Jo s'apprêtait à préparer un café à la française. Tandis qu'elle versait les grains dans le moulin, elle lui demanda : « Alors, qu'est-ce que tu es allé faire là-bas ?

– Parler de Charlotte Kane avec Juanita Sherburne.

– C'est pas vrai ! » Jo renversa les grains partout sur le comptoir. « Tu avais promis !

– J'ai dit que je saurais me tenir. Et c'est ce que j'ai fait. J'ai été très poli.

– Tu coupes les cheveux en quatre. Et tu le fais parce que tu sais que tu as tort. Oh, Cork ! » Elle se mit à ramasser les grains de café, furieuse. « Si nous devons aller jusqu'au procès, et avant même que nous ayons choisi le jury, tu as dressé toute la ville contre nous...

– Il se peut que Charlotte ait subi des abus sexuels. »

Cette révélation interrompit Jo immédiatement.

« Pourquoi dis-tu cela ?

– À cause de certaines choses que m'a dites Juanita. Je crois que Charlotte présentait un certain nombre de symptômes révélateurs. »

Jo parut pensive et troublée.

« Est-ce que vous avez parlé de la personne dont il pourrait s'agir ?

– Pas particulièrement. Mais, selon Juanita, cela se passe généralement entre gens de la même famille.

– Famille, comme... ?

– La seule famille que nous lui connaissons, c'est Fletcher et Glory, alors on devrait peut-être commencer par là. »

Elle secoua la tête.

« Je crois que nous ne devrions pas aller par là, Cork.

– Fletcher est veuf. Pas de compagne. Vraiment un drôle de gugusse. Et souviens-toi de ce que Solemn a dit sur Charlotte et tous ses mystères. Peut-être que cela explique pourquoi elle cachait tant de choses, et pourquoi la seule personne qui aurait dû savoir qu'elle n'était pas bien ne faisait rien. Jo, je ne l'accuse pas. Je dis juste que nous devrions enquêter.

– Avec un zèle minutieux ? » Elle ajouta aux deux mots la pique du sarcasme. « C'est une spéculation dangereuse, Cork.

– Écoute, cette fille avait des problèmes. Quelqu'un quelque part dans son parcours l'a bousillée. Peut-être est-ce la même personne qui l'a tuée. Ou peut-être que quelqu'un d'autre s'est attaqué à elle et l'a ensuite tuée. Plus nous en apprendrons sur Charlotte, plus nous pourrons comprendre ce qui s'est passé.

– Comment Juanita a-t-elle réagi à tes questions ? »

Cork marqua une pause.

« Lorsqu'elle a compris que mes questions portaient sur Charlotte, elle s'est refermée comme une huître.

– Elle n'a pas voulu te suivre dans cette direction, n'est-ce pas ? Et c'est une professionnelle. Imagine ce que va penser le citoyen moyen d'Aurora. Solemn a déjà beaucoup de casseroles dans le comté de Tamarack. Si les jurés apprennent que nous calomnions leurs amis, leurs voisins, Dieu sait qui, avant même que Solemn soit accusé, ils vont se dépêcher de prêter serment devant le grand jury qui, déjà, a ses préjugés contre lui. Et contre nous. Ils ne se l'avoueront peut-être pas, mais le préjugé sera bien là. Le fait est que l'image même de leur ville sera mise en cause et ils rechercheront le moyen le plus simple de revenir à la normale. Dans leur esprit, je te le garantis, ce sera d'accuser puis de condamner Solemn.

– En voilà beaucoup, de spéculations, Jo.

– Je sais comment pensent les jurys. Cela fait partie de mon travail. Peut-être que les questions que tu soulèves ne mèneront nulle part. Imagine que Charlotte a été abusée sexuellement. Est-ce que cela veut forcément dire que c'est en rapport avec sa mort ?

– Jo, ils vont finir par accuser Solemn de meurtre. Premier degré, second degré, la question n'est pas là. Je lui ai promis que je l'aiderais. C'est comme ça que je l'aide.

– Je comprends, Cork. Et j'espère que tu comprends que j'essaie de gérer une situation très délicate, un équilibre entre les besoins de mon client, à ce moment précis, les préjugés de la communauté, les effets à long terme du moindre de nos faits et gestes, et le fait qu'on ne peut pas éternuer dans cette ville sans que tout le monde soit au courant.

« Cela fait plusieurs mois que Charlotte est décédée. On n'est pas à une ou deux semaines près, si ? Une fois que la mise en accusation de Solemn aura eu lieu, tu pourras poser tes questions. Les gens trouveront ça normal. Ils n'aimeront pas ça pour autant, mais ils comprendront.

– Tu m'as demandé de t'aider et, maintenant, tu me demandes de me tourner les pouces ?

– Je sais... »

Cork se pencha et ramassa un grain de café qui était tombé par terre. Il examina attentivement le petit noyau noir et dur qui était posé au creux de sa main. Il était comme ça, à l'intérieur.

« D'accord », dit-il. Il jeta le grain sur le comptoir et se tourna vers la porte extérieure.

« Où vas-tu ? demanda Jo.

– J'ai besoin d'être seul un moment. »

Il ouvrit la porte.

« Cork, dit Jo, alors qu'il avait déjà le dos tourné. Ce sont des informations intéressantes. Je suis certaine qu'elles seront très utiles si nous devons aller jusqu'au bout pour Solemn. Merci.

– Ouais. »

Il sortit sous le ciel du crépuscule et s'éloigna dans la pénombre grandissante.

19

Le premier miracle eut lieu quelques jours plus tard ; c'était Memorial Day.

Chaque année, ce jour-là, si le temps le permettait, les O'Connor réunissaient leurs amis et voisins autour d'un barbecue dans le jardin. Ils faisaient griller des steaks hachés et des saucisses qu'ils servaient en hamburgers et hotdogs avec la célèbre salade de pommes de terre de Rose. Tous les invités apportaient un plat à partager. Cork installait de la bière et des sodas dans un demi-tonneau de glace et les gamins faisaient de la limonade avec des vrais citrons. La pièce de résistance[1] était une immense jatte de glace à la vanille faite à la main dans un seau en chêne rempli de glace et de gros sel, que chacun devait mélanger à l'aide d'une manivelle.

Le week-end de Memorial Day était une date importante pour les touristes. Cork aurait pu se faire un joli petit magot en ouvrant Chez Sam ce jour-là mais, pour lui, la famille passait avant tout. Si c'était pour faire griller des steaks, il aimait autant le faire en compagnie de gens qu'il aimait, pour des gens qui lui importaient.

Rose était en retard. Elle avait prévu de venir tôt avec le père Mal pour aider le reste du clan O'Connor à tout

1. En français dans le texte.

préparer. Voyant qu'elle n'était toujours pas là à une heure, Jo appela au presbytère. Le téléphone sonna une demi-douzaine de fois avant que le père Kelsey ne décroche. Il avait été invité, comme toujours, mais il quittait rarement le presbytère désormais. Il préférait le confort de son fauteuil devant la télévision.

Le prêtre leur dit que Rose et le père Mal étaient partis depuis un bon moment, après que Mal avait reçu un appel téléphonique. Quelque chose d'étrange au cimetière. Le père Kelsey ne savait pas de quelle étrangeté il s'agissait, ni pourquoi on avait appelé le prêtre, ni ce qui avait poussé Rose à l'accompagner.

Cork était sur le point de mettre le feu sous le charbon lorsque Jo vint lui répéter tout cela et lui demanda s'il voulait bien faire un saut au cimetière pour voir si tout allait bien. Tandis que Cork se dirigeait vers sa Bronco, Stevie vint le rejoindre en courant et le supplia de l'emmener avec lui.

Le cimetière de Lakeview occupait le sommet d'une haute colline au sud de la ville. Le site était entouré d'une grille en fer forgé noire, assez haute pour que les élans ne puissent pas la franchir et se rassasier des fleurs à l'intérieur. Comme c'était Memorial Day, Cork s'attendait à voir beaucoup de gens venus rendre hommage à leurs chers disparus, qui n'existaient plus désormais que dans leur mémoire, mais il fut surpris de constater que le cimetière était presque désert.

Gus Finlayson, le gardien des lieux, fumait sa pipe installé sous un chêne juste à côté de la grille d'entrée. Cork s'arrêta.

« Où sont les visiteurs ?

– Complètement de l'autre côté, dit Gus. Z'avez pas entendu ?

– Entendu quoi ?

– Vaut mieux que vous alliez voir vous-même. »

Cork continua sa route, au pas, sur les étroites allées entre les rangées de pierres tombales. Il repéra l'endroit rapidement ; des dizaines de voitures étaient garées à flanc de colline, tout au fond du cimetière. Tandis que Cork approchait, Stevie sortit la tête par la portière.

« Ça sent bon », dit-il.

C'était vrai. Un parfum de rose embaumait l'air.

Cork se gara derrière la Nova de Mal Thorne. Juste devant lui se trouvait une Crown Victoria du département du shérif. Randy Gooding était debout à côté de sa voiture de patrouille, les bras croisés. Mal et Rose étaient avec lui.

« Que se passe-t-il ? » demanda Cork.

Gooding indiqua l'endroit où la foule s'était rassemblée.

« Va voir. »

Cork lança un coup d'œil à Mal, qui paraissait un peu déconcerté. Rose resplendissait et parut sur le point de parler, mais se ravisa à la dernière seconde.

Cork descendit la colline, Stevie avec lui. Un doux murmure montait de la foule. Entre les gens, Cork aperçut des taches rouge vif, comme une flaque de sang. Il vit un espace libre et s'y faufila. Ce n'était pas du sang, mais des pétales de roses, des milliers de pétales de roses, en une couche de plus de trente centimètres qui recouvrait la tombe et l'herbe tout autour sur plusieurs mètres de diamètre.

Puis il regarda la pierre tombale.

Fletcher Kane avait payé une somme considérable pour la pierre tombale de sa fille ; il avait fait installer un obélisque de marbre blanc de deux mètres de haut. Un ange magnifique, les yeux levés vers le paradis, était sculpté au-dessus du nom de Charlotte.

« Regarde, papa, dit Stevie, l'ange, il saigne. »

Ce n'est pas tout à fait exact, se dit Cork. Il pleure. Des larmes de sang, apparemment, des filets d'un rouge profond coulaient des yeux de l'ange jusque dans les pétales qui jonchaient la base de l'obélisque.

Quelques personnes dans l'assistance étaient agenouillées et priaient. La plupart des autres, silencieuses, regardaient fixement l'ange en larmes avec révérence. Cork se détourna et remonta la colline.

« D'où viennent les pétales ? » demanda-t-il.

Gooding haussa les épaules.

« C'est la question du jour.

– On dirait qu'ils sont tombés du ciel. » Rose leva les mains, comme pour attraper les pétales qui pourraient encore tomber en voltigeant. « Et l'ange, Cork. Tu as vu ses larmes ?

– Je prélèverais un échantillon de ces larmes, si j'étais toi, dit Cork à Gooding.

– C'est déjà fait. Malgré les virulentes objections de la part des véritables croyants rassemblés là-bas. »

Le prêtre adressa à Cork un sourire ébloui.

« Tu ne le sens pas ? Quelque chose d'absolument étonnant s'est produit ici.

– Étonnant, c'est certain, dit Cork. Quelqu'un s'est donné beaucoup de mal. Est-ce que Gus Finlayson a vu quelque chose ? »

Gooding secoua la tête.

« C'était comme ça lorsqu'il a ouvert la grille ce matin. Il dit qu'il n'y avait rien hier soir lorsqu'il a fermé.

– Est-ce qu'Arne est au courant ? »

Gooding répondit.

« Le shérif est parti à Hibbing, il passe la journée avec Big Mike et le reste de sa famille. Je n'ai pas vu de raison de le faire rentrer ici ventre à terre. Pas de dégât, d'après ce que je vois. J'imagine qu'à un moment quelqu'un va se dénoncer et nous découvririons qu'il ne s'agissait que d'un geste complètement extravagant.

– Personne ne se dénoncera», dit Rose. Il y avait une lueur dans ses yeux qui ressemblait un peu à de la folie. Cork n'était pas certain de l'avoir déjà vue aussi heureuse.

Stevie parvint au sommet de la colline, tenant quelque chose au creux de sa main.

«On dirait des larmes rouges, dit-il en regardant les trois pétales qu'il avait. Est-ce que je peux les garder?

– Je crois que oui, dit Cork. Allez, on rentre. Maman va commencer à se faire du souci.» Il se tourna vers Rose et Mal. «Vous venez?

– On vous suit», dit Rose d'une voix distraite.

Lorsque les filles entendirent leur récit, elles voulurent aller voir par elles-mêmes. Elles revinrent avec Rose et Mal Thorne, à la fois surexcitées et déconcertées. Puis, il fallut que Jo y aille aussi.

Ce jour-là, où normalement on parlait de baseball, de pêche, de jardin et de souvenirs du passé, la plupart des conversations tournèrent autour de ce qui avait été rapidement appelé «l'ange aux roses».

Le crépuscule arriva avant que le repas chez les O'Connor se termine et les gens rentrèrent tranquillement chez eux. Rose et Mal Thorne s'attardèrent, assis face à face à la table de jardin, se parlant d'une voix douce. Mal sirotait une Leinenkugel, Rose tenait une tasse à café. Jenny et Stevie terminaient une partie de croquet. Annie dévorait le dernier hotdog. Cork était debout à côté de la porte-fenêtre, regardant la scène qui se déroulait dans son jardin. Jo arriva de la cuisine et l'entoura de ses bras.

«Annie mange encore? dit-elle.

– Elle est en pleine croissance, et c'est une sportive. En plus, elle aime manger. Elle m'a dit qu'elle voulait devenir une mangeuse de péchés professionnelle quand elle serait grande.

– Une quoi ?

– Une mangeuse de péchés. C'est quelque chose dont leur a parlé Mal. Au Moyen Âge, les gens riches louaient les services de gens pauvres pour manger au banquet donné à la mort de leurs chers disparus. En fait, il s'agissait d'un repas rituel pour que les riches, débarrassés de leurs péchés, puissent aller au paradis.

– Et les pauvres ?

– Ils étaient gros et damnés, j'imagine. » Il vit le regard inquiet de Jo. « Détends-toi, elle plaisantait, c'est tout.

– Une plaisanterie grotesque. Pourquoi le père Mal lui aurait-il raconté une histoire aussi bizarre ?

– Demande-lui. »

Les sourcils un peu froncés, Jo contemplait sa sœur et le prêtre.

« Qu'est-ce qu'il y a ? » demanda Cork.

Mal se pencha sur la table de jardin et dit quelque chose. Rose rit et lui effleura la main.

« Elle est amoureuse de lui.

– Rose ? De Mal ? »

Jo hocha la tête.

« Elle te l'a dit ?

– Elle n'a pas besoin de me le dire. »

Cork le voyait aussi, maintenant. Entre les deux, une intimité confortable, presque comme un couple marié. En vérité, la révélation ne le surprenait guère. Il y repensa et comprit qu'il avait noté les signes mais qu'il n'avait pas fait le lien entre eux. Jo, bien sûr, avait toujours été très en avance sur lui dans ce domaine.

« Tu crois que Mal le sait ?

– Je ne sais pas. Les hommes peuvent être si aveugles. Un prêtre peut l'être encore plus que les autres.

– Que vas-tu faire ?

– C'est sa vie.

– Tu ne vas pas lui parler ?

– Si elle veut m'en parler, elle le fera.

– Y a-t-il quelque chose qu'on puisse faire ?

– Être là quand elle aura besoin de nous.

– Je suis désolé, Jo. » Il l'enlaça. « Ça va ?

– Oui.

– Ça t'ennuie si je m'échappe un petit moment ?

– Pour aller où ?

– Je veux à nouveau jeter un coup d'œil à cet ange aux roses. »

Gus Finlayson s'apprêtait à verrouiller la grille lorsque Cork arriva au cimetière.

« Hé, arrête, Cork ! cria le vieux Finnois en gesticulant vers la Bronco.

– Cinq minutes, Gus, il ne me faut pas plus. »

Gus se pencha à la portière et secoua la tête.

« La journée a été longue, ça oui, et pas question qu'elle soit encore plus longue, si j'ai mon mot à dire dans c't'affaire.

– Tout le monde est parti ?

– Sauf le shérif. Il est encore là-bas.

– Sur la tombe de Charlotte ?

– Ouais.

– Si tu fermes à clé, comment il va faire pour sortir ?

– Il a une clé. Le double du département. »

Cork avait oublié. Pas surprenant. Il ne se rappelait pas avoir eu besoin de cette clé pendant les années où il était shérif.

Le cimetière commençait à s'assombrir, dans le dos de Finlayson. Les rangées de pierres tombales, droites, couleur charbon, rappelèrent à Cork une brigade de soldats au garde à vous devant les morts.

« Et si tu me laissais entrer ? Je sortirai avec lui... »

Finlayson gonfla ses joues pour laisser échapper un gros soupir mais céda facilement.

« J'serais pas d'accord, mais je suis trop crevé. Vous avez qu'à y aller. Le shérif, il est quelque part de l'autre côté du cimetière.

– Merci, Gus. »

En approchant de la tombe de Charlotte, Cork se rendit compte que l'odeur des pétales de roses était incroyable, le parfum était à la fois agréable et écrasant. Mal Thorne lui avait posé une question : ne le sentait-il pas ? Ne sentait-il pas que quelque chose de remarquable s'était produit ? Il n'était pas complètement certain de savoir ce qu'il ressentait, mais ce qu'il pensait, c'était que la main qui avait créé cet événement était de chair et de sang et que, tôt ou tard, l'esprit qui se trouvait derrière tout cela, et le mobile, seraient découverts.

La BMW de Soderberg était garée sous un tilleul. Le shérif n'était pas visible. Cork se gara au milieu de l'allée, bloquant la circulation, s'il y en avait eu. Il sortit de son camion et resta là un moment, embrassant du regard la pente de la colline et Iron Lake au loin. Le ciel avait la couleur d'un nickel du siècle dernier, et tout reposait dans une lumière blafarde qui n'était ni jour ni nuit. Autour de Cork tout était absolument immobile. Il avait l'impression qu'il contemplait une photographie en noir et blanc sous-exposée, une photo qui ne révélait pas ce que le photographe avait eu l'intention de capturer.

C'est alors qu'il vit l'éclat d'une allumette se refléter sur le pilier de marbre brillant trente mètres plus bas.

Soderberg tira pensivement sur sa cigarette et ne se retourna pas à l'approche de Cork. Lorsque Cork prononça son nom, le shérif sursauta, un nuage de fumée sortit de sa bouche et il laissa tomber sa cigarette. L'extrémité incandescente explosa en un petit jaillissement d'étincelles dans l'herbe à ses pieds.

« Bon Dieu, O'Connor.

– Désolé, Arne.

– Mais qu'est-ce que vous foutez là ?

– La même chose que vous, j'imagine. J'essaie de comprendre l'ange aux roses. Je croyais que vous étiez à Hibbing.

– J'y étais, jusqu'à ce qu'on me parle de ça. » Soderberg ramassa sa cigarette. Il y avait encore assez de braise pour qu'il puisse en tirer une bouffée s'il le voulait. Apparemment, il n'en avait pas envie. Il se contenta de la tenir entre ses doigts. « Il n'est pas besoin d'être un génie pour comprendre, dit-il.

– Vous avez une théorie ? »

Soderberg regarda les tombes autour de lui et hocha la tête.

« Les Ojibwes. »

Cork faillit éclater de rire.

« Mais de quoi parlez-vous ?

– Winter Moon prétend qu'il a parlé avec Jésus. Il fait en sorte que ses amis indiens mettent ça en scène. Un grand miracle. »

Soderberg agita les mains comme s'il était un magicien en pleine action.

« Et toc, tout le monde croit qu'il est pur, béni. Comment pourrait-il être condamné pour meurtre ? Vous imaginez toutes les roses qu'il a fallu, tout ce que ces pétales ont coûté ? Le casino rentre des sommes astronomiques. C'est de l'argent de poche pour ces gens-là.

– Montrez-moi la facture », dit Cork. Il devait bien admettre que c'était une théorie plausible, sauf que les Ojibwes d'Iron Lake se fichaient de Solemn Winter Moon comme de leur première chemise.

Soderberg leva un pied et écrasa la cigarette contre sa semelle. Plutôt que de jeter son mégot dans les pétales, il le fourra dans sa poche et partit en direction de sa voiture.

« Il faut que je vous suive pour sortir, Arne.

– Dépêchez-vous, alors. » Soderberg commença à marcher.

Cork lança un dernier regard à la scène. Il n'y avait presque plus de lumière, mais il en restait assez pour qu'il puisse voir clairement les yeux de l'ange. L'espace d'un instant, il aurait juré qu'il lui rendait son regard.

20

Un fort vent du nord se leva pendant la nuit, faisant plier les arbres et craquer les maisons d'Aurora. Un peu avant l'aube, une brève pluie d'été se mit à tomber. Le vent s'était tu et le ciel était clair le matin suivant, lorsqu'une camionnette de la chaîne KBJR de Duluth vint se garer devant le cimetière de Lakeview pour attendre que Gus Finlayson ouvre les grilles. Derrière, une file de voitures garées le long de la route, essentiellement des curieux de la région qui n'avaient pas entendu parler de l'ange aux roses à temps pour faire le trajet le jour même. Gus était en retard, et la camionnette commença à faire retentir son klaxon. Très vite, les autres véhicules l'imitèrent. Le gardien finit par arriver dans sa vieille Volvo et en sortit, l'air abruti, en fourrant sa chemise dans son pantalon. Il mit un moment à ouvrir la serrure, puis poussa les grilles.

Cork était dans la file avec les autres, mais il sut, bien avant d'arriver à la tombe de Charlotte, que quelque chose n'allait pas. Le parfum incroyable, si beau, si puissant la veille, avait disparu.

Ce qui accueillit les visiteurs ce matin-là déçut tout le monde. Le puissant vent de la nuit avait balayé et emporté tous les pétales de roses et la pluie avait fait disparaître les larmes de l'ange.

Après le cimetière, Cork alla jusqu'au Pinewood Broiler prendre un petit déjeuner. Lorsqu'il entra ce matin-là, il découvrit que toutes les conversations portaient sur les roses. Il bavarda quelques minutes avec une table de mineurs à la retraite, puis remarqua la présence de Randy Gooding assis seul au comptoir.

Gooding vivait seul à l'étage d'une maison sur Ironwood Street, à deux pas de Sainte-Agnès. Cork le voyait souvent prendre son petit déjeuner au Broiler, qui était également près de l'église.

« Comment ça va, Randy ? »

Gooding leva les yeux de son assiette, sur laquelle il restait un peu d'omelette au jambon, et il sourit.

« B'jour, Cork. »

Sans attendre d'y être invité, Cork prit le tabouret à côté de l'adjoint.

« Des œufs pochés, Sara, dit-il à la serveuse. Des patates sautées, des toasts...

– Brûlés, c'est ça ? dit Sara.

– Carbonisés. Et du café. Oh, et son petit déjeuner est pour moi. » Il pointa un pouce vers Gooding.

« On essaie d'acheter un représentant de la loi ? » demanda Gooding.

Il ne portait pas son uniforme. Il était vêtu d'un polo bleu marine et d'un pantalon en toile blanc. À côté de son assiette se trouvait un petit bloc-notes avec un stylo. Voyant les furieux graffiti gribouillés sur le papier, Cork devina que Gooding avait travaillé dur sur quelque chose. Les gribouillis étaient des roses, de magnifiques roses.

« T'es en service ?

– Journée de repos. » Gooding finit la dernière bouchée de son omelette et s'essuya soigneusement la bouche avec sa serviette en papier.

Cork tapota le bloc.

« Tu travailles sur l'ange aux roses ?

– Ouais. Rien de délictueux dans ce qui s'est passé, et le shérif a clairement fait savoir qu'il refusait qu'on y consacre du temps. Mais je suis fort intrigué.

– Est-ce que tu es allé là-bas ce matin ? »

Gooding hocha la tête.

« J'ai pris la clé du département et je me suis glissé au cimetière à la première heure. Partis, envolés pendant la nuit, tous les pétales, et cet extraordinaire parfum. Et les larmes aussi, parties. » Il secoua la tête, tristement.

Sara posa la tasse devant Cork et lui servit du café.

« Merci », dit-il. Puis, se tournant vers Gooding : « Qu'est-ce que tu en penses ?

– Je vais te montrer quelque chose. » Gooding poussa son assiette, sa tasse et son bloc sur le côté. Il tendit le bras et attrapa un petit sac en papier blanc qui était posé par terre à côté de son tabouret. Il en sortit une seule rose rouge, à la tige très longue. « Je suis allé parler à Ray Lyons. »

Lyons était le patron de North Star Nursery et fournissait une bonne partie du stock qui allait dans les jardins du comté de Tamarack.

Gooding brisa la fleur et dispersa les pétales sur le comptoir.

« Il y en a assez ici pour recouvrir une dizaine de centimètres carrés d'une couche respectable.

– OK.

– Tu as vu la tombe hier, l'épaisseur de la couche de pétales. J'ai fait un rapide calcul ce matin. Il faudrait deux ou trois milliers de roses pour avoir assez de pétales. »

Cork laissa échapper un petit sifflement.

Gooding hocha la tête.

« J'ai perdu beaucoup d'heures de sommeil hier soir à réfléchir comment un nombre pareil de roses pourrait arriver jusqu'ici. UPS ? FedEx ?

– Est-ce que tu as posé la question à Lyons ? » Cork remarqua que la tasse de café avait encore une légère trace de rouge à lèvres sur le bord. Il l'essuya avec sa serviette, puis but une gorgée.

« Ouais. Il dit qu'elles auraient pu venir de n'importe quel grossiste, n'importe où. Des Twin Cities, Duluth, même Fargo. Elles auraient même pu venir directement d'un des gros fournisseurs de Miami. C'est une bonne période pour commander beaucoup de roses. Il y a de grosses récoltes qui arrivent d'Amérique du Sud, mais pas de date particulière pour générer de la demande. Tu aurais un bon prix.

– Comment les faire parvenir jusqu'à Aurora ?

– Elles sont livrées en bouquet de vingt-cinq, dans des boîtes en carton percées de petits trous, généralement expédiés en nombre. Souvent, on les maintient au frais avec des packs froids, elles n'ont donc pas besoin de réfrigération spéciale ni rien. Lyons a dit que généralement il n'y a rien sur l'emballage qui les distingue d'autres produits de fret, alors on ne les remarquerait pas forcément.

– Quelqu'un avec un camion d'une bonne taille aurait pu aller les chercher à un aéroport ou dans un dépôt de fret ?

– Exactement. » Il plongea à nouveau la main dans le sac blanc et en sortit un sachet en plastique plein de pétales fanés. « J'ai laissé un paquet de ceci à Lyons. Il va voir s'il peut identifier la variété pour me donner une petite idée de l'endroit d'où elles viennent.

– Alors, tu fais partie de ceux qui pensent qu'il y a une explication logique pour les roses ? »

Gooding rangea tout ce qu'il avait sorti du sac blanc.

« Tu connais le miracle de la Vierge de Fatima ?

– Pas vraiment.

– À un moment, lors d'une de ses apparitions, une averse de pétales de roses tomba du ciel. La même chose s'est produite dans les années cinquante lorsqu'une nonne philippine a jeûné pour la paix dans le monde. Ça a été décrit. » Il attrapa sa tasse et fit signe à Sara de la lui remplir à nouveau. « En 1851, du sang et des morceaux de viande tombèrent d'un ciel immaculé sur un poste de garnison à côté de San Francisco. À Memphis, Tennessee, en 1977, des serpents vivants tombèrent par milliers. On assista à des chutes de pierres sur Chico, Californie, pendant un mois entier en 1921. Des centaines de cas similaires ont été décrits. La plupart des théories développent l'hypothèse d'objets emportés par des tornades ou des ouragans et déposés ailleurs.

– Et les larmes ?

– J'ai envoyé un échantillon au labo à Saint Paul pour analyse. Il va falloir attendre un peu pour avoir des résultats. » Il regarda Cork droit dans les yeux, et ses yeux à lui paraissaient brillants. « Je vais faire tout ce que je peux pour prouver qu'il y a une explication logique. Mais si je n'y arrive pas, ce ne sera pas la première fois que je vois un miracle.

– Ah oui ? »

Gooding attendit que la serveuse ait rempli sa tasse. Puis il jeta un coup d'œil aux tables derrière lui, d'où venaient un murmure de voix et le bruit de couverts sur les assiettes. Il se pencha un tout petit peu vers Cork.

« Il n'y a pas beaucoup de gens qui sont au courant et j'aimerais autant que tu gardes ça pour toi... Je suis mort, une fois. »

Cork recula pour pouvoir regarder Gooding plus à son aise. Il était clair que l'adjoint ne plaisantait pas.

«J'avais six ans. Ma mère nous a emmenés en voyage, à Noël, à Paradise, dans le nord du Michigan. Il neige, c'est de la folie, et les routes sont complètement verglacées. Nous sommes en train de franchir un pont sur Manistee River et voilà ce type qui fait une embardée, traverse la ligne médiane et nous percute. Nous défonçons la glissière et nous tombons du pont. La rivière est gelée mais la voiture casse la glace et passe à travers. J'entends encore ma mère hurler, puis la voiture se remplit d'une eau tellement froide que j'ai eu l'impression qu'une main géante m'avait attrapé et me serrait si fort que j'allais en mourir. Je ne voyais plus rien. La dernière chose dont je me souviens, c'est cette lumière magnifique, cette lumière si douce tout autour de moi, et je me souviens que je n'avais pas peur.

« Après, je me réveille dans une chambre d'hôpital. J'ouvre les yeux, et je vois cette infirmière qui pleure en se signant, disant que c'est un miracle. J'avais cessé de respirer pendant presque une demi-heure avant qu'on me sorte de cette rivière et qu'on me réanime. Pour autant que je sache, je n'ai pas la moindre séquelle. J'oublie de temps en temps des choses, mais c'est le cas de tout le monde, non ?

– Tu m'as dit que tu avais grandi dans un orphelinat. Et tes parents ? demanda Cork.

– Tués dans l'accident.

– Et tu penses que c'est un miracle que tu aies survécu ? »

Gooding réfléchit un moment.

«Je sais que ce genre de chose arrive, que les médecins disent qu'il y a une explication médicale, l'eau froide met le corps en veille, réduit le besoin en oxygène, tout ça. Mais crois-moi, quand ça t'arrive, cela ressemble fort à un miracle. » Gooding regarda à nouveau derrière lui. « Comme je te l'ai dit, je préférerais que tu gardes ça pour toi. Surtout maintenant, avec tout ce qui se passe à Aurora.

– Tu peux compter sur moi, Randy. Je comprends. »

Gooding se leva, prêt à partir.

Cork dit :

« Annie et toi, vous vous êtes réconciliés ? »

Gooding sourit.

« Nous avons eu une longue conversation un soir après une réunion du groupe. Je lui ai présenté mes excuses, je lui ai raconté en gros la même chose qu'à toi, sur Nina van Zoot. Je crois qu'elle a apprécié que je lui fasse confiance. C'est une jeune fille très spéciale, Cork. » Et en partant, il ajouta : « Merci pour le petit déjeuner. Le prochain sera pour moi. »

Une fois qu'il eut terminé son repas, Cork partit pour le département du shérif. Il voulait avoir une conversation avec Solemn. Lorsqu'il entra dans les locaux, il trouva Marsha Dross à la réception en train de parler avec une blonde moulée dans son jean, grimpée sur des talons aiguilles et vêtue d'un sweat-shirt Tommy Hilfiger rouge.

L'adjointe Dross disait :

« Je ne peux pas vous donner cette autorisation. Vous allez devoir la demander directement au shérif.

– Et il n'est pas là, dit la femme avec beaucoup d'impatience.

– C'est exact.

– Et son avocat ? Si j'obtiens la permission de son avocat, est-ce que je peux parler à Winter Moon ?

– Cela pourrait être un début, dit Dross.

– Qui est son avocat ?

– Jo O'Connor.

– Vous avez une adresse pour ce Joe ?

– Dans l'annuaire.

– Merci. Vous m'avez été d'un grand secours», dit la femme sur un ton sarcastique. Elle se retourna brusquement, lança un regard furieux à Cork, qui fit un pas de côté, et sortit en trombe.

«Qui était cette charmante demoiselle? demanda Cork.

– Une journaliste. De tabloïd.

– Bel oxymore... Elle voulait parler à Solemn.

– Oui, et elle n'est pas la première.

– Est-ce que je peux lui parler, moi? Au nom de son avocat, ce fameux Joe?»

L'adjointe rit et appuya sur le bouton de déverrouillage de la porte.

C'était Cy Borkmann qui était en faction à la prison ce jour-là.

«Est-ce qu'il t'a causé le moindre souci? demanda Cork.

– Winter Moon? Tu rigoles? Tout ce qu'il fait, c'est rester assis. Il te parle quand tu lui parles, se lève quand tu lui dis de se lever. Autrement, c'est comme s'il planait, on dirait.» Il laissa Cork entrer dans la salle d'interrogatoire, puis il alla chercher le prisonnier.

Lorsque Solemn arriva, il entra mais resta sur le seuil. Il parut un peu allumé quand il sourit à Cork. L'adjoint ferma la porte à clé et les laissa seuls.

«Comment ça va, Solemn?

– Bien, dit Solemn. Je vais très bien. Mais je me suis inquiété pour toi.

– Pour moi?» Cork était planté au milieu de la pièce et il se sentait bizarrement mal à son aise en présence du jeune homme. «Je me porte comme un charme.»

Solemn l'observa un moment, le sourire énigmatique figé sur son visage. Ce fut Cork qui brisa le silence.

«Tu as entendu parler des roses?

– Le père Mal est venu tout à l'heure. Il m'a dit.

– Qu'en penses-tu ?

– Si on se met à penser à quelque chose comme ça, on passe à côté. Tu es allé au cimetière ?

– Oui.

– Avant de commencer à penser, qu'est-ce que tu as ressenti ?

– Que quelqu'un s'était donné beaucoup de mal pour une raison qui m'était inconnue.

– Tu as ressenti ça ? Vraiment ? »

Ce n'était pas vrai. Ce qu'il avait ressenti en arrivant dans le silence de ce cimetière, dans le parfum entêtant des roses, était quelque chose qui ressemblait fort à de la crainte mêlée d'admiration. Puis son cerveau s'était mis en marche, son esprit du XXIe siècle, muré dans sa prison de scepticisme.

« Est-ce que le Père et toi, vous êtes parvenus à une conclusion quelconque ? demanda Cork.

– Il a ses propres doutes. Mais il m'a surtout posé des questions sur mes prières. Un réflexe de prêtre, j'imagine. Il m'a demandé si je parlais à Dieu.

– C'est le cas ?

– Tout le temps, maintenant. Mais ce n'est pas des prières, comme si j'avais passé toute ma jeunesse à prier. Je me vide l'esprit et je découvre que Dieu est là.

– *Kitchimanidoo* ?

– Le Grand Esprit, si c'est le nom que tu veux employer. Mais les mots n'ont pas beaucoup de signification. Ils sont plutôt un obstacle. » Solemn ferma les yeux et resta silencieux si longtemps que Cork pensa qu'il s'était endormi debout. « J'ai grandi en pensant que Henry était une sorte de sorcier. Tout ce que je savais de la religion, c'était ce qu'on me disait à l'église, et je n'écoutais pas vraiment.

Je n'étais pas prêt pour tout ça, Cork. Maintenant, quand je me vide la tête, la seule question qui se pose chaque fois, c'est pourquoi moi ? Et la réponse qui ne cesse d'apparaître, c'est pourquoi pas moi ? »

Il eut un doux sourire.

« Peut-être que, finalement, c'est bien de cela qu'il s'agit. Jésus n'est pas venu à moi parce que j'étais prêt à Le recevoir. Il est venu parce qu'Il peut venir à chacun d'entre nous. Je voudrais que les gens le sachent. Voilà ce que j'ai dit au père Mal. »

Solemn avait l'air paisible et convaincu, et Cork se surprit à penser aux enfants qu'il voyait à O'Hare à Chicago, les Hare Krishna, qui chantaient en tapant sur leurs tambours, si certains qu'ils avaient établi une relation avec le divin. Combien d'entre eux portaient aujourd'hui un costume trois pièces, prenaient des médicaments contre l'hypertension et refusaient de parler de leur période Krishna ? La ferveur était quelque chose que possédaient les jeunes, ensuite, elle s'émoussait. Il pensa à Jeanne d'Arc. Si elle avait réussi à échapper au bûcher et à vivre assez longtemps pour voir les rides et les autres marques du temps s'inscrire lentement sur sa peau, aurait-elle cessé d'entendre la voix de Dieu, aurait-elle rangé son épée pour devenir l'épouse d'un homme et porter son enfant ? Il se demanda combien de temps il faudrait pour que la certitude de Solemn, son moment de grâce, s'évanouisse, le laissant aussi vide et perdu que tout le monde. Cork espérait que cela n'arriverait pas, mais il était également presque certain que ce serait le cas.

« Écoute, Solemn, la raison pour laquelle je suis venu aujourd'hui est la suivante. Je suis toujours en train d'essayer de comprendre qui Charlotte fréquentait avant sa mort. Je voudrais parler à ses amis, voir s'ils n'avaient pas une petite idée sur la question. Sais-tu qui étaient ses amis ?

– Des vrais amis, je crois qu'elle n'en avait pas.

– Avec qui passait-elle du temps ?

– Trois personnes, généralement. Bonny Donzella, Wendy McCormick et Tiffany Soderberg. C'était de Tiffany qu'elle était la plus proche.

– Tu es toujours certain que tu ne sais pas qui pouvait bien être cet homme marié ?

– Pas la moindre idée.

– Est-ce qu'elle t'a souvent parlé de son père ?

– Pas souvent.

– Quand elle l'a fait, c'était sur quel ton ?

– Que veux-tu dire ?

– Est-ce qu'il y avait une charge émotionnelle particulière ?

– Pas que je me souvienne. Pourquoi ? »

Cork envisagea de partager ses doutes sur les abus sexuels qu'aurait subis Charlotte dans son enfance. Mais tout chez Solemn paraissait avoir retrouvé une certaine paix, une forme de pureté, et Cork se dit qu'il n'y avait aucun intérêt à l'emmener sur ces terrains boueux. « Sans importance. » Il se leva.

« Je pense que Jo passera plus tard dans la journée. Tu as besoin de quelque chose, d'ici là ?

– Tout ce dont j'ai besoin, je l'ai. Merci. »

Cork décrocha le téléphone et appela Borkmann, qui vint ouvrir la porte. Là-bas, devant, Marsha Dross était en train de parler à des gens, un homme, une femme et un petit garçon. L'homme portait un vieux pantalon en velours côtelé dont les côtes étaient par endroits usées jusqu'à la corde. Sa chemise bleue était effilochée au col et aux manches. La femme portait une robe tablier avec un petit liseré de fleurs couleur chocolat. Le garçon était dans une chaise roulante.

« Nous venons de Warroad », disait l'homme. Il tenait une casquette bleue entre ses doigts et la faisait tourner nerveusement tout en parlant. « Nous avons entendu parler des roses et de l'Indien qui parle avec Jésus. Tout ce que nous demandons, c'est qu'il nous accorde une minute de son temps. Nous voulons juste qu'il pose la main sur notre fils, c'est tout. »

Leur fils était assis dans son fauteuil roulant, les doigts recroquevillés, la tête basculée en arrière, la bouche grande ouverte. Sa mère se tenait à côté de lui, et son regard traversait Marsha Dross, comme si, quelque part derrière l'adjointe, se trouvait la réponse à toutes ses prières.

Cork partit sans vouloir entendre la réponse que Dross leur ferait, inévitablement. Il sortit dans la lumière du soleil de ce matin de fin mai et vit une camionnette de la télévision entrer sur le parking du bureau du shérif ; puis une autre. Il marcha jusqu'à sa Bronco, monta et regarda pendant quelques minutes les caméras et les câbles se déployer, tandis que deux camions supplémentaires arrivaient.

Il n'y avait plus moyen d'y échapper. Le grand cirque avait commencé.

JUIN

21

La nouvelle du miracle atteignit les chaînes nationales. Par la suite, chaque jour, une heure ou deux après le lever du soleil, les fidèles commençaient à se rassembler dans le parc entre la prison et l'église luthérienne de Zion. Leur nombre était variable, comme les raisons qui les poussaient à venir. Certains pensaient qu'il y avait une relation entre l'ange aux roses et la vision de Solemn Winter Moon, que Solemn était béni, et que ce qui s'était déjà produit n'était que le début du projet que Dieu formait pour le comté de Tamarack. D'autres, comme le couple de Warroad qui croyait qu'au contact de Solemn la malédiction qui affectait le corps de leur fils disparaîtrait, venaient chercher un miracle personnel. D'autres étaient simplement curieux et visitaient le cimetière devenu célèbre, puis rejoignaient la foule dans le parc avec l'espoir ténu que ce bref passage leur donnerait la chance d'apercevoir Solemn et de prendre une photo souvenir. Un jour un marchand arriva dans une camionnette et se mit à vendre des minidonuts et des hotdogs. Après cela, il en arriva d'autres, avec des T-shirts et des icônes, des glaces à l'eau et de la barbapapa. Les visiteurs déplièrent des transats et des couvertures, et le parc prit un air de fête foraine. Cy Borkmann raconta à Cork qu'il avait parlé avec des gens qui visitaient des sites sacrés partout dans le pays, et qui arrivaient de Hillside, Illinois, où on disait que la Vierge Marie apparaissait dans le cimetière tous les jours sauf le mardi. Ils n'avaient pas eu la vision, mais ils espéraient qu'à Aurora ils pourraient voir l'homme qui avait parlé à Jésus et peut-être même l'entendre parler.

Jo conseilla à Solemn de ne pas faire de déclaration publique et de n'accorder aucune interview aux médias. Même ainsi, beaucoup d'informations avaient déjà filtré. Des cartes circulaient, prétendant localiser précisément le lieu où Solemn avait eu sa vision, et la réserve grouillait de pèlerins qui recherchaient les empreintes de pas que Jésus, chaussé de ses mocassins Minnetonka, avait peut-être laissées.

Généralement, il s'agissait de gens qui venaient d'ailleurs. Les habitants du comté de Tamarack qui avaient vu Solemn grandir et qui connaissaient les aspects plus sombres de son histoire ne crurent pas un instant que le fils de Dieu lui avait tapé sur l'épaule. Même si les commerces locaux prospéraient, de nombreux citoyens d'Aurora n'aimaient pas du tout l'origine de cette intrusion et se plaignaient des bouleversements provoqués dans leur vie par cette publicité.

Ils manifestèrent leur sentiment exactement comme Jo l'avait redouté. Une après-midi pendant la première semaine de juin, après un temps de délibération à peine supérieur à celui qu'il faut pour décider de l'achat d'une nouvelle paire de chaussures, le grand jury prononça l'acte d'accusation de Solemn Winter Moon : meurtre au premier degré.

« Tout ce qu'un grand jury entend, avait expliqué Jo lorsqu'elle était venue voir Solemn, ce sont les preuves contre toi. Tout ce qu'ils voient, c'est le dossier de l'accusation. Nous n'avons pas la moindre occasion de discuter les hypothèses que le procureur du comté a formulées, de remettre les indices en cause, de soumettre les témoins à des contre-interrogatoires. Le but du grand jury est de s'assurer qu'une accusation aussi lourde que meurtre au premier degré n'est pas faite à la légère. Honnêtement, si j'étais membre du grand jury et que j'examinais les éléments du dossier tels que Nestor Cole, le procureur, va certainement les présenter, j'aurais du mal à ne pas prononcer l'accusation.

Je suis content d'apprendre que tu es de mon côté, avait répondu Solemn en plaisantant.

– J'essaie de te préparer au pire, c'est tout, expliqua Jo. S'ils sortent la mise en accusation, nous montons au créneau. Nous avons une chance de faire voir au jury les choses dans une perspective différente, de remettre en question tout ce que leur présentera le ministère public.

– J'apprécie ce que tu fais pour moi», dit Solemn.

À son client, Jo présenta une image positive, mais, après que l'acte d'accusation fut prononcé, elle partagea son inquiétude en privé avec Cork.

«Je commence à réfléchir à une délocalisation.»

Ils étaient tous les deux dans le bureau de Jo au Aurora Professional Building. Dehors, le soleil régnait sur un ciel immaculé et la température avoisinait les vingt-cinq degrés. Comme les fenêtres étaient fermées et que la climatisation du bâtiment répandait une fraîcheur artificielle dans la pièce, ils ne pouvaient profiter de la douceur de ce premier jour estival.

Cork secoua la tête.

«Le juge Hickey ne sera jamais d'accord. Peut-être que tu peux espérer un changement de composition du grand jury.

– Ce que je voudrais vraiment avoir, c'est quelque chose qui détruirait le cœur même de leur argument.

– Comme quoi ?

– Comme un autre suspect... » Jo se pencha en avant sur sa chaise.

« Depuis le début, tu poses la même question : si ce n'est pas Solemn qui a tué Charlotte, alors qui est-ce ? Je t'ai empêché d'agir car j'avais peur que si tu ne trouvais rien, les chances de Solemn soient compromises sans bonne raison. Bon, maintenant, Solemn n'a rien à perdre. Le ministère public a des œillères. Il ne cherche pas quelqu'un d'autre. Nous pouvons retourner toutes les pierres que nous voulons et voir ce qui se cache en dessous. Il est temps pour toi de faire ce que tu sais faire. »

Un sourire monta sur les lèvres de Cork.

« Tu lâches la meute de chiens ? Je peux aller renifler partout où je veux ?

– Vas-y, attaque », dit-elle.

Dès que Jenny arriva Chez Sam cette après-midi-là, Cork s'excusa, la laissa assurer le service seule et partit jusqu'à North Point Road. Il se gara devant la maison d'Arne Soderberg et frappa à la porte. Personne ne répondit, mais il vit la PT Cruiser dorée de Lyla dans l'allée ; il contourna la maison. Lyla était dans son jardin, elle taillait des buissons. Elle portait des gants blancs en coton, une grande visière qui maintenait tout son visage à l'ombre, un chemisier jaune et un petit short blanc moulant. Elle taillait les branches à petits coups nerveux, et Cork ne savait pas si elle maîtrisait ses gestes sans avoir besoin de se concentrer, ou si elle était fâchée et reportait sa colère sur les plantes. Elle lui tournait le dos. Elle se pencha en avant, très en avant, et son short moulant lui colla aux fesses comme une paire de mains vigoureuses.

Cork s'approcha et l'appela :

« Lyla ? »

Surprise, elle se raidit et se tourna rapidement.

« Je suis désolé, dit Cork. J'ai frappé, personne ne m'a répondu. Je cherche Tiffany.

– Elle n'est pas encore rentrée du lycée. Que lui voulez-vous ? »

Elle tenait les cisailles devant elle, pointées en direction de Cork. Si elle bondissait sur lui, elle lui couperait une partie qui lui manquerait cruellement.

Il dit :

« Parlez-moi de son amie Charlotte Kane.

– Charlotte Kane n'était pas son amie.

– On m'a dit qu'elles passaient beaucoup de temps ensemble.

– Je ne comprends pas en quoi cela vous concerne.

– Je suis consultant pour la défense de Solemn Winter Moon. »

Il avait décidé que consultant était un bon terme générique pour ce qu'il était en train de faire.

« Je préférerais que vous ne parliez pas à ma fille, dit Lyla.

– Qu'on me parle de quoi ? »

Tiffany était arrivée dans le jardin par le même chemin que Cork, en contournant la maison et sans faire le moindre bruit. Elle portait dans ses bras une tenue de remise de diplôme, d'un vert satiné agrémenté d'or, les couleurs du lycée.

« De Charlotte Kane, dit Cork avant que Lyla n'ait le temps de répondre.

– Je ne veux pas que tu lui parles, dit Lyla à sa fille.

– Tu crois que j'ai quelque chose à cacher, mère ?

– Tout ceci ne nous regarde pas.

– Oh, je t'en prie ! »

La mère et la fille ne se quittèrent pas des yeux, s'envoyant des regards aussi incendiaires que des flèches enflammées.

« Très bien. » Lyla avait pris un ton qui laissait penser que, loin de capituler, elle accordait une permission à sa fille. Elle ôta ses gants de jardinage d'un geste brusque et partit vers la maison.

Tiffany posa la longue robe sur le dossier d'une chaise de jardin en fer forgé noir.

« C'est demain soir, la remise du diplôme, c'est ça ? fit Cork.

– C'est pas trop tôt, fit la jeune fille.

– Et quels sont tes projets ?

– L'université d'Hawaii à l'automne.

– Ils proposent un parcours qui te plaît ?

– Ouais. Ça s'appelle comment-se-tirer-de-ce-trou-à-rat-et-passer-l'année-au-chaud. Qu'est-ce que vous voulez savoir sur Charlotte ? »

Le ton sur lequel elle posa la question n'exprimait pas beaucoup d'intérêt, et Cork se dit qu'elle lui parlait seulement parce qu'elle savait qu'ainsi elle agaçait sa mère.

« On m'a dit que vous étiez assez liées, toutes les deux. »

Elle haussa les épaules.

« Ouais.

– Vous passiez beaucoup de temps ensemble ?

– C'est quoi, beaucoup ?

– Et si tu me parlais juste de Charlotte et toi ? »

Tiffany portait un jean délavé et un petit pull bleu moulant. Le pull paraissait un peu chaud pour cette température, mais la couleur lui allait bien et il mettait en valeur sa silhouette. Elle avait l'air ennuyée par ses questions.

« On faisait des trucs ensemble, des fois, des fêtes.

– Elle a fait la fête avec Solemn Winter Moon pendant un moment aussi, ensuite, elle s'est séparée de lui. Tu aurais une idée de la raison ?

– Il a commencé à devenir strange.

– Que veux-tu dire ?

– Il l'accusait tout le temps de voir quelqu'un d'autre.

– C'était le cas ?

– Avant de sortir avec Solemn, elle n'avait jamais eu de petit ami. Son père était contre, je crois. À mon avis, elle s'est juste lassée de Solemn. Il était vraiment bizarre, parfois. Super soupe-au-lait.

– Est-ce qu'elle s'entendait bien avec son père ?

– Non. Comme tout le monde.

– Est-ce qu'elle parlait de lui ?

– Pas beaucoup. » Il y eut un moment de silence pendant lequel Tiffany sembla envisager la possibilité d'abandonner Cork. Puis, elle le surprit. « Lorsque nous avons commencé à nous connaître, juste après son arrivée à Aurora, parfois, on passait la nuit chez elle, pour une soirée pyjama. Au bout d'un moment, on a préféré faire ça ici.

– Et pourquoi donc ?

– Son vieux, il était strange. » Apparemment, elle aimait bien ce mot.

« Comment ça ?

– Il était tout le temps là, à fouiner, à l'observer. On était dans une pièce, à parler, et je levais les yeux, et il était là, dans l'embrasure de la porte. Elle m'a raconté qu'elle pensait qu'il espionnait ses coups de fil. Il arrêtait pas de la harceler, où elle allait, avec qui. » D'un agile mouvement de la main elle repoussa une mèche de cheveux blonds que le vent avait ramenée sur sa joue. « C'était bizarre, quand même. Elle disait toutes sortes de trucs sur lui et sur sa tante, mais si quelqu'un d'autre faisait pareil, elle devenait folle de rage. Elle aussi, elle était bizarre, parfois. »

Mais pas strange, se dit Cork.

« Est-ce qu'elle t'a jamais parlé de suicide ?

– Jamais de la vie.

– Est-ce qu'elle te parlait de choses qui étaient importantes pour elle ?

– Comme quoi ?

– N'importe quoi. La vie, l'amour, les projets d'avenir.

– Elle voulait juste se tirer d'ici. Comme si c'était original.

– Solemn a été accusé du meurtre de Charlotte. Quel est ton avis ?

– Peut-être qu'il l'a tuée. Un plan jalousie et tout ce qui va avec.

– Imagine que Solemn ait raison, Tiffany. Imagine que Charlotte voyait bien quelqu'un d'autre. Aurais-tu une idée de qui ça aurait pu être ?

– Si j'étais vous, je parlerais au Dr Kane.

– Pourquoi ?

– Il était, genre, comme son ombre. S'il espionnait vraiment ses coups de fil, il en sait probablement bien plus long que ce qu'il a dit.

– Était-elle proche de son père ?

– Ça veut dire quoi, proche ?

– Est-ce qu'ils montraient l'affection qu'ils se portaient ? Se faisaient des bisous, se serraient dans les bras, ce genre de choses ?

– Je ne me souviens pas. Quelle différence ça fait ?

– Je me demandais si tu avais jamais vu entre eux quelque chose qui aurait pu te mettre un peu mal à l'aise ?

– Si j'ai vu quelque chose... ? » Il lui fallut quelques secondes pour deviner la véritable portée de sa question.

Elle plissa le nez en signe de dégoût. « Ouh là... Là, vous devenez vraiment strange.

– Encore une ou deux questions, dit Cork. Tu étais à la fête de Nouvel An à Valhalla. J'ai vu ton nom sur la liste que les hommes de ton père ont reconstituée.

– Et alors ?

– Est-ce que tes parents savaient que tu y allais ?

– Ouais, comme s'ils allaient me laisser aller à une fiesta sans chaperon à Valhalla. Je leur ai dit que j'étais chez Lucy Birmingham pour une soirée pyjama, OK ?

– Est-ce que quelque chose de strange est arrivé à Valhalla ? Entre Charlotte et quelqu'un d'autre ?

– Solemn et Charlotte se sont un peu disputés. Rien de grave. Et c'est tout. Excusez-moi, mais j'ai beaucoup de choses à faire pour ce soir. On a fini ? »

Cork vit bien qu'elle avait décidé qu'elle en avait fini avec lui et qu'elle ne lui apprendrait probablement rien de plus.

« Je pense que oui. »

Elle ramassa sa toge et entra dans la maison.

Cork resta un moment dans le jardin que Lyla Soderberg avait créé. Les roses dominaient. Elles n'avaient pas encore éclos mais Cork était certain que cela arriverait. Lyla savait y faire avec les roses, elle savait ce qui les faisait pousser. Elle paraissait moins sûre d'elle quand il s'agissait d'une famille. Mais dans ce domaine, Cork n'en doutait pas, elle n'était pas la seule.

22

Cork laissa sa Bronco devant la maison des Soderberg et marcha un demi-kilomètre sur North Point Road, jusqu'à l'ancien domaine Parrant, une parcelle en forme d'ongle de pouce au bout de la péninsule, entourée de cèdres. Il s'attarda dans l'allée, qui était bordée de pivoines, et prit le temps de regarder longuement l'imposante demeure. Un pouvoir incontestable émanait de cette masse de pierre sombre, mais Cork la ressentit comme une énergie négative, dont le cœur était plein de colère. Il repensa au juge Robert Parrant et à son fils. Le père, un homme brutal ; le fils, encore pire. La violence, la trahison, la mort, tel avait été le parcours de leur vie et leur héritage. Fletcher Kane et sa famille n'avaient pas mieux vécu. Charlotte était morte, et à peine était-elle enterrée que Glory avait pris la clé des champs et avait disparu sans laisser de trace. Cork comprenait. Il aurait probablement fui cette maison maudite, lui aussi.

On ne répondit pas tout de suite à la porte. Il attendit dans l'ombre ténébreuse du porche, écoutant les corbeaux bruyants qui avaient établi une petite colonie dans les cèdres plus bas, vers le lac. La porte fut ouverte une minute plus tard par Olga Swenson, la gouvernante.

« Bonjour, Olga, fit Cork. Est-ce que Fletcher est là ? »

Olga Swenson n'était pas une Suédoise souriante. Avant que Kane ne l'embauche, elle était serveuse et cuisinière à mi-temps au Pinewood Broiler. Sa mine renfrognée avait probablement réduit les pourboires à une peau de chagrin, ce qui expliquait peut-être qu'elle avait accepté de travailler pour un homme comme Kane. Elle paraissait tout aussi ravie de voir Cork à la porte qu'elle l'avait été lorsqu'il posait son postérieur sur un tabouret au Broiler.

« Yah.

– Est-ce que je pourrais lui parler ? »

Elle parut considérer la demande comme une requête tout à fait importune, mais fit un pas de côté pour le laisser entrer.

« Je vais chercher le Dr Kane. »

Elle traversa le hall jusqu'à une porte dont Cork savait que c'était celle d'un bureau. Elle frappa, ouvrit la porte puis revint.

« Il n'est pas là.

– Peut-être qu'il est à l'étage ? »

Elle se renfrogna, tourna les talons et grimpa les marches comme si elle montait sur une potence.

« Ça vous ennuie si je m'assois, en attendant ? » dit Cork en haussant la voix.

Sans un mot, elle leva la main et lui fit signe de s'installer au salon.

Il entra dans la pièce. Il était sur le point de s'asseoir sur le canapé lorsqu'une photo sur une étagère attira son regard. Il s'avança pour la regarder de plus près. Glory et une jeune fille d'environ quatorze ou quinze ans. Debout dans le désert, devant un grand cactus tuyau d'orgue. Glory avait enlevé son chapeau de paille et le tenait à la main pour que son visage soit bien visible sur la photo. La fille portait une casquette de baseball qui cachait ses traits. Même ainsi, il était apparent qu'elle avait un grand pansement de gaze sur le côté gauche du visage, et qu'elle n'était pas contente de poser pour la photo. Elle parut vaguement familière à Cork, mais il ne parvint pas à retrouver son identité. Il prit la photo dans la main pour pouvoir l'examiner de plus près.

« Il a dû descendre au hangar à bateaux. »

Cork se retourna brusquement. Olga Swenson était redescendue sans bruit et elle le dévisageait comme s'il était un voleur.

« Je regardais la photo. »

Le visage de la gouvernante s'adoucit quelque peu.

« Elle était autrefois dans la chambre de Charlotte. Cette pièce est toujours fermée maintenant. Elle paraissait un peu perdue là-haut, alors je l'ai apportée ici. Je ne crois pas que le Dr Kane s'en soit jamais rendu compte.

– Savez-vous qui se trouve là, avec Glory ?

– Sa fille.

– Glory a une fille ? » C'était la première fois que Cork entendait une chose pareille.

« Avait. Je crois qu'elle s'appelait Maria. Ils m'ont dit qu'elle était décédée. » Elle s'essuya les mains sur son tablier et fit un mouvement de la tête en direction du lac. « Comme je disais, le Dr Kane est probablement descendu au hangar à bateaux.

– Merci. » Cork remit la photographie sur l'étagère et se dirigea vers la porte d'entrée.

« Je ne crois pas qu'il sera ravi d'avoir de la compagnie, dit Olga.

– Je vais tenter le coup. »

Après qu'Olga eut refermé la porte, Cork resta un moment sur le porche à penser à Glory et à la fille qu'elle avait perdue. Y avait-il une malédiction sur la famille Kane ?

Les abords de la maison étaient bien entretenus, mais pour ce qui était de la longue pente de derrière, c'était une autre histoire. L'herbe avait vraiment besoin d'être coupée, les brins étaient très hauts et formaient des épis.

Marchant ainsi vers le hangar à bateaux, Cork eut l'impression de patauger dans une profonde mer verte.

La vue d'Iron Lake depuis l'extrémité de la pointe était une des plus belles de tout le rivage. La journée était calme et l'eau était d'un bleu franc. On n'entendait que les corbeaux dans les cèdres. Fletcher Kane était sur le ponton et lançait une ligne dans l'eau. Il utilisait une canne à mouche et la lançait comme si le lac contenait des truites. Dans Iron Lake, on trouvait des dorés et des black bass gras typiques du Nord qui se planquaient dans les herbes, des crapets-soleils et des crapets à oreilles bleues dans les bas-fonds, mais pas de truites. Grand et dégingandé, Fletcher Kane était un modèle de grâce lorsqu'il lançait la ligne. Son long corps se mouvait selon un rythme qui partait de sa tête. Tirant son long bras arachnéen sur le côté puis en arrière, il armait et lançait, et la mouche au bout de la ligne se posait sur l'eau presque toujours au même endroit sans le moindre bruit, sans la moindre éclaboussure qui aurait marqué le moment délicat du contact, avec seulement une série d'anneaux concentriques qui ridaient légèrement la surface bleu acier de l'eau.

Kane portait un pantalon kaki et une chemise en flanelle dont il avait roulé les manches jusqu'aux coudes. Un chapeau en toile le protégeait du soleil. Des mouches étaient accrochées tout autour de la calotte comme des petits bijoux scintillants. Cork ignorait que Fletcher Kane était un pêcheur à la mouche. Kane était une masse obscure de mystères, et Cork était allé le chercher à seule fin de remuer cette masse pour voir ce qui en émergerait.

« Fletcher ? »

Kane sursauta et la mouche au bout de la ligne recula d'un bond et rata sa cible.

« Je suis désolé, dit Cork. Je ne voulais pas te surprendre.

– O'Connor. Qu'est-ce que tu veux ?

– Juste te poser quelques questions, si je peux.

– Sur quoi ?

– Charlotte.

– C'est ta femme qui t'envoie ?

– Je suis consultant pour la défense de Solemn Winter Moon.

– Je n'ai absolument rien à te dire. »

Kane se tourna vers la ligne qui était posée sur la surface de l'eau comme une fissure en travers d'une assiette en porcelaine bleue. Il entreprit de tourner son moulinet.

« Tu ne rappelles pas Jo quand elle te laisse des messages. Elle se demande juste si tu sais comment joindre Glory. Nous avons besoin de lui parler.

– Je n'ai pas de nouvelles.

– Tu n'as aucune idée de l'endroit où elle se trouve ?

– Vous en savez autant que moi. »

Il avait fini de ramener sa ligne. L'eau dégoulinait du moulinet et des taches sombres apparurent sur les planches à côté des pieds de Kane.

« Tu veux bien me donner le nom du médecin de Charlotte ?

– Pourquoi veux-tu savoir ça ?

– Y a-t-il une raison pour que je ne le sache pas ?

– Fiona Case.

– Est-ce qu'il arrivait à Charlotte de parler de ses professeurs ?

– Pourquoi toutes ces questions sur Charlotte ?

– J'essaie juste de mieux comprendre ta fille, Fletcher. Cela pourrait nous permettre de comprendre sa mort. Alors, ses professeurs ? »

La mâchoire de Kane se serra si fort que ses os se tendirent sous ses joues. Sous la surface, de la colère, beaucoup de colère. Cork n'était pas certain qu'il allait obtenir une réponse.

« Seulement un dont je me souvienne. En anglais.

– Homme ou femme ?

– Un homme. J'ai oublié son nom.

– Que disait-elle de lui ?

– Qu'elle l'aimait bien.

– Qu'elle l'aimait vraiment bien ?

– Elle disait que c'était un bon professeur.

– Et elle ne parlait de personne d'autre ? »

Kane semblait avoir atteint la limite de sa patience. Les yeux lui sortaient de la tête et les mots suivants fusèrent dans un sifflement.

« Quel est le rapport ? Winter Moon l'a assassinée et il n'y a rien d'autre à ajouter.

– Tu en es absolument certain ? Comment ?

– Tu veux dire, en plus de toutes les fichues preuves contre lui ? Il l'avait menacée.

– Quand ?

– Juste avant Noël. Il est venu à la maison. Ils se sont disputés. Il l'a attrapée, l'a menacée. Je l'ai fait partir. »

Cork savait que c'était la perception que Kane avait de l'incident ; Solemn racontait une histoire assez différente.

« Deux semaines plus tard, elle était morte. » Kane lança sa canne contre la paroi du hangar à bateaux. « Je n'aurais pas dû le chasser. J'aurais dû le tuer.

– Ils se disputaient souvent ?

– Tout le temps.

– Tu avais l'habitude d'espionner leurs conversations ? »

Kane bondit. De sa haute taille, il dominait nettement Cork. La rage brûlait au fond de ses yeux, le désir de frapper. Mais il renonça. Il serra les poings, les bras le long du corps, et dit :

« Tire-toi d'ici, et vite. Tout ce que j'ai aimé a disparu. Que veux-tu encore de moi ? »

C'était une question à laquelle, pour l'instant, Cork ne pouvait pas apporter de réponse.

Lorsqu'il quitta le hangar à bateaux, une brise se leva depuis l'autre rive du lac. De gros nuages qui étaient restés assoupis au loin toute l'après-midi s'éveillèrent soudain et traversèrent le ciel à toute allure ; leurs ombres bleu foncé assombrirent l'eau puis la terre. Dans les mythes du peuple de sa grand-mère, les *manidoog*, les esprits des bois, tantôt joueurs, tantôt malveillants, voyageaient avec ces ombres.

À mi-chemin de la maison, Cork s'arrêta tandis qu'une grande ombre avalait le coteau, étalant sur l'herbe haute alentour la couleur d'un vilain hématome. Les corbeaux dans la rangée de cèdres à une trentaine de mètres de lui commencèrent à se quereller, et Cork regarda autour pour trouver la cause d'un tel raffut.

Des serpents. Des milliers de serpents. Des écailles luisantes, partout, des vagues qui déferlaient l'une après l'autre, comme une mer noire en furie, recouvrant l'herbe sous les arbres. Poussant des cris déchaînés, les corbeaux s'envolèrent. Cork sentit sa peau se hérisser en regardant la masse ondulante qui s'enroulait autour des troncs des cèdres. Un serpent, il pouvait encore supporter. Toute une déferlante de ces saloperies, c'était terrifiant.

Un rai de lumière vint frapper le sol et Cork leva les yeux ; le soleil s'était frayé un passage dans une fracture de nuage. Lorsqu'il reporta son regard sur les cèdres, les serpents avaient disparu. Les corbeaux avaient disparu. Et le gros nuage d'ombre avait lui aussi disparu.

Prudemment, Cork avança vers l'endroit où il avait vu les reptiles. Il se dit que l'herbe avait peut-être gardé une trace de leur passage, mais les longs brins bien verticaux ne révélaient pas le moindre signe de turbulence. Il s'approcha des arbres. Derrière eux se profilaient le rivage sud de la pointe, des rochers et de l'eau, en face d'Aurora. Les serpents n'avaient pas pu aller ailleurs que dans le lac.

Au loin, le long du rivage, les corbeaux s'enfuyaient comme des cendres emportées par le vent.

23

Dorothy Winter Moon était dans le bureau de Jo dans l'Aurora Professional Building, Cork en eut la certitude à la minute où il entra sur le parking. L'énorme camion-benne orange International qu'elle conduisait pour le comté se trouvait là, donnant l'impression que tous les autres véhicules étaient d'une taille ridicule.

Il frappa à la porte et Jo lui dit d'entrer. Dot était assise dans un des fauteuils réservés aux clients. Elle portait une salopette avec un T-shirt jaune poussiéreux, et la couleur brune de ses avant-bras était encore assombrie par la saleté. Ses vieilles Wolverine à renforts métalliques avaient l'air rayées, burinées, et son visage trahissait l'inquiétude.

« Je parlais à Dot des poils pubiens », dit Jo.

Lors de l'autopsie du corps de Charlotte, le médecin légiste avait peigné les poils pubiens et y avait trouvé des poils qui s'étaient avérés ne pas être ceux de la jeune fille. Les indices avaient été envoyés au labo du Bureau d'investigation criminelle à Saint Paul pour qu'on en prélève l'ADN et le comparer à celui de Solemn. Le rapport était revenu le matin même. Les poils pubiens n'appartenaient ni à Charlotte, ni à Solemn.

« C'est une bonne nouvelle, non ? fit Dot.

– C'est à double tranchant », répondit Jo.

Cork s'appuya contre le rebord de la fenêtre et croisa les bras.

« La bonne nouvelle, c'est la preuve que la dernière personne qui a couché avec Charlotte n'était pas Solemn, dit Jo.

– Et la mauvaise ?

– Le mobile. L'accusation pourrait avancer que cela prouve que Charlotte voyait quelqu'un d'autre et que Solemn l'aurait tuée par jalousie.

– Qu'elle voyait qui ? »

Jo regarda Cork.

« C'est ce que j'essaie de découvrir, dit-il.

– On ne peut pas le savoir à partir de ces fameux poils pubiens ?

– Il nous faut un échantillon auquel les comparer, Dot. Et pour ça, il nous faut un suspect et assez d'indices pour demander qu'un échantillon soit prélevé.

– Tu n'as pas de suspect ?

– Pas encore. » Cork lui adressa un sourire chaleureux. « Tu tiens le coup ? »

Aussi forte qu'elle fût, Dot paraissait se recroqueviller sur son siège. Elle fixa ses mains de travailleuse.

« Les gens sont tout le temps fourrés chez moi, maintenant, des reporters, des connards en tous genres qui prennent des tas de photos, posent des questions. Quelqu'un a cassé l'élan devant chez moi. Je ne laisse plus sortir Custer. Tous ces gens partout, ils le rendent fou, la pauvre bête. » Elle regarda Cork, puis derrière lui, par la fenêtre. « C'est dur quand je vais voir Solemn. C'est mon fils, mais en même temps ce n'est pas mon fils. On dirait qu'un étranger s'est glissé dans sa peau. Comme si on ne savait pas quoi se dire.

– C'est la situation qui veut ça, dit Jo. Elle crée beaucoup de stress pour chacun d'entre vous. »

Dot tendit à Jo plusieurs papiers.

« Autre chose que je dois signer ?

– Non, c'est tout. »

Elle sortit une montre d'une poche de sa salopette.

« Faut que je retourne travailler. Je refais le gravier sur le parking du terrain forain aujourd'hui.

– Je te ferai savoir dès que j'aurai du nouveau, dit Jo.

– Merci. »

Dot enroula sa chevelure sur sa nuque et la fit tenir dans une casquette rouge. Cork entendit le bruit sourd de ses grosses chaussures longtemps après son départ.

« Café ? demanda Jo en se levant.

– Non merci. »

Elle se servit une grande tasse.

« Alors ? »

Cork s'assit dans le fauteuil que Dot avait quitté.

« J'ai parlé avec Tiffany Soderberg. Elle dit que Fletcher Kane était strange dès qu'il s'agissait de Charlotte. Il l'espionnait tout le temps.

– Fletcher Kane est strange, point barre. Cela ne prouve rien. » Jo s'assit et but une gorgée. « OK, juste pour discuter, supposons qu'il y avait quelque chose entre le père et la fille ; cela ne veut pas dire qu'il l'a tuée. Tu as lu la déclaration qu'il a faite sur la nuit de sa disparition. Il était à la maison. Sa sœur a corroboré son histoire.

– Et Glory a disparu, comme c'est pratique. Il prétend qu'il ne sait même pas où elle est. J'adorerais avoir ses relevés téléphoniques des deux, trois derniers mois. Je parie qu'il y a des chances qu'on y trouve un numéro correspondant à Glory. As-tu des nouvelles du relevé de Valhalla ? »

Cork avait recommandé à Jo de demander la liste des appels émis et reçus de Valhalla le jour de cette fatale soirée du nouvel an. Il pensait qu'il pourrait être éclairant de savoir à qui Charlotte avait parlé le dernier jour de sa vie.

« Rien encore. » Elle le regarda et il vit qu'elle ruminait quelque chose.

« Qu'est-ce qu'il y a ? demanda-t-il.

– Je pensais au zèle minutieux...

– Et... ?

– Tu sembles te focaliser sur Kane et personne d'autre. N'as-tu pas précisément accusé Arne Soderberg de faire la même chose avec Solemn ? »

Cork sortit un petit bloc-notes de sa poche de chemise. Il le posa sur le bureau pour que Jo puisse lire. Il y avait noté quatre points : Enseignants. Médecin. Amis de la famille. Prêtre.

Cork dit :

« D'après les informations que j'ai obtenues au lycée, Charlotte a eu quatre enseignants masculins pendant sa scolarité là-bas. Elle parlait d'un seul en particulier, son professeur d'anglais, Alistair Harding. Il donnait un cours de poésie qu'elle a suivi pendant le premier semestre l'an dernier. Sa seule activité extrascolaire officielle était sa participation au magazine littéraire de l'école. Coordonné par Harding. Il a probablement eu un bon aperçu des états d'âme de Charlotte. Je vais suivre l'affaire en allant le voir aujourd'hui. Son médecin est Fiona Case. Je crois que nous pouvons l'éliminer en tant que suspecte, mais je voudrais quand même l'interroger.

– À moins que je ne parvienne à obtenir une injonction de la cour pour l'obliger à parler, tu ne tireras rien d'elle. Secret médical oblige. Et les cours, ces derniers temps, sont extrêmement réticentes quand il s'agit de permettre la divulgation de dossiers médicaux ou des témoignages dans des circonstances où le passé sexuel de la victime pourrait être en jeu.

– Bon, d'accord. Nous allons mettre le Dr Case sur la touche pour l'instant. Et les amis de la famille ? J'ai beaucoup réfléchi à cette option. Glory m'a dit que Fletcher n'avait pas d'amis. Qu'il avait des connaissances, des associés, des collègues mais pas d'amis. Et Glory, pour ce que je peux en dire, n'avait qu'une seule amie proche, et c'était Rose. Il faut vraiment que nous arrivions à lui parler.

– Je l'ai déjà fait. Elle ne sait rien qui puisse nous être utile. Glory faisait toujours très attention à ne pas parler de la famille.

– Ce qui veut probablement dire qu'il y avait beaucoup de choses à cacher. Et Sainte-Agnès ? Les Kane étaient-ils impliqués dans la vie de la paroisse en dehors des messes ? »

Jo secoua la tête.

« Pas plus que ça, non.

– Donc, ils se barricadaient dans cette grande maison et restaient entre eux. »

Jo regarda la dernière annotation sur le bloc. Prêtre.

« Tu n'es pas sérieux en pensant à Mal !

– *Mendax*, Jo. Elle avait une bonne raison d'être fâchée contre lui.

– Mais Solemn pense que Charlotte voyait un homme marié. »

Cork reprit son bloc-notes et se leva pour partir.

« Aux yeux de beaucoup de paroissiens, il est marié. Marié à l'Église. »

Il y avait foule Chez Sam. Lors d'une accalmie, Cork se tourna vers Jenny :

« M. Harding était ton professeur de poésie à l'automne dernier, n'est-ce pas ?

– Oui.

– Parle-moi de lui. »

Jenny plongea un panier de frites surgelées dans l'huile chaude.

« C'est un bon professeur.

– Comment est-il ? »

Elle haussa les épaules.

« Il est très sensible, je crois.

– Comment ça, sensible ?

– Intuitif. Gentil.

– Il est marié ?

– M. Harding ? » Elle étouffa un petit rire.

« Qu'est-ce qu'il y a de si drôle ?

– Papa, il est gay.

– Qu'est-ce qui te fait dire ça ? »

Elle remonta le panier, le secoua pour décoller les frites et le replongea dans l'huile.

« En dehors du fait qu'il n'est pas marié, il est très soigné, s'habille bien. Et... eh bien, c'est juste un truc qu'on sent.

– Qu'on sent, dit Cork, mais dont on n'a pas de preuve ?

– Je ne lui ai jamais posé la question, si c'est ce que tu veux dire. Mais pourquoi tu me poses toutes ces questions ? » Elle le regarda, et ses yeux bleus s'éclairèrent soudain. « Oh, l'amant marié de Charlotte Kane... »

Il était parfois difficile de maintenir le secret sur certaines informations, dans la maison des O'Connor.

« Tu peux oublier, papa.

– Parce que tu crois qu'il est gay.

– Il va en Angleterre tous les ans pour les vacances. Il était à Londres ou dans un endroit comme ça quand Charlotte a été tuée. »

Une camionnette bleue vint se garer sur le parking et une demi-douzaine d'adolescents déboulèrent. Jenny se tourna vers la fenêtre passe-plat. Cork nettoya le gril et se replongea dans ses réflexions.

Le prêtre.

Que savait-il de Mal Thorne ? Que savait-*on* de lui ? Qu'il avait été directeur d'un centre d'accueil pour sans-abri à Chicago et qu'il portait les cicatrices d'une agression à l'arme blanche par deux ou trois prétendus voleurs. Avant ça, un grand blanc jusqu'à l'époque où il était boxeur à Notre-Dame. Et encore avant, il avait grandi dans un quartier dur de Detroit. Il restait plusieurs zones inconnues importantes, parmi lesquelles la longue période entre l'université et Chicago, la raison pour laquelle un prêtre aussi talentueux que Mal atterrissait dans un lieu aussi reculé qu'Aurora, et la raison pour laquelle Charlotte était si fâchée contre lui.

Lorsqu'il eut quelques minutes devant lui, Cork alla jusqu'au fond de la cabane et sortit un vieux répertoire téléphonique. C'était un double de celui qu'il avait à la maison. Il chercha un numéro et composa un appel longue distance, pour Chicago.

« Vous êtes bien au bureau de l'enquêteur Grabowski. Je ne suis pas là pour le moment. Laissez-moi votre nom, votre numéro et un bref message, je vous rappellerai *illico.* »

Après la tonalité, Cork dit :

« Boomer, ici Cork O'Connor. Ça fait longtemps, hein, mon pote. J'ai besoin de ton aide. Appelle-moi quand tu peux. » Cork laissa les deux numéros, Chez Sam et la maison.

Il venait de raccrocher et s'apprêtait à retourner au service lorsque le téléphone sonna. Il pensa que c'était Boomer, qu'il avait dû laisser passer son coup de fil.

C'était Jo. Elle venait de recevoir un fax contenant la liste des appels de Valhalla. Cork lui dit qu'il ne pouvait pas quitter les lieux, mais qu'il appellerait Annie et lui demanderait de passer prendre le fax avant de venir.

Chez Sam resta animé toute la journée, et il était tard lorsque Cork s'assit enfin devant la vieille table en bouleau derrière la hutte pour parcourir la liste des appels téléphoniques qu'Annie lui avait apportée. Beaucoup de jeunes gens étaient informés de la fête. Plusieurs coups de fil avaient été passés de téléphones publics, donc, impossible d'en connaître les auteurs. Dans toute la liste, les seuls éléments qui étaient remarquables aux yeux de Cork étaient deux appels passés de la maison de Wilfred Lipinski, le maire d'Aurora, un à 21 h 57 et un autre à 22 h 41. Si Lipinski avait des adolescents qui savaient qu'il y avait une fête à Valhalla, les appels n'auraient pas été surprenants, mais tous les enfants Lipinski étaient grands et avaient quitté la maison depuis longtemps, d'où les questions que se posait Cork. Pendant une minute ou deux, il envisagea la possibilité que le maire puisse être le mystérieux amant marié de Charlotte. Mais l'idée de Wilfred Lipinski, qui, à l'âge de soixante-deux ans, avait autant de sex-appeal qu'un hareng, faisant l'amour à la jeune fille était trop difficile à imaginer pour Cork, et il élimina cette hypothèse.

Il était dix heures passées lorsqu'il ferma enfin Chez Sam. On était seulement à quelques semaines du solstice et un peu de lumière s'attardait encore dans le ciel, un mince souvenir bleuté du jour qui s'étirait à l'ouest sur l'horizon. Un copeau argenté, c'était tout ce qu'on voyait de la lune, suspendue au-dessus d'Iron Lake. La nuit était chaude et fluide, et la couleur de chaque chose se fondit dans le noir.

Il fit un détour et passa devant le bureau du shérif et la prison. De l'autre côté de la rue, le parc où se rassemblaient les croyants et les curieux était presque vide. Quelques personnes montaient encore la garde. Cork reconnut le couple qui était venu de Warroad avec la folle idée que le contact de Solemn guérirait leur fils cloué dans son fauteuil roulant. Quel désespoir, se dit Cork. Même s'il ne pouvait se résoudre à prier pour eux, il espérait que leurs prières seraient un jour entendues.

Jo était déjà au lit lorsqu'il arriva. Elle avait calé un oreiller dans son dos, chaussé ses lunettes de lecture et avait une pile d'enveloppes en papier kraft à côté d'elle, sur le lit. Quand il entra dans la pièce, elle posa les feuilles qu'elle tenait.

« T'arrives tard, dit-elle. Tout va bien ?

– J'ai épluché les relevés téléphoniques. »

Il tira les rideaux et commença à se déshabiller. La maison était plongée dans le silence. Dans la pièce flottait un parfum d'Oil of Olaz.

« Tu as trouvé quelque chose ? demanda Jo.

– Pas ce que j'espérais. » Cork suspendit son pantalon à un crochet dans le placard et jeta sa chemise et ses sous-vêtements dans le panier à linge en osier. « Aucun appel passé de chez les Kane ce jour-là.

– Tu crois toujours que Kane est impliqué ?

– Il a bâti un mur autour de la plupart des aspects de sa vie. Je ne peux m'empêcher de penser qu'il cache quelque chose derrière cette forteresse.

– Ce n'est pas un homme chaleureux », dit Jo. Elle déplaça les dossiers qui occupaient la place de Cork et les posa sur la table de nuit. «Et il faut bien l'avouer, il est étrange de bien des façons, mais cela ne fait pas de lui quelqu'un qui serait capable des actes que tu veux lui imputer.»

Cork sortit un short rouge et l'enfila.

«Je ne lui impute rien. Mais je crois que personne à Aurora ne connaît vraiment Fletcher Kane. Je crois que personne ne sait ce qu'il est capable ou incapable de faire.»

Jo choisit ses mots avec soin.

«Je ne dis pas qu'il est innocent, mais je pense vraiment que si tout ce que tu cherches, c'est ce qu'il y a de mauvais chez les gens, c'est tout ce que tu verras.»

L'image des serpents sur le terrain de Fletcher Kane le hantait toujours. Il était certain que ce qu'il avait vu était simplement un effet de la lumière tandis que le vent balayait l'herbe haute dans l'ombre sous les cèdres, mais l'effet dérangeant se prolongeait.

«Il y avait une chose bizarre dans les relevés téléphoniques, dit-il. Deux appels ont été passés depuis la maison du maire, Lipinski.

– Ce n'est pas si bizarre», dit Jo. Elle ôta ses lunettes et posa les papiers qu'elle tenait à la main. «Wilfred et Edith donnaient une fête pour le réveillon. Nous étions invités, tu te souviens? Nous avons décliné l'invitation. Les appels venaient probablement de quelques adolescents qui avaient été traînés chez les Lipinski mais qui étaient plus intéressés par ce qui se passait à Valhalla.

– Probablement», répondit Cork. Il jeta un coup d'œil à la pile des dossiers que Jo avait mis sur la table de nuit. «C'est quoi, tout ça?

– Je reprends toutes les déclarations des gamins qui étaient à la fête de Charlotte ce soir-là pour voir si quelque chose m'aurait échappé. C'est la énième fois. Je crois que je suis capable de les réciter toutes mot pour mot.

– Tu as vu quelque chose ? »

Elle secoua la tête.

« J'vais me brosser les dents, dit Cork. Je reviens. »

Il alla dans la salle de bain et il était loin d'avoir fini son brossage quand une idée lui vint. Il se précipita dans la chambre.

« Et si ce n'était pas un jeune qui avait passé ces coups de fil ? »

Jo leva les yeux.

« Un adulte, tu veux dire ? Quoi ? Qui appelle son enfant sachant qu'il est à une fête sans chaperon au milieu des bois ?

– Un adulte, pas un parent, dit Cork. Un amant. »

Jo réfléchit.

« L'homme marié de Charlotte ? Ça paraît un peu tiré par les cheveux.

– On ne le saura que si on suit la piste. »

Jo consacra encore quelques minutes à peser la vraisemblance de la chose.

« Comment nous y prendre ?

– Il nous faut des informations. Les noms de tous les jeunes à la fête donnée par les Lipinski, et la liste des invités. Tu es au conseil d'administration de la bibliothèque avec Edith. Pourquoi tu ne l'appellerais pas pour lui demander ?

– Je le ferai dès demain matin. »

Cork retourna à la salle de bain et finit son brossage de dents. Il savait que Jo avait raison, que si tout ce qu'on cherchait chez quelqu'un, c'était le mauvais côté, c'était tout ce qu'on voyait. La raison pour laquelle il se concentrait sur Fletcher Kane n'était peut-être pas la plus pure des motivations, mais cela ne signifiait pas pour autant qu'il avait tort de porter ces soupçons.

Cork sourit devant la glace. Ses dents, au moins, étaient propres.

24

Le miracle suivant eut lieu le lendemain matin et aurait pu être prédit, pensa Cork.

Cy Borkmann accosta Cork à la seconde où il entra au Pinewood Broiler pour prendre son café et la température de la journée.

« T'as entendu parler de la guérison ? »

Cork s'avançait vers un tabouret près du comptoir.

« Quelle guérison ? »

Cy s'approcha en se dandinant et installa une partie aussi importante que possible de son gigantesque postérieur sur le tabouret voisin de celui de Cork.

« Quelqu'un a réussi à prendre la couverture sur laquelle Solemn dormait. Et s'en est servi pour guérir un aveugle.

– Ouah », fit Cork. Il fit signe à Sara et demanda du café. « Commence par le commencement, Cy.

– Ce matin, juste après le lever du soleil, des gens ont commencé à se masser dans le parc en face de la prison, comme d'habitude. Ils sont déjà nombreux lorsqu'un type se pointe avec une couverture pliée et dit que c'est celle de Winter Moon, qu'elle vient de sa cellule. Il demande : "Est-ce que quelqu'un veut être guéri ?" D'après ce que j'ai compris, personne n'est très enthousiaste au début. Finalement Grover Buck accepte.

– Grover Buck ? C'est l'aveugle qui a été guéri ?

– Je sais, dit Borkmann. Il y a beaucoup de choses qu'on peut ne pas aimer chez le vieux Grover, mais y a pas à tortiller, il est aveugle depuis l'accident à la mine. Il a même une pension pour ça. Bref, Grover dit qu'il veut bien essayer, pourquoi pas. Le gars avance jusqu'à lui, lui tend la couverture pliée, et Grover l'enroule autour de sa tête. Au début, il ne se passe pas grand-chose. Grover dit : "Peut-être bien que je vois des éclairs lumineux."

« "À genoux, dit le type, prie notre Seigneur pour qu'il fasse un miracle." Grover s'agenouille et se met à prier, et, au bout d'une minute, il enlève la couverture et il a des larmes qui coulent sur sa barbe, et il dit : "Je vois, Dieu soit loué, je vois."

« Bon, on est tous au courant, Grover sait qu'il est pas le plus saint homme sur la terre de Dieu, ni le plus fiable. Mais le gars avec la couverture tend la main devant le visage de Grover et dit : "Qu'est-ce que tu vois ?" Et Grover qui dit : "Trois doigts", et il a raison. Le gars sort un bandana rouge de sa poche et il dit : "Et maintenant, qu'est-ce que tu vois ?" et Grover qui dit : "C'est un mouchoir, et il est rouge. Doux Jésus, il est rouge." Là, les gens ont commencé à manifester de l'intérêt. La guérison suivante les a vraiment bluffés.

– Parce qu'il y a eu deux guérisons ?

– C'est ce que je suis venu te dire. Tu connais Marge Shembeckler ?

– Ne me dis pas que son arthrite a disparu.

– Elle s'est levée de son fauteuil roulant et elle a marché. Pour la première fois depuis des années. Après ça, les gens se sont jetés sur le type à la couverture. Il se met à la découper en petits morceaux de quelques centimètres carrés, et il vend chaque carré pour vingt dollars. Et plus la couverture diminue, plus le prix monte. J'ai entendu dire que les derniers morceaux se vendaient à quelques centaines de dollars. Je ne sais pas qui c'est, ce type, mais il a fait un malheur.

– La couverture, elle venait vraiment de la cellule de Solemn ?

– Ouaip. Le shérif est furax. Mais ça devrait pas être trop dur de choper le mec qui l'a prise. Il n'y a pas beaucoup de gens qui rentrent et sortent de là, la nuit. »

Sara posa une tasse de café devant Cork et il la remercia.

« Quelle honte, dit Cork, de profiter des gens comme ça

– Tu ne crois pas aux miracles ?

– Est-ce que tu as bien regardé cette foule de gens ? Ce sont des gens désespérés, Cy, susceptibles de se faire arnaquer. Arne va-t-il enquêter ?

– Il a mis Gooding sur l'affaire. »

Cork quitta le Broiler et se dirigea vers les bureaux du shérif pour voir Solemn. Le soleil était déjà haut et la journée promettait d'être chaude. Dans le parc, de l'autre côté de la rue, il y avait des chants, des prières et beaucoup de mouvement, comme si tous ces corps étaient chargés d'électricité et d'espoir.

Lorsqu'on fit entrer Solemn dans la salle d'interrogatoire, il gratifia Cork d'un sourire qui semblait dénué de la gloire qui l'avait illuminé ces derniers temps.

« Bonjour, Solemn.

– Salut, Cork.

– Es-tu bien traité ?

– Je n'ai pas à me plaindre. » Il prit une chaise et s'assit à la table en face de Cork.

« Tu es au courant, pour la couverture ? »

Solemn hocha la tête.

« Tu as une idée de la manière dont elle t'a été fauchée ? »

Solemn s'assit tout au bord de sa chaise, les pieds bien à plat sur le sol, les mains jointes sur ses genoux. On aurait dit un homme en train d'attendre, peut-être assis à un arrêt de bus, que quelque chose arrive pour l'emmener quelque part.

« Le plus souvent, il fait trop chaud, dit-il. Je la plie et je la mets au pied de mon lit. Quelqu'un a dû la prendre pendant que je dormais.

– Tu n'as pas vu qui c'était ?

– Non.

– Tu as le sommeil lourd.

– Oui. Maintenant.

– Qu'en penses-tu ? De la couverture et des guérisons, je veux dire.

– Si c'est vrai, ça n'a rien à voir avec la couverture.

– C'est quoi, alors ? »

Solemn réfléchit un moment. Un long moment.

« Leur propre croyance, peut-être. Peut-être un accident dans la chronologie. Mais ce n'est pas ma couverture. Ce n'est pas moi. »

Solemn gardait les yeux rivés sur l'endroit où Cork était assis, mais ce qu'il voyait paraissait se trouver bien au-delà de lui.

« Ils se tournent vers moi à la recherche de quelque chose que je ne peux pas leur donner. J'ai passé quelques minutes avec Jésus. Nous avons parlé, c'est tout. Je n'ai pas reçu de pouvoirs de guérison. Je ne peux pas exorciser des démons. Tout ce que j'en ai tiré, c'est un peu de sérénité. Ma propre sérénité. S'ils attendent quelque chose de moi, ils vont être déçus. Quoi qu'il se soit passé ce matin, ce n'était pas moi. Je le saurais, si c'était moi, non ? Je le saurais. »

Ses yeux se posèrent sur le sol comme des plumes tombées de l'aile d'un oiseau.

« Mon Dieu, dit-il. J'espère que ce n'est pas moi. »

25

En chemin vers Chez Sam le lendemain matin, Cork s'arrêta au bureau de Jo. Elle avait déjà parlé à Edith Lipinski.

« Mon intérêt pour sa fête de réveillon l'a intriguée, dit Jo, mais j'ai expliqué que j'essayais de découvrir qui était au courant de la fête à Valhalla et comment. Je voulais parler aux jeunes qui avaient choisi d'aller chez elle et voir ce qu'ils savaient. C'était pas terrible, mais elle a gobé. Il s'avère qu'il n'y avait pas de jeunes. Et elle a bien une liste d'invités. Deux, en fait. Une de ceux qui étaient invités et une de ceux qui sont effectivement venus.

– Béni soit son petit cœur de grande maniaque, dit Cork.

– J'ai demandé si je pouvais y jeter un coup d'œil, espérant qu'il y aurait peut-être des parents de jeunes qui étaient à Valhalla cette nuit-là. Elle a accepté que je passe les prendre plus tard dans la matinée lorsqu'elle sera rentrée de chez son coiffeur.

– Je suis seul Chez Sam aujourd'hui. Ça va être dur de m'échapper. Si tu pouvais les apporter là-bas, on pourrait les étudier ensemble.

– Je crois que c'est faisable. »

Le téléphone se mit à sonner au moment où il ouvrait la porte de la hutte.

« Chez Sam. Ici Cork.

– Alors, quelles nouvelles de Nulle-Part, Minnesota ? »

Cork reconnut la gouaille irrévérencieuse de Boomer Grabowski.

« Comparé au bon vieux temps à South Side, c'est généralement plutôt calme, Boomer. Et de ton côté ?

– Pas à me plaindre. »

Boomer et Cork avaient été flics ensemble à Chicago, rattachés au même commissariat dans le South Side. Cork avait déménagé à Aurora de son plein gré. Boomer était parti aussi, forcé par les circonstances plus que par choix. C'était un grand type, d'une famille où les hommes avaient toujours travaillé dans les acieries. On aurait dit que son corps était lui-même en acier. Mais il n'était fait que de chair et de sang, et l'essentiel de sa jambe droite avait été écrasé lors d'un accident qui avait eu lieu pendant une course-poursuite après une attaque à main armée. Boomer avait été forcé de prendre sa retraite pour raisons médicales. Mais cela n'allait pas avec le tempérament de Boomer, et il avait ouvert sa propre agence.

« Comment ça va à Windy City ? demanda Cork.

– J'en sais rien. Je t'appelle de Miami. Je viens de vérifier mes messages au bureau et j'ai entendu ta voix vaguement familière.

– En vacances ?

– Tu plaisantes ? Pas le temps ! Alors, qu'est-ce qui se passe ? »

Cork le briefa sur Mal Thorne et lui demanda de vérifier les antécédents du prêtre. Tout ce qu'il pouvait trouver sur son époque à Chicago, et avant, si possible.

« Tu crois vraiment que ce prêtre a quelque chose à voir avec le meurtre de la fille ?

– J'explore juste toutes les possibilités, Boomer.

– Ouais. T'as toujours été dans le genre méticuleux, mon salaud. T'en as besoin pour quand ?

– Le plus tôt sera le mieux.

– Écoute, je suis là pour une semaine. Si tu veux que ce soit fait avant mon retour, je peux te recommander des gens.

– Je crois que ça va pouvoir attendre.

– Bon, voilà ce qu'on va faire. Je te rappelle dès que je suis de retour au bureau. Si tu tiens toujours à ce que j'm'y colle, j'te ferai cette fleur.

– Merci, Boomer.

– Remercie-moi quand j'aurai fait le boulot. Et une fois que tu auras vu la note ! »

Jo arriva un peu avant une heure, au moment où se terminait le coup de feu du déjeuner. Elle aida Cork à prendre les commandes tandis qu'il se chargeait du gril. À une heure et demie, la file d'attente avait disparu. Jo sortit de sa serviette la liste des invités des Lipinski et la donna à Cork. Il la posa sur le tabouret sur lequel les filles se perchaient parfois dans les moments de creux.

« Qu'est-ce qu'on cherche ? demanda Jo.

– Toute personne qui pourrait avoir eu un lien avec Charlotte.

– Quelqu'un de jeune ?

– Étant donné le genre de relation que nous envisageons, l'âge n'est probablement pas un facteur pertinent. »

Ils parcoururent la liste en silence. Le troisième nom avant la fin attira l'attention de Cork.

« Merde alors, dit-il.

– Quoi ?

– Arne et Lyla Soderberg.

– Et alors ?

– Réfléchis une minute. Tiffany et Charlotte étaient amies. Ou quelque chose qui y ressemble. Tiffany m'a dit que, comme Fletcher Kane se comportait bizarrement, chaque fois qu'elles organisaient une soirée pyjama, c'était chez Tiffany. Peut-être que quelque chose a démarré à partir de là.

– Arne Soderberg et Charlotte Kane ? »

Jo fit la grimace.

« Ce n'est pas tellement tiré par les cheveux, dit Cork. Écoute-moi. Le mariage de Lyla et Arne ne va pas bien. Ce n'est pas un secret. Lorsque le corps de Charlotte a été découvert à Moccasin Creek, j'ai bien vu le visage d'Arne. L'horreur incarnée. Je l'ai imputé au fait qu'il était novice à son poste de shérif. Mais si c'était le choc de voir le cadavre de quelqu'un avec qui il avait une liaison ? » Cork se leva, sentant le feu s'embraser dans ses tripes ; son instinct de chasseur s'était réveillé.

« Tu ne crois pas qu'Arne l'ait tuée ?

– Je ne sais pas. Ceci dit, il pouvait très bien être son amant.

– Et Fletcher Kane ?

– Je ne l'oublie pas. Mais il y a là une possibilité qu'il nous faut absolument creuser.

– La vérité, c'est que tu n'aimes pas Arne Soderberg, pas plus que tu n'aimes Fletcher Kane.

– Il y a beaucoup de gens que je n'aime pas. Pour autant, je ne les soupçonne pas tous d'être des criminels. Mais quelques réponses supplémentaires pourraient nous dire si nous sommes sur la bonne piste. »

Jo dit alors : « Et qu'est-ce qu'on fait, maintenant ?

– Je crois que tu devrais avoir une petite conversation avec Edith Lipinski, pour voir si elle se souvient d'avoir vu

Arne passer des coups de fil, si elle se rappelle quand il a quitté la soirée, quelque chose qui pourrait nous aider.

– Pour avoir ces listes, j'ai dû lui parler des appels passés depuis sa maison. Elle n'est pas idiote. Si je commence à l'interroger sur le shérif, elle sera capable de voir le rapport très rapidement. » Elle posa une main très légère sur son bras. « Cork, il faut que nous fassions attention. La ville est très divisée. Il y a des gens qui ont cessé de me parler, d'autres qui ne s'adressent plus la parole. J'ai des clients qui m'ont menacée de retirer leur dossier de mon cabinet.

– Tu as lutté pour les Ojibwes d'Iron Lake pendant des années. Ce n'est pas la première fois qu'on te menace.

– Ce n'est pas tant les menaces, peu importe. Je pense seulement qu'il faut que nous restions réceptifs aux vagues que nous provoquons. Si nous pointons des gens du doigt et que nous faisons erreur, nous risquons de blesser des innocents, et les gens ici s'en souviendront longtemps.

– Si nous baissons les bras, est-ce que nous ne nous en rappellerons pas plus longtemps encore ?

– Qui parle de baisser les bras ? Tout ce que je te demande, c'est de faire ce que tu as à faire le plus calmement possible.

– Je ne suis pas discret ?

– Chéri, quand tu attrapes quelque chose, tu te comportes comme un pitbull.

– Ah bon ? » Au fond, il se sentait un peu flatté. « D'accord. Mais il faut que nous agissions vite, Jo, avant qu'Arne ne se rende compte que nous l'avons dans le collimateur. Pendant que tu discutes avec Edith, je devrais peut-être parler à Lyla, discrètement, bien sûr, pour voir si je peux lui extorquer finement quelque chose d'utile. Comment trouves-tu mon plan ?

– Très bien », approuva-t-elle.

Cork ferma la fenêtre passe-plat et y colla le panneau FERMÉ.

Il partit vers le sud d'Aurora, puis prit la direction de l'ouest sur la County 7. Au bout de deux kilomètres, il parvint à un petit panneau qui disait WEST WIND GALLERY, 200 MÈTRES À DROITE. Il prit le virage et suivit l'allée de graviers entre les deux rangées de peupliers.

La West Wind Gallery était une ancienne grange qui avait été convertie en salle d'exposition pour les œuvres de Marion Griswold, une photographe professionnelle. De grands magazines comme *National Geographic* et *Outdoor Life* lui passaient souvent des commandes. Ses photographies, numérotées et encadrées, étaient vendues dans la galerie, qu'elle possédait avec son amie Lyla Soderberg, ainsi que dans d'autres galeries des Twin Cities et de Santa Fe. Ses travaux avaient été rassemblés et publiés dans des éditions luxueuses conçues pour donner une touche d'élégance à la plus ordinaire des tables basses. Un panneau pyrogravé accroché à côté de la porte indiquait que la galerie était ouverte de midi à dix-huit heures tous les jours sauf le mercredi.

Marion Griswold vivait dans une maison en bois de construction récente, à l'est de la galerie. C'était une jolie bâtisse à étage qui comportait un porche ombragé orné de géraniums. La Jeep Wagoneer couverte de poussière de la propriétaire était garée devant la maison. Cork s'était attendu à trouver la PT Cruiser dorée de Lyla Soderberg devant la galerie elle aussi, mais elle n'y était pas. Une petite cloche suspendue au-dessus de la porte tinta joliment lorsqu'il entra.

Une voix chantante lui parvint du fond. « Une minute. J'arrive tout de suite. »

Cork était le premier à avouer qu'il ne connaissait rien à l'art. Mais il savait ce qu'il aimait, et il aimait les photographies de Marion Griswold. Elle photographiait les Northwoods. Des torrents impétueux, des feuillages d'automne, des loups dont le souffle se cristallisait un jour de grand froid. Elle était capable de saisir ce que son cœur ressentait lorsqu'il était seul dans les bois, et, pour cette raison, il lui vouait une certaine admiration.

« Cork », dit-elle avec un sourire, en arrivant dans la pièce principale de la galerie. Ses cheveux noirs étaient coupés très court, ce qui, selon Cork, devait être un avantage lorsqu'elle était dehors, à arpenter le sous-bois à la recherche d'un bon sujet. Elle était maigre, bronzée, pleine d'une énergie à peine contenue. Elle portait un jean coupé, une chemise blanche avec un grand col et des baskets sans chaussettes. Elle avait dans les mains une grande photographie encadrée qu'elle posa contre le comptoir où se trouvait une caisse enregistreuse. « Cela fait un moment que je ne t'ai pas vu ici. Pas depuis que tu as acheté cette photo pour Jo. Elle lui a plu ?

– Elle est dans son bureau, et elle éblouit ses clients.

– Je suis ravie de l'entendre. Que puis-je faire pour toi ? Te proposer une autre photo ?

– Pas aujourd'hui, merci. Je suis à la recherche de Lyla. Je pensais qu'elle serait peut-être ici.

– Normalement, oui. Mais c'est la soirée de remise de diplôme de Tiffany ce soir, et elle avait des courses à faire. Elle a prévu un dîner pour l'occasion. Est-ce que je peux t'aider en quoi que ce soit ? »

Cork se souvint d'avoir vu le nom de Marion lorsque Jo et lui avaient parcouru la liste des invités.

« Peut-être, dit-il. Je voulais lui parler de la fête le soir du réveillon chez le maire, Mr Lipinski.

– La nuit où Charlotte a été tuée.» Elle lui lança un de ces regards qui signifiait qu'elle était peut-être jolie mais qu'elle n'était pas idiote.

«C'est exact. J'espère pouvoir aider Jo à mettre les événements de la nuit en perspective. J'essaie de découvrir si les parents dont les enfants étaient à Valhalla savaient que Charlotte donnait une fête.

– Pas Lyla, ça, je le sais. Elle pensait que sa fille était à une soirée pyjama. Ces filles sont malignes. Elle avait donné à Lyla un numéro de portable pour qu'elle puisse l'appeler ce soir-là. Tu sais à quel point les liaisons avec les portables sont compliquées, là-haut au cul du loup. Bien sûr, quand Lyla a appelé, il n'y avait pas de réseau, et c'était juste la faute de la technologie et de la profondeur des bois.»

Elle rit, une douce cascade fluide.

«Malignes, ces filles.

– Alors, Lyla n'a pas appelé directement à Valhalla?

– Elle n'avait aucune raison de le faire. Elle ne savait pas qu'elles étaient là-haut. Jusqu'au jour suivant, quand tout le monde s'est rendu compte de la disparition de Charlotte. C'est là que Tiffany a craché le morceau.»

Cork avança nonchalamment jusqu'au comptoir et examina la photographie encadrée que Marion avait apportée. C'était un ours en peluche dans un jardin.

«Tu donnes dans le domestique, maintenant? demanda-t-il.

– C'est un cadeau pour Tiffany, pour son diplôme. Cet ours, c'est son préféré. Je l'ai pris en photo dans le jardin de Lyla.

– Joli, fit Cork.

– Joli? L'art, c'est passionné, c'est touchant, c'est orgasmique. Mais l'art n'est jamais joli.

– Orgasmique?

– Tu n'imagines pas à quel point !

– Tu ne saurais pas quand Lyla et Arne ont quitté la soirée des Lipinski, par hasard ?

– Pour Arne, je n'en ai pas la moindre idée. Lyla, elle, est partie à dix heures et demie.

– Tu es sûre ?

– Sûre et certaine. C'est moi qui l'ai raccompagnée. » Marion recula d'un pas et, la tête penchée, contempla l'ours en peluche au milieu des fleurs de Lyla. « Elle et Arne avaient descendu un peu trop de punch de Will Lipinski et ils ont commencé à s'envoyer des trucs pas très gentils à la figure. Rien d'affreux, mais Lyla en a eu marre bien avant minuit. Au moment de partir, elle s'est aperçue qu'Arne avait confisqué les clés de sa voiture. Il a refusé de les lui rendre. Il disait qu'elle n'était absolument pas en état de conduire. Et franchement, il avait raison. Je lui ai proposé de la raccompagner.

– Chez elle ?

– C'est ce qu'elle voulait, mais j'ai vu à quel point elle était contrariée, alors on est venues ici, on a attendu minuit, et ensuite je l'ai ramenée.

– Et Arne a gardé la voiture ?

– Oui.

– À quelle heure as-tu déposé Lyla ?

– Minuit et quart, peut-être.

– Est-ce qu'Arne était rentré ?

– Je ne me rappelle pas avoir vu la voiture. Elle était peut-être dans le garage.

– Est-ce que les lumières étaient allumées dans la maison ?

– Non, je ne crois pas. » Elle mit ses poings sur ses hanches, plissa les yeux tout en examinant la photo et secoua la tête. « Joli ? »

Cork enchaîna :

« Photographier un ours en peluche, cela ne manque pas un peu d'intérêt, pour toi ? »

Marion le gratifia d'un sourire indulgent.

« Si on regarde la vie avec la bonne attitude, Cork, rien ne manque d'intérêt. »

Cork alla retrouver Jo à son bureau.

« As-tu obtenu quelque chose d'Edith ? demanda-t-il.

– Assez pour avancer. Lyla et Arne se sont un peu engueulés et ils ne sont pas rentrés ensemble.

– Je sais. Marion Griswold l'a raccompagnée. Arne a gardé la voiture.

– C'est Lyla qui te l'a dit ? »

Cork secoua la tête.

« Non, Marion. Qu'est-ce qu'Edith a dit d'autre ?

– Peu de temps après le départ de Lyla, Arne a présenté ses excuses et il est parti, lui aussi. Écoute ça, Cork. Elle a dit qu'Arne paraissait ailleurs, pas aussi souriant et chaleureux que d'habitude. Et il a demandé s'il pouvait se servir de son téléphone deux ou trois fois. Il a dit qu'il voulait joindre sa fille, mais son portable ne passait pas. Elle l'a emmené jusqu'au téléphone dans le bureau de son mari, un peu à l'écart de la fête.

– Marion dit qu'elle a déposé Lyla chez elle un peu après minuit. Elle n'a rien vu qui laissait supposer qu'Arne était déjà rentré.

– OK. » Jo joignit les mains et inclina un peu la tête, plongée dans ses réflexions. « Arne a quitté la maison des Lipinski peu avant onze heures. Il y a une bonne demi-heure de route jusqu'à Valhalla. Vers onze heures trente, Charlotte a dit aux gens qu'elle sortait faire une balade en motoneige. Mais elle est probablement allée jusqu'à la maison des invités pour retrouver son amant.

– Arne.

– Peut-être. J'ai à nouveau relu les déclarations de tous les jeunes présents à Valhalla ce soir-là. Sid Jankowski et Evelyn Fowley ont dit que lorsqu'ils sont allés à la maison des invités un peu après une heure "pour être un peu seuls", ils ont entendu la motoneige démarrer, et Charlotte n'était pas à l'intérieur quand ils y sont arrivés.

– La chronologie colle, Jo.

– Tout ce que nous avons, ce sont des preuves indirectes, Cork.

– Pas tout. Nous avons un atout. Les poils pubiens que le labo a trouvés sur le corps de Charlotte. Et s'ils correspondaient à ceux de Soderberg ?

– À moins que nous arrivions à prouver qu'Arne était à Valhalla cette nuit-là, je ne crois pas que nous ayons assez d'éléments pour l'obliger à se soumettre à un test ADN. » Pendant une minute, Jo regarda par la fenêtre. Puis ses yeux bleus s'écarquillèrent et elle dit : « Mon Dieu !

– Quoi ?

– Tiffany Soderberg. »

Jo attrapa une pile de dossiers sur un coin de son bureau. Elle ressemblait à celle qu'elle avait emportée dans leur lit la veille au soir. Elle les feuilleta rapidement, trouva le dossier qu'elle cherchait et l'ouvrit. Elle tourna quelques pages et parcourut le texte.

« La voici. Dans sa déclaration, Tiffany a dit qu'elle est arrivée à la fête tôt, vers neuf heures, et qu'elle a été conduite à Valhalla puis raccompagnée par Lucy Birmingham. Elle n'a pas pris le volant elle-même. »

Jo leva la main, faisant signe à Cork d'être patient. Elle repéra un autre dossier et tourna les pages, trouva ce qu'elle cherchait. Son doigt suivait les lignes.

« Dans sa déclaration, un jeune homme du nom de Peter Christiansen dit qu'il n'est pas arrivé à Valhalla avant onze heures. Il n'avait pas l'intention de rester longtemps. Vers minuit et quart, il a essayé de partir, mais il n'a pas pu parce que sa voiture était bloquée par celle de Tiffany Soderberg. Il est retourné à l'intérieur chercher Tiffany, sans parvenir à la trouver, a bu une autre bière, et lorsqu'il est ressorti, la voiture avait disparu, et il a pu partir. » Jo leva les yeux vers Cork. « Si Tiffany n'est pas montée là-haut en voiture, pourquoi a-t-il pensé que c'était sa voiture qui bloquait la sienne ? »

Cork réfléchit un moment.

« Parce que c'était visiblement un véhicule des Soderberg.

– Et lequel des véhicules des Soderberg est vraiment spécial ?

– La PT Cruiser dorée de Lyla.

– Trouvons ce Peter et assurons-nous que c'est bien de cette voiture qu'il s'agit.

– Et après ?

– Après, on va voir Arne et, si nécessaire, on sort notre atout. »

Ils localisèrent Peter Christiansen à la marina d'Iron Lake, où il avait un job d'été. Une fois qu'il eut confirmé l'information dont ils avaient besoin, ils prirent la direction du bureau du shérif et interceptèrent Soderberg juste au moment où il quittait les lieux. Il paraissait particulièrement pressé.

« Déjà l'heure de rentrer ? fit Cork en jetant un coup d'œil ostentatoire à sa montre.

– Ma fille reçoit son diplôme ce soir, O'Connor.

– Vous donnez une grande fête ? demanda Jo.

– Lyla a prévu un dîner. Alors, peu importe ce que vous voulez, il va falloir que ça attende demain.

– Je ne crois pas que ça puisse attendre», dit Cork.

Jo effleura le bras de son mari.

«Bien sûr que ça attendra. Félicitez Tiffany pour nous et dites-lui que nous lui souhaitons bonne chance. Nous reviendrons vous parler demain matin.»

Après le départ de Soderberg, Cork se tourna vers Jo.

«Mais pourquoi t'as fait ça?

– Si c'est lui, dit Jo, c'est peut-être le dernier moment agréable que sa famille et lui vont pouvoir passer ensemble avant longtemps. On peut attendre jusqu'à demain, non?»

Ils quittèrent le bureau du shérif. Dans le parc de l'autre côté de la rue, la foule s'était considérablement réduite, avec la chaleur estivale. Quelques couvertures étaient encore étendues sur le sol à l'ombre des arbres. Un gros radiocassette émettait de la musique, mais le volume était faible. Un ballon rouge gonflé à l'hélium s'était échappé et sa ficelle était entortillée dans les branches d'un érable. Cork regarda le ballon osciller doucement au bout de son fil. La fin de l'après-midi était immobile, comme un souffle retenu. Tous, tous ceux qui attendaient dans le parc, espérant un miracle qui les libérerait de leurs propres entraves, quelles qu'elles soient, regardaient vers la prison où était enfermé Solemn Winter Moon.

«Viens, dit Jo. Rentrons à la maison.»

26

Arne Soderberg, une tasse de café à la main, arborait une expression de contentement béat. Une tranche du soleil matinal, d'un jaune citron, dessinait une bande sur son bureau. Des effluves du parfum frais des pins entraient par la fenêtre. On était le lendemain du jour où sa fille unique était montée sur la scène de la salle des fêtes du lycée pour y recevoir son diplôme et Soderberg paradait, arborant sa satisfaction comme un nouveau costume.

Cork était presque désolé de ce que Jo allait mettre sur la table.

« Alors, qu'est-ce qui se passe ? » demanda le shérif.

À la demande de Jo, Gooding était présent dans la pièce. Il était adossé contre une armoire de classement, les bras croisés. Jo et Cork étaient assis sur des chaises, la grande surface polie du bureau du shérif les séparant de Soderberg.

« J'essaie de comprendre les communications entre les enfants qui étaient à Valhalla le soir de la Saint-Sylvestre et leurs parents », dit Jo.

Soderberg parut déconcerté.

« Dans quel but ?

– Tous les détails que nous apprenons sur cette nuit-là nous aident à la mettre en perspective. Je me pose des questions sur Tiffany.

– Lesquelles ?

– Saviez-vous qu'elle était à Valhalla ?

– Non.

– Vous ne l'avez pas appelée pour savoir où elle se trouvait ?

– Pourquoi l'aurais-je fait, si je ne savais pas qu'elle était à Valhalla ? Elle était censée être chez Lucy Birmingham.

– Vous, vous étiez à la fête de réveillon chez les Lipinski, c'est bien ça ?

– Oui.

– Vous n'avez pas essayé d'appeler Tiffany de là-bas ? Je veux dire, essayé de l'appeler chez les Birmingham ?

– Non.

– Edith Lipinski dit que vous avez demandé à vous servir de son téléphone. Vous lui avez dit que vous vouliez voir où était votre fille et que votre portable ne trouvait pas de réseau.

– C'est peut-être vrai. J'ai un peu bu ce soir-là. Je ne me rappelle pas vraiment de tout.

– Je peux imaginer comment ça se passe, lors d'une réception comme celle-là. Avez-vous appelé directement la maison des Birmigham ?

– Je ne me souviens pas.

– Si vous aviez appelé la maison des Birmingham directement, vous auriez découvert que Tiffany n'y était pas, n'est-ce pas ?

– J'imagine que oui.

– Donc, ce n'était peut-être pas Tiffany que vous avez appelée ? »

Le shérif ne répondit pas.

« Je me suis dit que c'était peut-être Lyla que vous essayiez de joindre.

– Lyla ?

– Edith m'a dit que vous vous étiez un peu chamaillés et que Lyla était rentrée tôt. J'ai pensé que peut-être vous aviez appelé pour vous excuser, mais je n'ai pas voulu en parler à Edith. »

Soderberg réfléchit un moment.

« C'était sûrement ça.

– Vous l'avez appelée à la maison ? »

Soderbeg choisit ses mots avec soin.

« C'est sans doute ce que j'ai fait.

– Et vous avez résolu la chose, j'espère. Cork et moi, nous avons une règle. » Elle regarda son mari en souriant. « Nous essayons de ne jamais être en désaccord lorsque nous allons nous coucher. Edith a dit que vous aviez quitté la fête peu de temps après Lyla, un peu avant onze heures. Alors, vous êtes rentré en pensant toujours que Tiffany était chez les Birmingham ? »

Soderberg confirma d'un hochement de tête.

« OK. Lyla a quitté la réception à dix heures trente. Elle s'est fait conduire par Marion Griswold parce que vous pensiez qu'elle avait trop bu pour pouvoir conduire. Vous avez gardé la voiture, cette splendide PT Cruiser, c'est ça ?

– Je croyais que nous parlions de Tiffany ?

– J'y arrive. Vous avez gardé la PT Cruiser ? »

Soderbeg hésita.

« C'est exact.

– Vous avez quitté la fête à onze heures, et après ? Êtes-vous rentré directement chez vous ? »

Son regard s'appesantit sur Jo un moment, puis il dit :

« Je crois que notre entretien s'arrête ici.

– Encore deux ou trois choses. Vous avez dit à Edith Lipinski que vous aviez besoin de son téléphone pour appeler Tiffany, mais vous n'avez pas appelé Tiffany, n'est-ce pas ? Et ce n'était pas Lyla que vous avez appelée. Elle n'était pas à la maison. Elle était chez Marion Griswold. Pourquoi mentez-vous sur les appels que vous avez passés ?

– Je vous demande de quitter mon bureau, dit Soderberg.

– Les relevés téléphoniques indiquent que deux appels ont été passés à Valhalla depuis la maison des Lipinski la nuit où Charlotte est décédée. Je crois que c'est vous qui avez passé ces appels. Vers onze heures, vous avez quitté la réception et vous êtes allé à Valhalla. Nous avons un témoin qui dit avoir vu la PT Cruiser à Valhalla aux environs de cette heure-là. Pourquoi étiez-vous là-bas ? Je crois que vous aviez une liaison et des relations sexuelles avec Charlotte Kane. Je pense que vous aviez une liaison avec elle depuis un bon moment.

– C'est ridicule, dit Soderberg.

– Je crois aussi qu'il est possible que vous ayez tué Charlotte Kane et disséminé des indices qui conduiraient à Solemn Winter Moon. Étiez-vous fâché contre Charlotte parce qu'elle sortait avec Winter Moon ? Ou Charlotte vous avait-elle menacé de tout révéler sur vous, le shérif nouvellement élu du comté de Tamarack ? »

Gooding décroisa les bras lentement. Son regard alla se poser sur le visage du shérif.

Le frêle esquif qui contenait la joie béate de Soderberg ce matin-là avait volé en éclats. Le bonheur avait totalement disparu de son visage et il paraissait abasourdi.

« J'ai tué Charlotte ? » Il fronça les sourcils. « Peut-être que j'ai aussi kidnappé le bébé des Lindbergh ?

– Nous pouvons prouver l'essentiel de ce que nous avançons.

– Comment ?

– En comparant votre ADN avec celui qui a été prélevé sur les poils pubiens trouvés sur le corps de Charlotte lors de l'autopsie.

– C'est ridicule.

– Vraiment ? Vous n'avez jamais pris la peine d'élargir votre enquête au-delà de Solemn Winter Moon. C'était parce que vous redoutiez qu'on trouve des preuves qui vous incriminent.

– Foutaises.

– Est-ce que Charlotte vous a menacé de tout dire ? Est-ce la raison pour laquelle vous l'avez tuée ?

– Je ne l'ai pas tuée.

– Ou étiez-vous juste aveuglé par la colère parce qu'elle avait été avec Solemn, qu'elle l'avait laissé la toucher de la même manière que vous l'aviez touchée ?

– Gooding, faites sortir ces gens de mon bureau. »

L'adjoint ne broncha pas.

« Vous étiez à Valhalla ce soir-là, dit Jo. Vous aviez l'occasion et un mobile.

– Non.

– Vous vous êtes servi de votre position de shérif pour vous protéger.

– Non.

– Vous étiez amoureux de Charlotte Kane. »

Il ouvrit la bouche mais la dénégation expira avant même d'avoir franchi ses lèvres. Ce fut le moment où Cork comprit que Soderberg craquait, le moment où Jo fit mouche. Soderberg se leva, posa ses mains sur son bureau et s'appuya pour se pencher comme un arbre sur le point de tomber.

« Sortez de mon bureau.

– Je me prépare à demander à la cour qu'elle vous oblige à vous soumettre à un test d'ADN.

– Je refuse. »

Elle ouvrit sa serviette.

« Voici votre exemplaire de la motion. Elle présente tous les indices et le raisonnement. Lorsque je sortirai d'ici, j'irai directement au bureau du procureur et j'en donnerai une copie à Nestor Cole. De là, j'irai au tribunal pour déposer la motion et demander qu'on fixe la date de l'audience. Je ne bluffe pas. Ça va être révélé au grand jour, et ça va être vilain, Arne. Pourquoi ne réglons-nous pas la chose maintenant ?

– Je n'ai rien à vous dire, répondit-il d'une voix rauque. Adjoint Gooding, je vous ai demandé de faire sortir ces gens. »

Jo se leva.

« Nous partons, mais nous reviendrons, Arne. Pendant notre absence, prenez quelques minutes et réfléchissez. Et trouvez-vous un avocat. »

Elle tourna les talons et sortit. Cork lui emboîta le pas et ferma la porte derrière lui.

Une fois sorti du bureau, il demanda :

« Et maintenant ?

Maintenant, je mets ma menace à exécution.

– Pour le moment, tout ce que nous avons, ce sont des spéculations.

– Non, nous mentionnons un certain nombre de faits incriminants à partir desquels des suppositions très raisonnables peuvent être formulées. » Elle jeta un coup d'œil à la porte fermée. « Peut-être qu'il a tué Charlotte, peut-être pas. Mais de tout le reste, il est aussi coupable qu'on puisse l'être, je le sais.

– As-tu besoin de moi ?

– Non.

– Crois-tu que nous devrions informer Solemn de ce qui se passe ?

– Je ne vois pas de raison de ne pas le faire. Les enjeux sont pour lui bien plus élevés que pour n'importe qui d'autre. Tu veux bien lui parler ?

– Bien sûr. » Cork lui effleura la joue. « Est-ce que je t'ai déjà dit à quel point j'étais heureux que tu sois de notre côté ? »

Cork passa un long moment avec Solemn pour tout lui expliquer dans le détail. À la fin, Solemn parut troublé par les nouvelles. Il se leva dans la salle d'interrogatoire, alla jusqu'à la porte et posa ses deux mains bien à plat sur le battant. Il se pencha jusqu'à ce que son front s'y colle aussi. Il paraissait chercher ses repères dans la dure réalité de la prison.

« Tu penses qu'il l'a tuée ? demanda-t-il.

– Mon intuition me dit que non », répondit Cork.

Solemn baissa les yeux vers les chaussures de sport grises usées par tous les pensionnaires de longue durée du comté.

« Bon. Ça va peut-être être bon pour moi, mais j'imagine que ça va pas mal foutre la merde dans la vie du shérif Soderberg.

– Oui, j'imagine. »

Il le voyait déjà. Cork vit Lyla, un fruit désséché, vidé de toute sa compassion. Et il vit Arne arpentant les rues d'Aurora, un homme que les gens feraient semblant de ne pas voir.

« Il n'a jamais eu l'air très heureux, dit Solemn. Je ne peux pas m'empêcher d'être triste pour lui. » Il se tourna vers Cork. « Est-ce qu'il est croyant ?

– Pas plus que la plupart des gens, j'imagine.

– Je vais prier pour lui. » Il retourna à sa chaise et s'assit, les mains jointes sur les genoux. « Je vais toujours avoir un procès ?

– On va vérifier ça. » Cork fit un signe à Pender, qui était de garde aux cellules ce jour-là. « Si j'étais toi, Solemn, je prierais un peu pour moi. »

Solemn leva ces deux puits d'un brun profond qu'étaient ses yeux vers lui.

« Certains jours, je ne fais rien d'autre. Cela va m'aider, de prier pour quelqu'un d'autre. » Il hésita, comme s'il était réticent à poursuivre. « Merci pour tout ce que vous faites. Mais...

– Quoi ?

– Certaines choses secrètes devraient peut-être le rester.

– Parfois, Solemn, nous nous contentons de soulever des pierres. Et nous trouvons des choses en dessous. »

En sortant du département, Cork passa devant la porte ouverte du bureau du shérif. Soderberg n'était pas là. Gooding vint le rejoindre.

« Le shérif a reçu un appel du procureur du comté il y a quelques minutes, dit Gooding. Il a filé tout de suite après. Écoute, Cork, même si tu pouvais prouver qu'il était avec Charlotte cette nuit-là, cela ne veut pas dire qu'il l'a tuée.

– Peut-être pas, mais cela va semer un sacré doute dans la tete du jury. On se revoit plus tard, Randy. »

Une fois arrivé sur le parking, il monta dans sa Bronco. Il était encore tôt, mais le soleil était déjà chaud. Il descendit les vitres et laissa entrer l'air. Il était sur le point de démarrer lorsqu'il aperçut Arne Soderberg assis dans sa BMW, le regard fixe. L'aile du bâtiment dans laquelle était hébergé le prisonnier était en face de lui, et il semblait avoir le regard fixé sur le sinistre mur de briques. Cork l'observa quelques minutes ; puis Soderberg démarra et sortit du parking.

Le shérif roulait lentement. Au carrefour de Fourth et Holly, il grilla un stop. Pas à grande vitesse, mais il le franchit comme s'il ne l'avait pas vu du tout. Il sortit des limites de la ville et prit North Point Road. Il s'engagea dans l'allée devant sa maison, sortit de sa voiture et rentra chez lui. Cork passa lentement devant la maison, parcourut encore une centaine de mètres, fit demi-tour, se gara et attendit.

Moins de cinq minutes plus tard, Soderberg réapparut. Il sortit de l'allée et repartit vers Aurora. Il évita Oak Street, le palais de justice du comté, resta à bonne distance du département du shérif et continua vers le sud. Tout au bout de la ville, il prit Lakeview Road et remonta la colline vers le cimetière.

À cette heure de la matinée, les lieux étaient presque déserts. Juste après la grille, Cork vit Gus Finlayson, le gardien, debout dans l'ombre fraîche d'un grand érable ; il jetait des outils dans une petite remorque accrochée à un motoculteur John Deere. Finlayson fit un salut de la main quand il vit passer Cork. Loin devant, la BMW s'arrêta sous un tilleul familier et Arne Soderberg sortit. Le temps pour Cork de garer sa Bronco derrière lui, Soderberg était déjà au pied de la colline, devant la tombe de Charlotte.

Pendant un long moment, Cork resta assis dans sa voiture. Il regarda Soderberg fumer une cigarette, puis en allumer une seconde. Il se souvint du merveilleux parfum qui avait rempli le cimetière le jour où les pétales de roses étaient apparus. Maintenant, l'air embaumait l'herbe d'été fraîchement coupée, une odeur agréable, mais rien à voir avec un miracle. Au bout d'un moment, Cork sortit et descendit la colline.

Soderberg le vit arriver.

« Vous n'avez pas fait assez de dégâts comme ça, O'Connor ? Mais foutez-moi la paix, à la fin. »

Cork contempla l'immense monument de marbre érigé à la mémoire de Charlotte.

« C'était une très jolie jeune femme, Arne.

– Vous n'en avez pas la moindre idée.

– J'imagine que non. » Il laissa passer quelques respirations. « Ce jour-là, à Moccasin Creek, lorsque vous avez vu son corps, cela a dû être très dur pour vous. Vous ne saviez pas qu'elle était là, n'est-ce pas ? »

Des volutes de fumée s'échappaient des lèvres de Soderberg, caressaient ses joues et ses cheveux, avant de se détacher de lui et de s'envoler paresseusement.

« Elle était vivante lorsque j'ai quitté Valhalla. »

Cork hocha la tête.

« Le problème est bien là. Il n'y a aucun moyen pour vous de le prouver. »

Soderberg plongea la main dans sa poche et sortit un bout de papier. Sans un mot, il le tendit à Cork.

C'était un reçu attestant l'achat de 51,40 litres d'essence, payés avec une carte de crédit, signé de la main de Soderberg. Elle avait été imprimée au Food-N-Fuel à 1 h 27 du matin le 1er janvier.

Soderberg dit :

« J'étais à Aurora lorsque Charlotte a été tuée. C'était Winter Moon. Je sais que c'était ce fils de pute. »

Cork lui rendit le reçu.

« Qu'est-ce que vous allez faire, Arne ? »

Soderberg leva les yeux, les plissa dans la lumière du soleil. Son visage était creusé de sillons profonds, comme une pierre plate fracturée par des coups de marteau.

« C'est drôle comme le vent tourne. Hier, je tenais le monde entier par les couilles.

– Laissez-moi vous poser une question, dit Cork. Les pétales de roses, Memorial Day. J'y ai beaucoup réfléchi, et encore plus à la lumière de ce que Charlotte et vous, vous partagiez. Je me suis dit que c'était vous. Une espèce de grand hommage. Vous avez utilisé l'entreprise Soderberg Transport et la clé du cimetière confiée au département. Tout ça pour Charlotte. Un hommage tout à fait étonnant. J'ai raison ?

– Allez donc au diable », répondit Soderberg. Il jeta son mégot de cigarette, qui rebondit plusieurs fois, lâchant de la fumée et des éclats rougeoyants, jusqu'à ce qu'il tombe sur la pierre tombale voisine et explose en une gerbe d'étincelles. « Allez au diable et brûlez-y, espèce de salopard de fouille-merde. »

27

Cork trouva Jo dans son bureau.

« Alors ? fit-il.

– J'ai déposé la motion. Tout va être déballé sur la place publique. »

Cork s'assit.

« Je viens de parler à Arne Soderberg. En gros, il admet la liaison avec Charlotte, mais il insiste sur le fait qu'il ne l'a pas tuée.

– Tu le crois ?

– Il s'avère qu'il a un alibi. Et, oui, je le crois. »

Jo ramassa un trombone sur son bureau et se mit à le tripoter.

« J'ai beaucoup réfléchi.

– Tu ne devrais pas te torturer de la sorte. »

Il sourit ; pas elle.

« Réfléchi à quoi ?

– Je n'aime pas cette idée, mais je pense qu'Arne n'est peut-être pas le seul Soderberg auquel nous devrions nous intéresser. »

Cork réfléchit à cette implication et se pencha en avant, les bras calés sur le bureau de sa femme.

« Lyla. »

Jo haussa les épaules.

« Elle a quitté la fête des Lipinski tôt. Et si elle était au courant de la liaison, elle avait un mobile.

– Marion Griswold a dit qu'elle l'a déposée aux environs de minuit. J'imagine qu'elle a eu le temps de monter en voiture jusqu'à Valhalla avant que Charlotte ne soit tuée. »

En tripotant le trombone, Jo l'avait complètement déformé. Cork constata que désormais il ressemblait au chiffre huit. Ou au symbole de l'infini.

« Nous devrions probablement parler à Lyla. Mais... » Elle hésita. « Je ne sais pas. Si elle est innocente, si elle n'était pas au courant de la liaison de son mari, je trouve cruel de la harceler.

– Quelques questions judicieusement formulées et nous arriverons peut-être à calmer le jeu très rapidement. »

Jo leva les yeux.

« Qu'est-ce que ton intuition te dit sur ce coup-là ?

– Qu'elle se sentira mieux une fois que je lui aurai fourni quelques réponses.

– La mienne aussi, je dois dire. »

Elle jeta le trombone dans la corbeille à papier à côté de son bureau.

Lorsque Cork se gara devant la maison des Soderberg, il constata que la BMW d'Arne n'était pas là, ni la PT Cruiser de Lyla. Mais il vit une petite Miata rouge. Tiffany était en train de la laver. Elle portait un short en jean et un T-shirt violet à l'effigie des Minnesota Vikings. Un seau d'eau savonneuse était posé par terre. Le tuyau d'arrosage, partant d'un robinet sur le côté de la maison, serpentait sur la pelouse ; à son extrémité était fixé un ajutage en laiton, pour le moment fermé. Tiffany se pencha sur la voiture, une grosse éponge jaune à la main, et entreprit de savonner le capot. Lorsqu'elle aperçut Cork et Jo, étonnamment, elle sourit. Cork n'avait jamais eu la chance de bénéficier d'un tel accueil.

«Jolie», dit-il. Il posa une main sur la petite voiture de sport.

Elle rayonnait.

«Mon cadeau de fin de lycée.

– Félicitations, dit Jo.

– Merci.

– Est-ce que ta maman est à la maison ?

– Non.

– Aurais-tu une idée de l'endroit où nous pourrions la trouver ?

– Elle est partie à la galerie.» Ses yeux revinrent se poser amoureusement sur sa Miata.

«C'est mercredi, dit Cork. La galerie est fermée.

– Je ne fais que vous répéter ce qu'elle m'a dit.

– Merci.» Cork commença à s'éloigner, puis revint sur ses pas et lui demanda, l'air de rien. «Tu as vu ton père, récemment ?

– Non, il est probablement au boulot.

– Bien sûr.»

Une fois qu'ils furent remontés dans la Bronco, Jo contempla longuement la jeune femme.

«Bon sang, je me sens si mal pour elle. Elle n'a pas la moindre idée de ce qui se passe.

– Je ne sais pas, dit Cork. Lorsque le scandale va éclater, elle ne sera peut-être pas très étonnée.»

À la West Wind Gallery, ils trouvèrent la voiture de Lyla et la Jeep Wagoneer couverte de boue de Marion Griswold. Cork rangea sa Bronco à côté des deux autres véhicules. Jo essaya d'ouvrir la porte de la galerie et la trouva fermée. Ils allèrent jusqu'à la maison, montèrent sur le porche. Cork frappa à la porte, attendit, frappa à nouveau.

C'est alors que retentit le cri.

Il venait du sud, d'un épais bosquet de pins rouges. Cork bondit du porche et se mit à courir, Jo sur ses talons. Il vit un étroit sentier serpenter entre les arbres et il prit cette direction. Il atteignit les pins au moment précis où un autre cri déchirait l'air du matin.

À l'endroit où le sentier s'arrêtait, une bonne centaine de mètres plus loin, Cork vit un fragment bleu éclatant ; il savait que c'était Little Otter Lake. C'était une petite étendue d'eau, mais Griswold possédait tout le terrain qui l'entourait et le lac lui appartenait. Il courut de plus belle, sans savoir dans quoi il se jetait, l'adrénaline lâchée dans ses veines. Il regrettait de ne pas avoir son arme, et de ne pas avoir dit à Jo de rester où elle était. Dieu seul savait ce qui les attendait.

Il ralentit brusquement avant de sortir du couvert des arbres. Il vit un vieux ponton en bois fixé au rivage, qui surplombait le lac. À l'extrémité du ponton se tenait une femme nue ; elle était très belle, mince et si bronzée que sa peau était de la même couleur que le cuir de daim.

Il y eut un bruit d'éclaboussures dans le lac, une mousse d'écume blanche à quelques mètres du ponton. Quelques secondes plus tard, une tête remontait à la surface, crachant un petit jet d'eau qui monta vers le ciel.

Jo était debout à côté de Cork ; ils regardèrent tous les deux Lyla Soderberg remonter sur le ponton, nue, hilare. Elle enlaça Marion Griswold et elles s'embrassèrent. Mais l'instant d'après, Lyla poussa Marion, qui tomba dans l'eau. À l'instant où la femme toucha l'eau dans une grande gerbe d'éclaboussures, Lyla laissa échapper un cri de plaisir.

Cork et Jo retournèrent vers la maison. Ils s'assirent sous le porche où les géraniums fleurissaient dans leurs pots et, pendant un moment, ils se turent.

«Je crois que c'est la première fois que j'entends Lyla rire, dit enfin Cork.

– C'est la première fois que je la vois heureuse.» Jo tapota un pot de géraniums, qui se balança lentement, projetant une ombre qui passait et repassait sur la sienne.

«Tu veux qu'on s'en aille ? demanda Cork.

– Non.»

Moins d'une demi-heure plus tard à peine, les deux femmes arrivèrent par le sentier entre les pins. Elles étaient habillées mais n'avaient pas complètement séché ; il y avait des endroits où le chemisier en soie de Lyla collait à son corps et laissait deviner sa peau rose.

Lyla eut un mouvement d'hésitation lorsqu'elle vit Cork et Jo, mais Marion s'avança en souriant.

«Ça fait longtemps que vous attendez ? demanda-t-elle.

– Quelque temps, dit Jo. Comment était l'eau ?

– Rafraîchissante au plus haut point.» Marion leva un sourcil interrogateur. «Vous devriez peut-être essayer de piquer une tête, un jour.»

Lyla s'arrêta au pied des marches du porche et leva les yeux. Tout le rire avait disparu de son être.

«Que voulez-vous ?

– Juste poser quelques questions, dit Jo.

– Je ne suis pas d'humeur à répondre.

– La Saint-Sylvestre, dit Jo. Lorsque vous et Marion avez quitté la réception des Lipinski ensemble, où êtes-vous allées ?»

Marion dit :

«Je l'ai déjà dit à Cork. Elle est venue ici.»

Jo reprit :

« C'est bien cela, Lyla ?

– C'est exact.

– Est-ce que vous pouvez le prouver, l'une ou l'autre ?

– Pourquoi devrions-nous prouver quoi que ce soit ? demanda Marion.

– Le nom de Lyla a été cité en lien avec le meurtre de Charlotte Kane, dit Jo.

– Mon nom ? Mais c'est ridicule ! Pourquoi donc ? »

Jo lança un coup d'œil à Cork. Il hocha la tête.

« Parce que votre mari avait une liaison avec elle, dit Jo.

– Avec... avec cette fille ? Je ne vous crois pas.

– Il a pratiquement avoué », dit Cork.

Marion laissa échapper un petit rire méchant.

« C'était une jolie petite nana. J'lui tire mon chapeau.

– Donc, vous voyez, ce n'est pas si ridicule, dit Jo. Tuer la maîtresse de son mari, c'est un mobile qui tient debout.

– Seulement quand on aime son mari, dit Marion. Lyla, dis-leur donc ce que tu ressens pour ce vieux Arne. Et peut-être, tant que tu y es, ce que tu ressens pour moi. »

Lyla lui lança un regard horrifié.

« Détends-toi, chérie. Ces gens ne sont pas complètement idiots. » Marion monta les marches et s'assit dans un des fauteuils en bois installés à l'ombre. « Comme je te l'ai déjà dit, Cork, nous étions ici. Une petite fête du nouvel an dans l'intimité. Juste nous deux.

– Tu m'as dit que tu as ramené Lyla un peu après minuit. »

Marion gratifia Cork d'un sourire qui exprimait l'innocence personnifiée.

« Je crains de t'avoir un peu menti, un tout petit peu. Je ne voulais pas faire de vagues. En fait, il était trois heures du matin. Et je suis prête à le jurer devant une cour.

– Est-ce vrai, Lyla ? » demanda Jo.

Le regard de Lyla passa de Marion à Jo. Elle hocha la tête sans un mot.

Jo conclut :

« Bon, très bien. »

Les jambes de Lyla parurent se dérober sous elle, et elle s'assit soudain sur les marches. Elle détourna les yeux de tout le groupe ; son regard traversa les géraniums suspendus, les pins qui cachaient le petit lac où elle riait, quelques minutes auparavant.

« Charlotte Kane et Arne », dit-elle à mi-voix.

Elle ne riait plus du tout.

28

Il était presque l'heure de fermer Chez Sam ce soir-là lorsque Cork reçut un appel de Jo. Oliver Bledsoe venait de passer la voir pour l'informer que les Ojibwes d'Iron Lake avaient décidé de payer la caution de Solemn.

Quelques minutes plus tard, Bledsoe en personne arriva dans sa Pathfinder grise, sortit et passa la tête par la fenêtre passe-plat.

« T'as une minute, Cork ? »

Annie rangeait et elle dit à son père qu'il pouvait y aller. Cork sortit et fit quelques pas avec Bledsoe jusqu'au bord du lac. L'eau et le ciel étaient identiques : noirs à l'est mais argentés le long du rivage ouest où pointaient les dernières lueurs du jour. La respiration de l'air était suspendue, l'eau était d'un calme absolu.

Bledsoe portait un pantalon noir, une chemisette blanche et une cravate-lacet ornée d'une attache en turquoise. Ses cheveux, comme la nuit, étaient un mélange de noir et d'argenté. Il fourra ses mains dans ses poches et contempla l'eau.

« J'ai été autorisé à régler la caution de Solemn.

– Je sais. Jo m'a appelé. Quand vas-tu le faire ?

– Nous aurons l'argent demain. »

De l'argent du casino. Cork le savait. Il se demanda si les nouvelles concernant Soderberg leur étaient parvenues, et si c'était la raison de ce retournement.

« Pourquoi ? demanda-t-il.

– Le soutien à Solemn est important dans la réserve, avec ces miracles, et tout.

– Tu n'as pas l'air convaincu.

– Je connaissais son oncle. C'était le meilleur homme que j'aie rencontré de toute ma vie. Solemn, je le connais de réputation seulement, et on ne peut pas franchement dire qu'elle soit bonne. » Bledsoe haussa les épaules. « Toutes ces années passées sur Franklin Avenue, à écouter les histoires d'ivrognes, Shinnobs ou pas, ont peut-être fait de moi un incrédule concernant ce genre de choses. Je ne peux pas m'empêcher de penser que Solemn a fait une entourloupe quelconque. » Il lança un coup d'œil à Cork. « Mais tu le connais mieux. Quel est ton avis ?

– Il n'a jamais prétendu avoir joué un rôle dans ces miracles. Il prétend simplement qu'il a parlé avec Jésus.

– Personne ne me demande mon avis, c'est vrai, mais je dirais que ce serait une bonne chose de rester un peu sceptique quant à Solemn. » Il se retourna vers le parking. « Si cela ne te fait rien, je voudrais que tu sois présent demain lorsqu'il sera libéré. Cela pourrait bien faire du grabuge. »

Cork approuva d'un signe de tête.

« Tu me diras à quelle heure. »

En rentrant à la maison ce soir-là, avec Annie assise à côté de lui, il repensa à ce que Bledsoe avait dit. Que c'était une bonne idée de rester un peu sceptique quant à Solemn. Cork retourna un peu ce conseil dans sa tête.

Il avait découvert qui était l'amant marié de Charlotte, mais il ne pensait pas avoir trouvé son meurtrier. Pour le moment, il n'avait pas de suspect évident. À part Solemn. Qui avait un mobile, une occasion, pas d'alibi, et vers lequel beaucoup d'indices semblaient converger. Cork se demanda s'il avait tout simplement été trompé. Était-il possible qu'il se soit permis de croire ce qu'il préférait croire, contre toutes les preuves du contraire ?

« Tu es bien silencieux, dit Annie.

– Je réfléchis, c'est tout », répondit Cork.

Comme un flic, se dit-il, maussade.

Bledsoe appela tôt le lendemain matin et parla à Jo avant son départ pour le bureau. L'idée était de déposer la caution à dix heures de façon à ce que Solemn soit libéré bien avant midi, l'heure à laquelle généralement la foule massée dans le parc commençait à grossir. Bledsoe espérait convaincre le shérif de l'aider à exfiltrer Solemn avec le minimum de publicité.

Dorothy Winter Moon attendait déjà au bureau du shérif lorsque Cork et Jo arrivèrent. Elle s'était apprêtée comme une reine de rodéo – bottes de cow-boy, jean serré et chemise rouge à boutons nacrés.

« Je ne sais pas si c'est une bonne idée, dit-elle. Les gens savent où on habite. Ils vont nous rendre la vie impossible, à Solemn et moi. Au moins, ici, la situation est sous contrôle. »

Cork avait la même inquiétude, mais il souhaita faire une proposition.

« Il devrait peut-être s'installer pendant un moment dans l'ancienne cabane de Sam. Jusqu'à ce que tout ça se termine et que l'effervescence retombe.

– Encore faut-il qu'il accepte, répondit-elle. Je ne sais plus à quoi m'attendre, avec lui. »

Marsha Dross les avait conduits dans le bureau du shérif pour les faire patienter. Quelques minutes plus tard, Randy Gooding entra.

« Les amis, tout est un peu en suspens, dit-il. Le problème est que nous sommes temporairement dépourvus de shérif. Arne Soderberg a donné sa démission il y a une heure. »

Cela ne surprit pas Cork le moins du monde.

« Il me semble, dit-il, que, d'après le protocole, l'officier le plus âgé doit assumer temporairement la responsabilité de shérif en attendant que les commissaires du comté nomment un remplaçant.

– Exact », répondit Gooding.

Cork réfléchit un moment.

« Cy Borkmann. »

Gooding hocha la tête.

« Cy. »

L'adjoint au cou de dindon. Un homme gentil, un officier compétent. Mais shérif ?

« Où est-il ? demanda Cork.

– C'est le problème. Il est en congé. Il a emmené sa femme à Duluth pour des examens à l'hôpital. Alors...

– Personne n'a officiellement la fonction. » Cork avait résumé la situation.

« C'est à peu près ça.

– Tout ça, c'est purement administratif, dit Cork. On dépose la caution, le prisonnier est relâché. Peu importe qu'un shérif soit présent ou non.

– Et comment va-t-on ramener Solemn en sécurité à la maison ? demanda Dot.

– Nous allons faire de notre mieux pour l'acheminer jusqu'à un véhicule, mais, après, ce n'est plus de notre ressort », dit Gooding.

Bledsoe et la paperasse arrivèrent environ un quart d'heure plus tard.

«Il se passe quelque chose, là, dehors, dit-il à Gooding. Je crois qu'ils sont au courant pour Solemn.»

Gooding alla jusqu'à la fenêtre et regarda en direction du parc, de l'autre côté de la rue.

«Bon sang, tu as raison. Ils arrivent en masse.

– Nous devrions peut-être le faire sortir par-derrière, dit Cork. Pour être sûrs qu'ils ne le voient pas.»

Gooding alla jusqu'à la porte du bureau.

«Marsha, vérifie qu'on peut faire sortir Winter Moon par la sortie de secours. Pender, va maintenir la foule à distance de la porte d'entrée.

– Et qui t'a nommé, toi?» aboya Pender.

Tout en allant s'acquitter de sa tâche, Marsha Dross lui lança: «Fais-le, Duane, c'est tout.»

Gooding se tourna vers les autres, rassemblés dans le bureau du shérif.

«Cork, si la voie est libre derrière, tu devrais sortir et ramener ta Bronco. Dot, Jo, ce serait peut-être bien que vous ne bougiez pas pour le moment. Toi aussi, Ollie.»

Dross revint et, du seuil de la porte, leur annonça: «La voie est libre.»

L'effervescence monta de l'autre côté de la fenêtre ouverte, des voix s'élevèrent et Cork sortit rapidement.

L'adjoint Pender était sur le trottoir, les poings calés sur les hanches, contre le cuir de son ceinturon, et faisait face à la foule qui se pressait contre les murs de la prison. Lorsque Cork arriva dans la lumière du grand soleil de cette fin de matinée, il vit Pender lever la main droite, comme s'il essayait d'arrêter la circulation au milieu d'une intersection encombrée. Sa main gauche monta jusqu'à ses lèvres et, avec son sifflet métallique, il émit un long sifflement aigu.

La foule grouillante qui avançait de l'autre côté de la rue jusqu'à la pelouse qui entourait le bureau du shérif rappela à Cork un troupeau de bétail traversant une route. Au son du sifflet de Pender, ceux qui étaient devant essayèrent effectivement de s'arrêter, mais ils furent poussés par la masse qui les suivait.

Pender siffla encore trois fois. Le mouvement cessa enfin.

« Retournez dans le parc, cria Pender. Je veux que tout le monde traverse la rue et retourne dans le parc. »

L'odeur de cannelle et de sucre des beignets précédait les pélerins. Des ballons jaunes au bout de longues ficelles blanches flottaient au-dessus des têtes. Quelque part dans les rangs du fond, un chaîne hi-fi crachait « Horse with No Name ».

« Reculez, dit Pender. Je ne le répéterai pas. »

La première ligne campa sur ses positions.

Cork pensa que c'était le bon moment pour se carapater. Il se glissa derrière Pender et traversa la pelouse en direction du parking. Personne ne paraissait faire attention à lui. Tous les yeux étaient rivés sur Pender.

« Winter Moon, cria quelqu'un. Nous voulons Winter Moon.

– Laissez-le sortir !

– Laissez-nous le voir !

– Libérez Solemn ! »

Libérez Solemn. Ils avaient trouvé leur cri de guerre ; il fut repris en chœur par des personnes qui n'avaient jamais échangé un mot avec Solemn Winter Moon.

Cork sortit du parking et s'éloigna de la foule pareille à une barricade de l'autre côté de la rue. Il fit le tour du pâté de maisons et se gara le long du trottoir à l'arrière du bâtiment. Le portable posé sur le siège à côté de lui se mit à sonner.

« Alors, c'est comment ? demanda Gooding.

– Ça va, dit Cork.

– Cinq sur cinq. On sort. »

À peine Gooding avait-il raccroché que Cork aperçut quelques personnes qui contournaient le bâtiment. Parmi elles se trouvaient le couple de Warroad avec leur fils cloué dans son fauteuil roulant. Pourquoi s'étaient-ils écartés de la masse ? Cork ne savait pas, mais il ne pouvait rien y faire, si ce n'était espérer qu'il parviendrait à emmener Solemn avant que ne survienne quelque événement grave.

Les parents firent avancer le fauteuil vers la Bronco ; on aurait dit qu'ils savaient ce qui était en train de se passer. Derrière eux, quelques autres restaient indécis, le regard hésitant entre la famille de l'handicapé et ceux qui étaient restés devant. La porte arrière s'ouvrit. Gooding sortit, escortant Solemn qui avait troqué son uniforme de prisonnier contre un jean et un T-shirt blanc. Vingt mètres les séparaient de la Bronco. Ils avaient juste eu le temps de faire quelques pas lorsqu'un cri monta du groupe de gens qui s'était posté à l'angle du bâtiment, et l'assaut fut donné.

Le couple de Warroad arriva le premier, et poussa le fauteuil roulant et son précieux occupant entre Solemn et le refuge que lui offrait la Bronco.

« S'il vous plaît », dit la femme. Elle attrapa la main de Solemn. « Guérissez mon fils. » Elle le tira par le bras, l'attirant vers son fils. Son mari essaya de saisir l'autre bras de Solemn mais Gooding s'interposa.

« Écartez-vous, messieurs dames, ordonna-t-il. Laissez passer.

– S'il vous plaît », répéta la femme.

Solemn ne put ignorer leur désespoir. Il baissa les yeux vers le garçon, sa langue pendait, ses yeux roulaient en tous sens, ses mains fermées formaient un nœud crispé, qui ne serrait que du vide.

« Que voulez-vous que je fasse ? » demanda-t-il.

Cork entendit le bruit de la foule qui arrivait au pas de course.

« Monte, Solemn », cria-t-il.

Solemn n'avait pas quitté le garçon des yeux.

« Que voulez-vous que je fasse ?

– Posez vos mains sur lui, dit la femme. Touchez-le. »

Les premiers à avoir repéré Solemn se rapprochaient de lui. Gooding se plaça entre eux et le jeune Indien. « On ne bouge plus ! cria-t-il. Ordre de la police ! »

L'effet fut très bref.

Solemn tendit les deux mains et les posa sur la tête du garçon. Il regarda la femme, de ses grands yeux noirs pleins de doute. « Comme ça ? »

La foule apparut tout entière. Le bruit de leur arrivée fit bouger ceux qui étaient déjà près de Solemn et ils bousculèrent Gooding. Solemn perdit le contact avec le garçon et trébucha vers la Bronco. Il se glissa sur le siège arrière et referma la portière tandis que deux corps se jetaient contre la voiture. Cork enfonça la commande de verrouillage, enclencha une vitesse et s'éloigna de la marée de fanatiques qui avait englouti l'agent de police.

Deux patés de maisons plus loin, il lança par-dessus son épaule :

« Ça va ? »

Solemn ne répondit pas.

Cork regarda dans son rétroviseur et vit derrière lui le visage d'un homme terrifié.

Solemn ne dit pas un mot durant le trajet jusqu'à la vieille cabane de Sam Winter Moon. Cork se gara à l'ombre des pins et sortit de la voiture. Solemn, abasourdi, se déplaçait lentement, comme un vieillard. Lorsqu'il fut sorti de la Bronco, il se redressa et regarda la petite maison.

« Je t'apporterai tout ce dont tu auras besoin, dit Cork.

– Je l'ai touché et il ne s'est rien passé.

– À quoi t'attendais-tu ? »

Solemn secoua la tête.

« Je t'avais dit qu'ils cherchaient quelque chose que je ne pouvais pas leur donner.

– Je sais, Solemn.

– C'est parti.

– Quoi ? »

Mais Solemn ne dit pas quoi. Il marcha jusqu'à la cabane et entra, seul.

Un quart d'heure après, Dot apparut dans sa Blazer bleue. Jo suivait dans sa Toyota.

« Où est-il ? demanda Dot en regardant vers la cabane. À l'intérieur ? »

Cork hocha la tête.

« Comment va-t-il ? demanda Jo.

– Il est plutôt secoué.

– Tu as besoin de quelque chose, Dot ?

– Non. » Elle prit la main de Jo, celle de Cork, et les remercia. « *Migwech.* » Et elle alla rejoindre son fils.

« Est-ce que tu as été suivie ? demanda Cork.

– Non. Ils étaient trop embrouillés, je crois. C'était vraiment de la folie.

– J'ai vu, crois-moi.

– Cork, j'ai vu Fletcher Kane. Il était debout de l'autre côté de la rue. Il nous a observées quand on est parties, Dot et moi.

– Qu'est-ce qu'il faisait là ?

– Je ne sais pas, mais il n'avait pas l'air content. » Jo contempla la vieille cabane où Dot et Solemn s'étaient réfugiés. « Nous avons autre chose à faire ici ?

– Je ne crois pas. Rentrons à la maison. »

29

En fin d'après-midi, Chez Sam, Jenny appela Cork :

« Papa ? »

Il était en train de récurer le gril en fonte.

« Ouais ?

– Papa ? »

Cette fois, il entendit le ton étrange de sa voix et se tourna. Il n'y avait pas eu grand monde. Jenny était assise sur le tabouret près de la fenêtre passe-plat, ses écouteurs sur les oreilles, écoutant un CD d'un groupe appelé Garbage. Cork suivit son regard apeuré.

Fletcher Kane était sur le parking et fixait sa fille d'un air sombre.

« Je reviens tout de suite, chérie », dit Cork.

Il ôta son tablier et sortit.

Kane était vêtu d'un costume noir et d'une chemise blanche que barrait une cravate noire. Cork se dit qu'il ressemblait à un croque-mort. La chaleur faisait couler de la sueur sur ses tempes. Ses yeux restèrent rivés sur Jenny, assise de l'autre côté de la fenêtre.

« Qu'y a-t-il, Fletcher ? demanda Cork, sans la moindre gentillesse.

– Et si elle était morte ?

– Qui ?

– Ta fille. Et si elle était morte ?

– Qu'est-ce que tu veux ?

– Tu n'as pas la moindre idée, hein, de ce que tu ressentirais ?

– C'est une menace ? »

Kane finit par regarder Cork.

« Ils l'ont laissé sortir.

– Solemn ? Oui.

– Il n'est pas chez sa mère. »

Un bateau s'approcha du ponton. Le moteur bourdonna comme un énorme insecte, crachota, puis se tut. Le silence parut soudain bien lourd.

« Qu'est-ce que ça peut te faire ? fit Cork.

– Je veux savoir où il est.

– Et tu crois que je vais te le dire ? »

Kane plongea la main dans la poche intérieure de son pardessus et sortit un chéquier et un stylo Mont-Blanc. Il dévissa le bouchon du stylo et ouvrit son chéquier.

« Combien ?

– Tu plaisantes, j'espère ! »

Kane tenait le chéquier dans la paume de sa main gauche. De la main droite il remplit un chèque et le tendit à Cork.

Vingt mille dollars.

« Rentre chez toi, Fletcher. » Cork déchira le chèque.

Kane contempla les morceaux de papier qui voletèrent au-dessus du gravier, puis il regarda en direction de Jenny.

« Tu n'as pas la moindre idée », dit-il. Et il repartit vers sa voiture.

Cork retourna dans la cabane et appela le bureau du shérif. Il demanda à parler à Gooding. Après avoir expliqué l'épisode avec Kane, il dit :

« Randy, il est à deux doigts de basculer. »

La respiration de Gooding, au bout du fil, devint lourde.

« Je vais lui parler. Je ne vois pas bien ce que nous pouvons faire d'autre. Il n'a pas enfreint la loi, d'après toi ?

– Pas encore.

– Tu sais comment c'est, Cork...

– Oui, je sais. »

Il faisait nuit lorsque Cork ferma enfin la porte de Chez Sam et remonta dans sa Bronco avec la recette du jour à la main.

Il alla d'abord à l'agence de la First National à Aurora et fit le dépôt à l'automate. Alors qu'il allait sortir du parking de la banque, sur Center Street, il vit passer l'El Dorado gris métallisé de Fletcher Kane. Cork attendit un instant, puis se glissa dans la circulation, à une distance raisonnable.

C'était une chaude soirée d'été. Le trafic était essentiellement composé de jeunes gens, surtout des adolescents, qui convergeaient vers le Broiler, ouvert jusqu'à minuit, ou le nouveau Perkins, qui ne fermait pas. Ils s'installaient sur les banquettes, buvaient des cafés ou des Coca-Cola, fumaient des cigarettes et parlaient de ce qui était important pour eux à ce moment-là. Jenny et son petit ami étaient probablement là-bas, quelque part, dans la Camaro bleu nuit de 76 que Sean avait achetée ; c'était une épave qu'il avait complètement retapée. Pour Jenny, les choses importantes, c'était la littérature ; pour Sean, en cette saison, c'était le baseball.

Cork avait été jeune, autrefois, à Aurora. Il se souvenait de l'exaltation ardente des nuits d'été, lorsque, à quatorze, quinze ou seize ans, on a le cœur grand comme ça et la tête ailleurs, quand on croit qu'on peut tout faire, absolument tout, quand on a l'impression qu'on ne mourra jamais, et que si on meurt, ce n'est pas grave, parce que ce ne serait jamais mieux, ni pire, que maintenant. Chaque croisement, sur Center Street, était un lieu où il s'était déjà attardé, avec une demi-douzaine de garçons de son âge. Mais il n'avait jamais traîné avec Fletcher Kane. Kane était un solitaire, même en ce temps-là, un petit gamin à lunettes, avec une légère tendance à l'embonpoint. Il était intelligent, tout le monde le savait, mais pas athlétique du tout. Cork n'arrivait même pas à se rappeler s'il avait eu un meilleur ami ni même un vrai ami. Une fois que le scandale qui entourait la mort de son père avait éclaté et qu'on avait appris l'enquête menée par le père de Cork, Fletcher Kane avait cessé de venir à l'école et Cork ne le voyait presque plus dans la rue.

Cork se rappelait pourtant un incident. Un samedi soir, quelques semaines après la disparition de son père, Fletcher était apparu au vieux Rialto Theatre. Cork y était aussi, pour voir Sean Connery dans *Bons baisers de Russie*. En rentrant chez lui après le film, Cork avait vu Fletcher entouré de lycéens ; ils l'avaient coincé dans la ruelle derrière Pflugelmann's Rexall Drugstore. Cork avait couru jusqu'au bureau du shérif, où il avait trouvé Cy Borkmann. L'adjoint était jeune, mais déjà gros à cette époque. Il avait suivi Cork jusqu'à la ruelle et avait dispersé la bande de jeunes qui étaient en train de « déculotter » Kane, autrement dit de l'obliger à enlever son pantalon et à déambuler dans les rues de la ville en caleçon. Fletcher Kane n'avait jamais adressé un mot de remerciement, ni à l'agent ni à Cork. Il les avait observés tous les deux en remettant son pantalon, comme s'il attendait qu'ils l'humilient à leur tour ; puis, avec toute la dignité qu'il lui restait, il était rentré chez lui à pied. Quinze jours plus tard, la mère de Kane quittait Aurora définitivement, emmenant son fils avec elle.

L'image de Fletcher Kane était restée ainsi figée dans l'esprit de Cork pendant trente-cinq ans. Puis le grand homme avec ses grandes mains et ses cernes profonds était réapparu à Aurora. Mais l'enfant était encore visible sur son visage, en particulier dans le regard dur, noir, qui même après plus de trois décennies paraissait toujours observer la ville avec méfiance, comme si elle était prête à le blesser et comme si lui était prêt à riposter.

Kane tourna sur Cascade, fit demi-tour, puis rejoignit à nouveau le flot de voitures sur Center Street. Que cherchait-il ? Qu'y avait-il dehors, dans la nuit, qui l'attirait hors des ténèbres solitaires de sa maison ?

Cork le suivit pendant presque une heure, sur Center Street, dans un sens, puis dans l'autre, passant devant le Broiler et le Perkins, tandis que Kane glissait sa Cadillac entre les voitures pleines d'adolescents. Il n'était pas censé le pister de cette manière, mais il était curieux et inquiet. Son intuition lui disait qu'il ne fallait pas perdre Kane de vue.

Finalement, l'El Dorado tourna à gauche sur Olive Street et prit la direction de l'ouest, vers la périphérie de la ville. Kane prit encore à gauche sur Madison, et, deux pâtés de maisons plus loin, tourna au coin et se gara devant Sainte-Agnès. Cork poursuivit sa route et s'arrêta juste après le carrefour suivant. D'un bond, il sortit de sa voiture.

Une demi-lune croissante s'était levée, assez brillante pour créer des ombres floues, dérangeantes. Cork s'appliqua à rester dans l'obscurité et progressa vers l'église. Dans le clair de lune, l'El Dorado gris métallisé semblait étinceler. En s'ouvrant, la portière du conducteur renvoya une lueur comme un miroir de détresse. Cork plongea derrière un minivan garé dans la rue.

Kane avait une démarche de condamné ; il se traîna sur les marches du perron de Sainte-Agnès. Son ombre le précédait et elle toucha les grands battants de bois bien avant lui. Il tendit le bras et saisit la poignée. Il leva le bras droit, le poing fermé, et cogna contre la porte. Il recula d'un pas et, pendant un long moment, contempla cette chose qui lui résistait. Pour finir, il se retourna et s'assit sur la plus haute marche. Il se pencha, et son ombre se pencha avec lui, pendant que lui et son autre lui, plus sombre encore, se mettaient à pleurer.

Cork savait qu'il surprenait un moment extrêmement intime. Il rebroussa chemin le plus discrètement possible, se demandant si Kane pleurait sur son sort, sur sa situation si désespérée. Pleurait-il encore sa fille ? Ou était-il venu à l'église chercher quelque chose que la porte fermée l'empêchait de trouver ?

30

Gooding rejoignit Cork au comptoir du Broiler le matin suivant. Cork finissait son café. Gooding commanda une tasse et une assiette de toasts de pain complet.

« Léger, le petit déjeuner, dit Cork.

– En fait, je suis là en mission officielle. Notre shérif actuel m'a demandé de te trouver et de t'informer de deux ou trois choses.

– Cy ? Comment va-t-il ?

– Il s'en sort, je dirais. » Gooding se pencha plus près de Cork. « Si tu n'es pas déjà au courant, tu le seras bientôt. Arne Soderberg est venu au bureau hier après-midi avec son avocat. Il a fait une déposition complète. Il a reconnu avoir eu une liaison avec Charlotte Kane. Il a dit que ça avait commencé l'été dernier mais qu'il avait rompu lorsqu'il s'est fait élire au poste de shérif. Lorsqu'elle a commencé à sortir avec Winter Moon, il est devenu jaloux et a recommencé à la voir. Il a reconnu être allé à Valhalla mais il jure qu'elle était en vie et indemne lorsqu'il est parti. Il a un reçu de paiement et un témoin qui attestent sa présence en ville durant le laps de temps où on pense qu'elle a été agressée. Son alibi a l'air plutôt solide. Il a aussi admis que les pétales de roses, c'était lui. La dernière promesse qu'il lui avait faite était, quand il serait libre, autrement dit quand il aurait divorcé de Lyla, je suppose, de lui offrir une vie en or, un véritable lit de pétales de roses... » Gooding baissa les yeux. « Soderberg. J'aurais dû avoir des soupçons. Il disposait de l'argent, du moyen de transport et d'une clé du cimetière. Pas terrible, comme boulot d'enquêteur.

– Ne te reproche rien. Tu ne pouvais pas savoir qu'il avait un mobile. Qui l'aurait cru ? »

Gooding leva les yeux à nouveau.

« Toi, tu y avais pensé.

– Et les larmes de sang ? Est-ce qu'il en a dit quelque chose ?

– Il a juré qu'il n'avait rien à voir avec ça. Qu'il n'en sait absolument rien.

– As-tu eu les résultats du labo concernant les échantillons que tu as prélevés sur l'ange ?

– Beaucoup d'eau et un peu de sang. Du O positif, le groupe le plus courant. Personne n'a vraiment vu l'ange pleurer. Les larmes avaient déjà coulé le long de la statue lorsque les gens ont commencé à affluer. J'imagine que n'importe qui aurait pu facilement les disposer avant. Peut-être quelqu'un qui voulait juste en rajouter dans le mystique. On peut trouver des tas de manières de procéder qui n'ont rien à voir avec des miracles. »

Le pain grillé de Gooding lui fut apporté. Il ouvrit une petite dose de miel.

« Cork, il faut que je te dise, nous continuons à soupçonner Winter Moon du meurtre de la fille. Trop d'indices concordent. Le procureur va poursuivre et prononcer l'accusation. Tu crois toujours qu'il est innocent ?

– Oui.

– On dirait que tu tiens vraiment à ce garçon, dit Gooding en étalant le miel sur son pain. Je me demande...

On a parfois tellement envie de croire quelque chose que, même si la vérité nous frappe en plein entre les deux yeux, on ne la voit même pas. »

Cork but un peu de café et ignora ce dernier commentaire.

« Tu as dit que tu allais avoir une petite conversation avec Fletcher Kane. Est-ce que tu l'as vu ?

– Je suis allé chez lui hier. Autant parler à un mur. Je ne sais pas où se trouve Winter Moon, mais si j'étais toi, je lui dirais de faire profil bas pour le moment. Je crois que tu as raison sur Kane. Il est à deux doigts de faire une grosse bêtise. »

En quittant le Broiler, Cork alla directement à la vieille cabane de Sam Winter Moon. En traversant Alouette, dans la réserve, il vit la Blazer de Dot garée devant l'épicerie LeDuc. Solemn était assis à l'intérieur, seul au volant. Cork se gara du côté passager et sortit de sa Bronco. Il contourna l'arrière de la Blazer jusqu'à la portière du conducteur, remarqua le vieux pick-up garé à proximité et les deux hommes installés dedans. Il alla jusqu'au pick-up et se pencha à la fenêtre.

« Junior, dit-il. Phil. Comment ça va ? »

Une odeur de bière venait de l'intérieur du véhicule où étaient assis Junior et Philbert Medina. Les deux hommes étaient des cousins de Dorothy Winter Moon, les fils du mari de sa tante, enfants d'un premier lit. Ils étaient tous deux mécaniciens dans le garage de leur père à Brandywine, l'autre communauté de la réserve. Junior portait une casquette sur ses longs cheveux noirs. Phil préférait la coupe militaire. Les deux hommes avaient un fusil posé sur les genoux et chacun tenait une cannette de Budweiser dans la main. Ils adressèrent un grand sourire niais à Cork.

« On se prépare juste pour aller un peu à la chasse à l'élan, dit Junior.

– À l'élan ?

– Ouais, ajouta Phil. On attend qu'un gros mâle débarque sur la réserve.

– Vous donnez un coup de main à Dot, c'est ça ?

– C'est fait pour ça, la famille, cousin. » Dans la réserve, tout le monde était *cousin.*

« Vous savez, je me sentirais beaucoup mieux si vous rangiez soit les fusils, soit les bières. » Cork marqua une pause avant de reprendre. « Vous devriez ranger les deux en fait.

– Qu'est-ce que tu vas faire, nous arrêter ? » s'esclaffa Junior.

Cork tourna les talons et s'approcha de la Blazer.

« Bonjour, Solemn.

– Salut, Cork. » Solemn gardait les yeux rivés droit devant lui.

« J'imagine que tu sais déjà que Kane te cherche.

– J'ai entendu.

– Et c'est avec Tweedledum et Tweedledee là-bas que tu crois t'en sortir ?

– Phil et Junior, c'était mon idée. »

Dorothy Winter Moon était sortie de chez LeDuc, un gros sac de vivres dans les bras. Elle portait des lunettes de soleil pour se protéger de la lumière matinale. Elle contourna Cork et ouvrit la portière arrière du Blazer.

« Ce n'est pas une bonne idée, Dot.

– Tu en vois une meilleure ? » Elle posa le sac de courses sur la banquette et referma la portière.

« Retourne avec Henry Meloux, dit Cork. Tu seras en sécurité avec lui, et peut-être qu'il pourra aussi t'aider d'une autre manière.

– Je peux prendre soin de mon fils », dit Dot.

Cork regarda Solemn.

« Tu es d'accord ? »

Solemn parut ne pas entendre. Les deux fils Medina éclatèrent de rire, un rire fort et grinçant.

« Ne le laisse pas s'échapper, Solemn », dit Cork.

Solemn tourna lentement la tête et Cork vit la dureté dans ses yeux.

« Laisser quoi s'échapper ? demanda-t-il.

– Ce que tu as trouvé, là-bas, dans les bois. Ce sentiment. Cette croyance. »

Solemn le regarda longuement.

« Et si ce n'était pas vrai ?

– Parfois il suffit d'y croire pour que ce soit vrai.

– Le garçon dans son fauteuil, ses parents, ils y croyaient. »

Dot examina la rue comme si, à tout moment, elle s'attendait à voir Kane bondir d'une cachette.

« Il faut rentrer à la cabane de Sam. » Elle passa devant le capot du Blazer et s'assit à la place passager. « Allons-y, Solemn. »

Cork passa son bras par la portière et posa sa main sur le bras du jeune homme.

« Va voir Meloux. »

Solemn ne répondit pas. Il démarra et, lorsque Cork retira son bras, recula et partit vers le nord pour sortir d'Alouette. Les Medina suivirent au volant de leur pick-up.

Cork observa la poussière soulevée par les pneus de Solemn et repensa au commentaire que Gooding avait fait plus tôt. Peut-être croyait-il à l'innocence de Solemn simplement parce qu'il voulait y croire. Cela suffisait-il pour que ce soit vrai ?

31

À neuf heures ce soir-là, Cork dit :
« Allez, Annie, on ferme. »

On était vendredi, et un flot ininterrompu de clients avait défilé pendant des heures. Cork était fatigué.

Annie se détourna de la fenêtre passe-plat, à laquelle il n'y avait personne pour le moment.

« Tu sais, papa, tu gagnerais beaucoup plus d'argent si on restait ouvert tard le soir.

– Je ne veux pas travailler tard. Toi, si ?

– Pas particulièrement.

– Eh bien, nous y sommes. Nous préférons tous les deux être pauvres mais heureux. Allez, on nettoie et on y va. »

Une demi-heure plus tard, Annie alla jusqu'à la porte.

« Je te retrouve à la maison.

– Je prépare le dépôt de ce soir. Si tu m'attends quelques minutes, je te dépose.

– La nuit est belle, répondit Annie. Je crois que je vais rentrer à pied.

– Comme tu préfères. »

Le ciel nocturne était d'un bleu saphir. Cork alla jusqu'à la porte et contempla sa fille qui retournait à la ville, en suivant le sentier le long du rivage vers le bosquet de peupliers qui entourait les ruines de l'ancienne fonderie. Les arbres étaient sombres dans la lumière du crépuscule, et Annie, qui se détachait sur l'horizon, était sombre aussi, une adorable petite silhouette. Il y avait des moments comme celui-là où Cork se sentait comblé, débordant d'amour pour sa vie, sa famille, ses amis, cet endroit qui était chez lui. Il avait le sentiment que tout cela l'enveloppait de chaleur comme une vieille couverture douillette, et il doutait qu'un homme puisse avoir plus de chance que lui.

Lorsqu'il eut fini ses comptes, il ferma et partit pour la ville. Après avoir mis l'argent à la banque, il parcourut Center Street pendant un moment. La soirée était animée. Les rues étaient pleines de voitures ; des jeunes, des touristes, des gens du coin profitaient de la soirée d'été. Cork chercha l'El Dorado de Kane mais il ne la vit pas et, d'une certaine manière, il en fut soulagé.

Il venait de prendre Olive Street pour rentrer lorsque son téléphone portable sonna.

« Cork, c'est Jo. Où es-tu ? »

Il entendit l'inquiétude dans sa voix.

« En route, j'arrive. Qu'est-ce qui se passe ?

– C'est Annie. Elle est bouleversée. Elle est certaine que quelqu'un l'a suivie après son départ de Chez Sam.

– J'arrive tout de suite. »

Elles étaient toutes les trois dans la cuisine, les trois femmes O'Connor. Jo, Jenny et Annie. Annie était assise à la table avec un verre de lait devant elle et un cookie qu'elle n'avait pas touché. Jenny avait approché une chaise de la sienne. Jo était assise en face. Elles levèrent toutes les yeux lorsque Cork entra. Jo et Jenny avaient l'air troublées, Annie, elle, semblait effrayée.

« Ma chérie, comment ça va ? » Il se pencha et déposa un baiser sur le sommet de sa tête. Ses cheveux sentaient encore l'huile de friture.

« Papa, y a un type bizarre qui m'a suivie jusqu'à la maison. »

Cork tira une chaise et s'installa.

« Raconte-moi tout depuis le début. »

Il faisait nuit dehors. La lampe au-dessus de l'évier était allumée. Des insectes nocturnes se cognaient contre la moustiquaire, essayant désespérément d'atteindre la lumière.

Annie tripotait son biscuit, le tournant et le retournant sur la table. Parfois ses yeux se levaient vers la fenêtre, que percutaient des bestioles.

« Je l'ai vu pour la première fois dans les arbres où il y a la vieille fonderie. Il était, genre, accroupi derrière le bout de mur en brique.

– Qu'est-ce qui te fait penser que c'était un homme ?

– Je pense que je ne le savais pas à ce moment-là. Lorsque je l'ai vu ensuite, j'en ai été à peu près certaine.

– Et c'était où ?

– Dans Randolph Park. Je marchais le long du chemin qui coupe à travers les terrains de jeux et passe par-dessus le petit canal. Il était là, dans les arbres, au bord du ruisseau.

– Tu as pu le distinguer, cette fois ?

Ouais, mais il faisait aussi plus noir, alors je ne le voyais pas bien.

– Dis-moi ce que tu as vu.

– Je crois qu'il était grand.

– Plus grand que moi ?

– Je dirais que oui.

– Gros, maigre ?

– Moyen.

– Et qu'est-ce qu'il faisait ?

– Il était là, c'est tout, il me regardait.

– Comment sais-tu que c'était la même personne que celle que tu as vue près de l'ancienne fonderie ?

– Je le sais, c'est tout.

– OK. Continue.

– Je me suis mise à courir, comme si je rentrais en petites foulées à la maison. Je voulais juste me tirer de là.

– Bien sûr. Bien joué, chérie.

– Alors, je l'ai vu à nouveau. Il attendait dans la ruelle juste avant que j'arrive à Gooseberry Lane. Il y a un lampadaire, là, mais il est resté dans l'ombre des grands lilas des Kaufmann.

– Tu as pu mieux le voir, cette fois ? »

Elle secoua la tête.

« J'ai vu qu'il était là parce qu'il a toussé.

– Et il a dit quelque chose ?

– Non.

– Et toi ?

– Non. J'ai couru. J'veux dire, j'ai vraiment couru, cette fois.

– Est-ce qu'il y a quelque chose dont tu te rappelles en particulier ? Un détail ? Ses vêtements ?

– Non.

– Est-ce qu'il portait des lunettes ?

– Je ne sais pas.

– Une barbe ?

– Je n'ai pas vu. »

Elle paraissait tellement peinée de n'avoir pas de réponses à toutes ses questions que Cork décida d'en rester là pour l'instant.

« Tout va bien, Annie. Tu as fait exactement ce qu'il fallait.

– Mais on est à Aurora, dit Jenny. On ne devrait pas avoir à s'inquiéter de gros pervers, ici. »

Cork répondit :

« Jusqu'à ce qu'on sache plus précisément ce qui se passe, vous deux, vous rentrez avec moi, le soir, OK ?

– Et si c'est Sean qui me ramène ? demanda Jenny, parlant de son petit ami.

– Ça va. Mais il te raccompagne jusqu'à la porte.

– Ce qu'il devrait faire, de toute manière», fit remarquer Jo.

Annie serra ses bras autour d'elle comme si elle avait froid.

«Je crois que je vais aller prendre une douche.

– Prends une bonne douche bien chaude, lui conseilla sa sœur. Fais disparaître ce type zarbi avec la flotte. Allez, je monte avec toi.»

Cork se leva et la serra dans ses bras.

«Tout va s'arranger, je te le promets.»

Elle parut le croire.

«Merci, papa.»

Lorsque les filles furent montées, Cork s'assit à la table avec Jo. Il ramassa le biscuit qu'Annie n'avait pas touché et se mit à le casser en petits morceaux.

«Qu'est-ce que tu en penses ? demanda Jo.

– Annie est une fille qui a la tête sur les épaules. Si elle dit qu'elle a été suivie, c'est que c'est vrai.

– Pourquoi quelqu'un ferait-il ça ?»

Le biscuit n'était plus qu'un amas de miettes sur la table devant Cork.

«Jo, il y a quelque chose que je ne t'ai pas dit. Je ne m'en suis pas vraiment inquiété avant. L'autre jour, quand Kane est venu Chez Sam, il m'a demandé ce que je ressentirais si c'était ma fille qui mourait.

– Et tu penses que ce n'était pas juste une question rhétorique ?» Jo resta silencieuse un moment. «Tu crois que ça pourrait être Fletcher ?

– Annie a dit que le type était grand. Fletcher est grand. Il a toujours été bizarre, mais maintenant il est bien plus que bizarre. Je ne dis pas que c'était forcément lui, mais je serais idiot – non, pire, je serais aveugle – si je n'allais pas creuser de ce côté-là. Jo, s'il est d'une façon ou d'une autre impliqué dans le meurtre de Charlotte, qui sait ce qu'il pourrait avoir en tête maintenant. »

Le regard de Jo alla se poser sur la porte que sa précieuse petite fille venait de franchir. Elle hocha la tête une seule fois.

« Vas-y. »

32

À la première heure, le matin suivant, Cork s'arrêta au YMCA. Il trouva Mal Thorne dans la salle de musculation : il portait des gants et cognait sur un sac de frappe. Le prêtre s'entraînait ainsi plusieurs matins par semaine pour se maintenir en forme. Il n'était peut-être plus l'athlète qu'il était lorsqu'il boxait à Notre-Dame mais, pour un homme de son âge, il était assez affûté. Il portait un T-shirt sans manches et ses biceps étaient fermes et ronds comme des galets de rivière.

Mal s'arrêta lorsqu'il vit Cork en train de l'observer. Il sourit et essuya la sueur qui perlait sur son front avec sa main droite gantée de cuir.

« Salut, Cork.

– Vous avez une minute ?

– Bien sûr. »

La pièce sentait les haltères moites, les corps échauffés et les bancs de musculation qui attendaient trop longtemps entre deux nettoyages. Mal et Cork se trouvaient être seuls.

« J'ai réfléchi, Mal. Au sujet du graffiti que Solemn a peint à la bombe sur le mur de Sainte-Agnès. Ce mot latin.

– *Mendax.*

– Exact. Menteur. Je suis relativement certain que c'est Charlotte Kane qui lui a demandé de le faire. »

Le prêtre ne manifesta pas la moindre surprise.

« Pourquoi pensez-vous qu'elle ait fait ça ? »

Mal posa une main contre le gros sac, comme pour l'empêcher d'osciller, alors qu'il ne bougeait pas d'un iota.

« Langue au chat.

– Pas la moindre petite idée ?

– Certaines personnes ont le sentiment que Dieu les a laissé tomber, que les promesses de l'Église sont creuses. Je rencontre beaucoup ce genre de déception.

– Est-ce que vous l'avez vu chez Charlotte ?

– Peut-être.

– Vous esquivez.

– J'étais son prêtre, Cork.

– Et son confesseur.

– Ça fait partie du métier.

– Mal, Charlotte Kane a eu des comportements qui, d'après moi, sont classiques chez une jeune femme qui a été abusée sexuellement, probablement longtemps. »

Le prêtre arracha l'un de ses gants, puis s'occupa du second.

« Il m'apparaît que vous êtes également le confesseur de Fletcher Kane.

– Je ne vais pas te suivre par là, Cork. Tu sais que tout ce qui m'est dit pendant la confession est un secret que je dois protéger.

– Je suis inquiet. S'il abusait sexuellement de sa fille, il se peut qu'il soit enfermé dans un schéma comportemental qui menace d'autres jeunes femmes.

– Je ne peux pas t'aider, Cork. » Une goutte de sueur resta posée sur le front du prêtre. Elle s'alourdit, vacilla et alla s'écraser sans un bruit sur le plancher.

« Quelqu'un a suivi Annie jusqu'à la maison, hier soir. En restant dans l'ombre pour ne pas qu'elle puisse le voir clairement.

– Tu penses que c'était Kane ?

– Y a-t-il une raison pour que je le pense ? »

Le prêtre détourna les yeux et ne dit rien.

« Vous savez quelque chose sur Charlotte et lui, n'est-ce pas ?

– Charlotte est morte, Cork. Laissons les morts reposer en paix.

– Je ne crois pas que la paix va régner dans le coin tant que nous ne saurons pas la vérité sur son assassinat. »

Le prêtre prit une grande inspiration.

« Il n'y a qu'une vérité dont je sois absolument certain. C'est que personne d'entre nous n'est dénué de péché. » Il donna un dernier coup au sac de sable, à main nue. « Nous en avons terminé. »

Il s'éloigna, laissant Cork se demander ce qu'il savait mais qu'il refusait de révéler.

Au bureau du shérif, il trouva Cy Borkmann assis dans le fauteuil qui, quelques jours auparavant, était encore occupé par Arne Soderberg.

« Ça te va bien, d'être assis là, Cy.

– Salut, Cork, dit Borkmann en se levant. Entre. »

Ils se serrèrent la main.

« Comment ça se passe ? demanda Cork.

– Pas mal, jusqu'à maintenant. Assieds-toi. Au fait, c'était du bon boulot, ce lien entre Arne et Charlotte Kane.

– Tu sais comment c'est... Parfois, on a de la chance. Tu as une idée de comment va Arne ?

– J'ai entendu dire que Lyla l'avait foutu à la porte. Pour moi, ce ne serait pas forcément une punition. Gooding t'a parlé des pétales de roses ?

– Ouais. »

Borkmann secoua la tête et son cou de dindon ballota.

«J'te jure, tu donnerais à Arne un sac de pièces d'or et il trouverait le moyen de le transformer en une pelletée de crottin.»

Cork sourit, puis redevint sérieux.

«Cy, quelqu'un a suivi ma fille jusqu'à la maison hier soir. Ça lui a fichu une sacrée trouille.

– Elle a été agressée ?

– Non. Épiée, ce serait plus juste.

– Est-ce qu'elle a vu qui c'était ?

– Non, il faisait trop noir.

– On va remplir une déposition.

– Attends une seconde. Je voudrais te parler d'un truc. Juste entre toi et moi. Comme ça, entre nous.

– Vas-y.»

Cork lui parla de sa discussion avec la psychologue du lycée.

«D'après ce que je comprends, Cy, des comportements comme celui de Charlotte pourraient bien résulter d'abus anciens. Selon toute vraisemblance, ils précédaient sa liaison avec Arne. Je me pose des questions sur Fletcher Kane. Je me demande quel genre de relation il entretenait vraiment avec sa fille.»

Les yeux de Borkmann s'écarquillèrent. Il prit un stylo et gribouilla une petite note sur un bout de papier posé sur son bureau.

«Écoute, Cy, poursuivit Cork. Glory Kane est la seule qui pourrait confirmer l'alibi de son frère pour la nuit du meurtre. Tu ne trouves pas un peu étrange qu'elle ait disparu le lendemain de l'enterrement de Charlotte ?

– Je ne savais pas qu'elle avait disparu. Je croyais qu'elle était partie en voyage, un truc comme ça.

– C'est pratique, cette imprécision, tu ne trouves pas ?

– Peut-être. Il est probable qu'Arne n'a jamais pensé à lancer une recherche parce qu'elle ne paraissait pas avoir d'importance dans l'affaire. Je veux dire, nous avions Winter Moon depuis le début. »

Cork se pencha avec un air de conspirateur.

« Comprends-moi, je ne fais que poser des questions. Mais si Glory savait quelque chose ou soupçonnait quelque chose, et que Fletcher craignait qu'elle en parle à quelqu'un, que ferait-il ? Quelqu'un parmi nous le connaît-il assez pour savoir ce dont il est capable ?

– Tu dis qu'il l'a tuée ? Et que maintenant il suit Annie ?

– Je ne dis rien, Cy. Je me dis juste, si j'étais le shérif, ce serait sûrement à mes yeux une raison d'enquêter. » Cork reprit sa place sur sa chaise. « Est-ce que tu sais quelque chose sur Kane avant son retour à Aurora ?

– J'en sais assez.

– Des choses que tu peux partager ? »

Borkmann réfléchit.

« Attends. » Il se leva et sortit du bureau.

Cork alla jusqu'à la fenêtre. Encore une magnifique journée de juin. Solemn n'était plus prisonnier, les fidèles se rassemblaient toujours dans le petit parc de l'autre côté de la rue. Grover Buck avait eu son miracle, apparemment. Et Marge Schembeckler aussi. Mais le garçon dans son fauteuil roulant et tous les autres, qui espéraient toujours ce que leur foi leur avait promis, restaient là.

Borkmann revint, un dossier en papier kraft à la main.

« Voici ce que nous avons sur Kane. Diplômé avec mention de l'UCLA en 1974, de la fac de médecine de Stanford en 1978. Recruté par la Worthington Clinic à Pomona en Californie en 1980. Est devenu directeur en chef de la clinique dix ans plus tard. A bien investi. A perdu sa femme il y a quatre ans. A pris sa retraite et est revenu s'installer à Aurora. Pas d'antécédents.

– C'est tout ?

– Une tripotée de distinctions pour son travail. Dans l'humanitaire. A donné de son temps à de nobles causes, apparemment.

– D'où tiens-tu ces informations ?

– Gooding l'a interrogé.

– Est-ce que Gooding a vérifié tout ça ?

– Pas que je sache. Le type n'était pas soupçonné de quoi que ce soit. Encore une fois, Arne se disait qu'il tenait Winter Moon pour de bon.

– Écoute, Cy. Je crois qu'Arne a commis une grosse erreur lorsqu'il a cessé de chercher au-delà de Solemn, mais Arne n'était pas flic. Il ne pensait pas comme toi et moi. Un flic aurait su.

– C'est sûr, dit Borkmann. C'est certain.

– Je travaille avec Jo sur la défense de Solemn, mais ce que je veux vraiment, ce que nous voulons tous, c'est coincer le fils de pute qui a assassiné Charlotte Kane. Je ne crois pas un instant que Solemn soit coupable. Je vais continuer à chercher. Si je découvre quelque chose, je t'en parlerai. J'espère que tu me rendras la politesse.

– Eh bien, Cork, tu sais que je ne peux pas faire des promesses comme ça. Mais je ferai de mon mieux pour que tu restes au parfum.

– C'est tout ce que je te demande, Cy. » Cork se leva et tendit la main en souriant. « J'aime bien faire des affaires avec toi, shérif. »

33

Cork se sentait un peu mal de s'être servi ainsi de Borkmann. Mais d'un autre côté, il tenait désormais ce qu'il cherchait. Il savait maintenant que les hommes du shérif n'avaient pas plus d'informations sur Fletcher et Glory Kane que lui. Ce qui voulait dire que beaucoup de choses restaient à creuser.

Pendant un temps mort cette après-midi-là Chez Sam, il alla s'isoler au fond de la hutte, appela les renseignements et obtint le numéro de la Worthington Clinic à Pomona. Lorsqu'il les appela, il tomba sur un répondeur qui l'informa que la clinique était ouverte du lundi au vendredi de huit heures à dix-sept heures. Pour une urgence, on proposait un autre numéro. Il pouvait laisser un message, auquel on répondrait dès que possible.

Cork s'exécuta.

« Ici le shérif Corcoran O'Connor, du comté de Tamarack, dans le Minnesota. Je voudrais m'entretenir au sujet du Dr Fletcher Kane. Ceci est en relation avec une enquête de meurtre. » Il laissa son numéro de téléphone, remercia et raccrocha.

Il savait qu'il lui fallait être prudent sur la partie « shérif ».

Lorsqu'il retourna dans la salle, il vit l'adjoint Randy Gooding penché à l'une des fenêtres, en train de parler à

Annie ; ils riaient. Gooding lui fit signe d'approcher. Annie s'éloigna vers le gril, un sourire heureux aux lèvres.

« C'est Cy qui m'envoie, Cork. Il s'est dit que tu serais peut-être content de savoir que nous avons fini par retrouver Grover Buck, dit Gooding. La police de Duluth l'a mis en garde à vue.

– Pour quelle raison ?

– Pour avoir sollicité les services d'une femme qu'il pensait être une prostituée, mais qui en fait faisait partie d'un guet-apens. Je les avais contactés lorsque Buck avait soudain disparu juste après sa guérison miraculeuse. Ils avaient promis de le chercher.

– Est-ce qu'il est allé lui-même en voiture à Duluth, maintenant que le Seigneur lui a ouvert les yeux ?

– Ouais, bien sûr. C'était son neveu. Le neveu qui l'a aidé à compter les cinq cents dollars qu'il a reçus pour avoir simulé sa guérison.

– Qui les lui a donnés ?

– Il jure qu'il n'a jamais su le nom du gars. Mais écoute ça. Le type l'a payé en faux billets, des faux billets de cent, alors que le neveu était planté là, à regarder. Qu'est-ce qu'un gamin de seize ans connaît aux faux billets ?

– Et Marge Schembeckler et son arthrite ?

– Je lui ai parlé il y a deux ou trois jours. Elle a reconnu qu'elle s'était retrouvée dans son fauteuil l'après-midi même de sa guérison. Ensuite, elle est restée enfermée chez elle. Elle avait honte, a-t-elle dit. Il ne semble pas y avoir de lien entre elle et le gars qui a payé Buck. J'imagine qu'elle s'est laissée emporter dans le feu de l'action et que c'est par la force de sa volonté qu'elle a marché. Au moins pendant un petit moment.

– Alors, la couverture... ?

– N'avait rien de particulier, en fin de compte. »

Cork ressentit un peu de tristesse à l'idée que les dessous des miracles aient été ainsi révélés, même s'il n'aurait pas su dire pourquoi.

« Quelqu'un d'autre est-il au courant de tout ça ?

– Pas encore, mais ça va bientôt être le cas. Borkmann va faire une déclaration aux médias.

– C'est dommage, quand même. Tous ces gens qui voulaient tellement y croire... »

Gooding se pencha à la fenêtre.

« Cy m'a parlé de la discussion que vous avez eue vous deux dans son bureau. Il faut que je te dise, je crois que tu es complètement à côté de la plaque avec le Dr Kane. »

Cork secoua la tête.

« Il y a trop de choses le concernant qui, mises bout à bout, ne collent pas.

– À mon avis, c'est surtout un homme qui a beaucoup souffert et protège son intimité. »

Cork n'était pas d'accord mais il ne voulut pas discuter.

« Ça te dit, un chocolat glacé ? dit-il. C'est la maison qui régale. »

Au crépuscule, Jenny se tourna vers son père et dit :

« Papa, il se passe quelque chose sur le ponton. Ça sent pas bon. »

Cork enleva son tablier et sortit. En s'approchant du ponton, il vit mieux ce qui était en train de se passer. Deux jeunes gens avec un beau et grand bateau tout neuf s'étaient amarrés. Ils n'étaient pas du coin et Cork ne les connaissait pas. Ils étaient brûlés par le soleil et ivres. Cork pensa qu'ils avaient passé la journée sur le lac, à boire et à pêcher à l'hameçon. Ils avaient essayé d'attraper des perches, mais quand ils avaient accosté, ils s'étaient tournés vers un autre genre de pêche – des jeunes filles du coin qui avaient amarré leur bateau là. Elles n'étaient pas intéressées et essayaient juste de monter jusqu'à Chez Sam mais les gars leur bloquaient le passage.

« Bonsoir, Susan, dit Cork en arrivant sur le ponton. Salut, Donna. »

Les hommes, au son de sa voix, se retournèrent, mécontents de cette interruption.

« Pardonnez-moi, messieurs, dit-il. Voici deux de mes clientes régulières. Je leur offre toujours un traitement de première classe. »

Il se glissa entre les deux hommes, les forçant à reculer jusqu'au bord des planches, et il tendit la main à Donna Payne.

« Hé, papy, voilà exactement ce qu'on avait en tête, nous aussi », dit l'un des deux hommes, souriant. Il avait des cheveux blonds que le soleil et le vent avaient rendus tout raides.

« Je crois que je sais ce que vous aviez en tête, dit Cork. Et ce n'était certainement pas de la première classe. »

Tandis que les jeunes filles passaient entre les deux hommes, le type aux cheveux blonds saisit Donna par le bras.

« Et si on vous emmenait dîner ?

– Et si je vous rafraîchissais les idées ? » répondit Cork. Il balança l'homme à l'eau, se retourna d'un mouvement vif et infligea le même traitement à son compagnon.

« Montez jusqu'à Chez Sam, dit Cork. Jenny va s'occuper de vous. »

Les deux hommes crachotaient et gesticulaient dans l'eau ; ils s'accrochèrent au bord du ponton. Cork resta là, à les regarder.

« Je resterais un peu plus longtemps dans l'eau si j'étais vous. Ça vous dégrisera. Ensuite, vous et votre bateau, vous vous tirez d'ici. Vous êtes sur ma propriété et, dans cinq minutes, je considérerai que vous êtes entrés sans permission et j'appellerai les flics. Croyez-moi, ils vont adorer vous coffrer. Ils adorent verbaliser les étrangers avec des bateaux très chers. »

Cork laissa les deux hommes patauger et retourna Chez Sam.

Les deux filles étaient installées devant le passe-plat.

« Merci, Mr O'Connor, dit Donna.

– Je vous en prie. »

De l'intérieur, Annie dit :

« Tu as eu un drôle d'appel pendant que tu étais en bas, papa. Ils ont demandé le shérif O'Connor.

– Zut. Qu'est-ce que tu leur as dit ?

– Que tu étais occupé à mettre fin à une bagarre...

– Est-ce que tu leur as dit que je n'étais pas shérif ?

– Non, j'ai pris un message. » Elle avait un morceau de papier. « C'était un certain Mr Steven Hadlestadt de la Worthington Clinic qui te rappelait. Il a dit que tu voulais lui parler à propos d'une enquête criminelle impliquant Fletcher Kane. Je lui ai dit que tu enquêtais sur le meurtre de la fille du Dr Kane, Charlotte. Il a paru vraiment troublé. Il a dit : "Charlotte ?", j'ai dit : "Oui, Charlotte Kane." Et il a dit un truc vraiment bizarre, papa. Il a dit : "Je croyais qu'ils avaient clos l'enquête sur ce meurtre il y a quatre ans." »

34

« Elle a été tuée il y a quatre ans ?
– Une enquête sur son assassinat a été menée il y a quatre ans. Je ne sais pas ce que ça veut dire. »

Jo se tut. Elle était dans son bureau, à la maison. Cork savait que la fenêtre était ouverte ; il entendait Stevie dans le jardin en train de jouer avec d'autres enfants. Ils criaient. Ils devaient jouer à chat.

« Est-ce que tu l'as rappelé ?

– J'ai essayé. Sans succès. J'ai laissé deux ou trois messages. Il a dit à Annie qu'il serait dans son bureau lundi toute la journée, si je voulais le rappeler. Jo, il faut que j'aille en Californie. Je veux parler à Hadlestadt en personne à la première heure lundi matin.

– Peut-être qu'il rappellera avant lundi.

– Peut-être. Mais je pense quand même que je devrais y aller. Kane a vécu l'essentiel de sa vie en Californie. Il se pourrait que la plupart des réponses que nous cherchons se trouvent là-bas.

– Ce qui veut dire que tu vas devoir prendre l'avion demain. Ça va coûter cher.

– Tu serais prête à faire le contre-interrogatoire d'un témoin par téléphone ?

– Tu crois vraiment que ça en vaut la peine ?

– Ouais.

– C’est comme ça que tu le sens ?

– Exactement.

– D’accord. Je vais aller sur internet pour te trouver un billet pas trop cher. » Il entendit un soupir passer comme un souffle dans le fil. « Qu’est-ce qui se passe, Cork ?

– Je n’en sais pas plus que toi. Avec un peu de chance, d’ici lundi, on aura une réponse. »

Il fut distrait le reste de la soirée et se sentit soulagé lorsque arriva l’heure de la fermeture. Pendant qu’il remplissait le bon de dépôt du jour, Annie l’appela depuis la fenêtre de service où elle était en train de finir le nettoyage.

« Papa, tante Rose est là. Elle voudrait que tu la rejoignes dehors.

– Dis-lui d’entrer.

– Non, elle veut que ce soit toi qui sortes. »

Cork glissa la recette dans l’enveloppe et la ferma.

Il faisait presque nuit. Rose l’attendait sur le parking.

« En voilà une surprise, dit-il.

– J’étais sortie me promener.

– Une longue promenade.

– J’en fais beaucoup, en ce moment. Ça t’ennuie si on va marcher un peu au bord du lac ? C’est si joli, le soir. »

Ils descendirent jusqu’au ponton où l’eau était lisse et sombre. La ville d’Aurora s’étendait sur le rivage vers le sud et de l’autre côté, vers l’est, les lumières de maisons isolées scintillaient par-ci par-là comme des étoiles tombées sur la terre.

« Qu’est-ce qui se passe, Rose ? »

Elle croisa les bras et regarda les lumières au loin.

« Tu te souviens de la première fois que nous nous sommes rencontrés, Cork ?

– Bien sûr. Bœuf Stroganoff et tarte aux cerises. Le meilleur repas que j’avais mangé depuis des années. »

Elle rit gentiment.

« Tu as toujours eu bon appétit. J'ai su tout de suite que tu étais un homme en qui on pouvait avoir confiance. Dans la vie de Jo, c'était important, et rare.

– Tu m'as mis sur le gril ce soir-là et tu ne m'as pas lâché.

– Et tu t'en es sorti haut la main. »

Un poisson sauta. Une gerbe d'eau, des anneaux bleu-noir. Puis la nuit retrouva son calme.

« Pourquoi Jo ? demanda-t-elle.

– Quoi ?

– Qu'est-ce qui a fait que tu es tombé amoureux de Jo ?

– Ses yeux, d'abord. Ils étaient de feu et de glace en même temps. Son esprit. La manière dont elle parlait des choses, avec tellement de passion. Et elle était très belle, ce qui ne gâchait rien. »

La respiration de Rose devint un soupir.

« Les hommes aiment les jolies femmes, n'est-ce pas...

– La beauté existe sous mille formes différentes, Rose. Je vais te dire quelque chose. Je n'ai jamais rencontré quelqu'un avec une âme plus belle que la tienne. »

Dans la pénombre, elle lui sourit.

« Merci.

– Et tu fais bien le ménage, aussi. »

Elle rit à nouveau.

« Une si longue promenade, juste pour poser ces questions sur Jo et moi ?

– Ce n'est pas la raison pour laquelle je suis venue. »

Peut-être pas, mais cela te tracassait, incontestablement, pensa Cork.

« Jo m'a dit que tu partais demain pour la Californie. Elle a dit que tu pensais que Fletcher avait peut-être quelque chose à voir avec la mort de Charlotte.

– Je me contente de suivre des pistes, Rose.

– Et si ça ne donne rien ?

– Je vais continuer à creuser jusqu'à ce que je trouve quelque chose. » Cork s'appuya contre une bitte d'amarrage. « Tu sais, Rose, tu as toujours été la discrétion incarnée, mais si tu as quelque chose à dire, j'aimerais bien que tu craches le morceau.

– Je ne peux pas.

– Pourquoi pas ?

– J'ai fait une promesse. Une promesse solennelle.

– À qui ?

– Je ne peux pas le dire.

– Est-ce que tu sais quelque chose concernant Charlotte ? Les Kane ? Rose, c'est très important.

– Je sais. Mais je ne peux pas t'en parler maintenant. Quand pars-tu ?

– Demain matin tôt. Pourquoi ne peux-tu pas m'en parler maintenant ?

– Je t'ai dit que je savais que tu étais un homme de confiance. Eh bien, cette fois, il faut que toi, tu me fasses confiance. »

Si n'importe qui d'autre l'avait mis dans cette position, Cork l'aurait étranglé de ses propres mains. Mais Rose demandait peu de choses, et lorsqu'elle le faisait, c'était une demande à respecter.

« Très bien. » Il laissa échapper un long soupir qui exprimait sa frustration, du moins l'espérait-il. « Tu veux que je te raccompagne au presbytère ?

– Je préfère marcher. J'ai encore beaucoup de choses auxquelles je dois réfléchir. »

Une brise se leva, effleura l'eau fraîche et souleva ses cheveux dans un mouvement aérien. Cork vit à quel point elle était belle et se dit que n'importe quel homme pourrait l'aimer.

Elle dit :

« Autrefois, je pensais que la vie était assez simple. Il y avait ma famille, mes amis et mon église, et la prière pouvait résoudre à peu près tout.

– Et maintenant ?

– Certains jours, je m'interroge. »

Elle tourna le dos au lac.

« Je préférerais que tu me laisses te raccompagner, dit Cork. Tant qu'on ne sait pas qui a suivi Annie, il se pourrait que ce ne soit pas très sûr d'être seule dehors si tard. »

Elle évalua son inquiétude et, au bout d'un moment, elle accepta.

« Attends-moi dans la Bronco. Je vais chercher Annie. »

La jeune fille avait fini de ranger ; elle était prête à partir.

« Qu'est-ce que voulait tante Rose ? » demanda-t-elle.

Cork rassembla ce qu'il fallait pour effectuer le dépôt à la banque, secoua la tête et dit :

« Je ne suis pas sûr qu'elle le sache elle-même. »

Tôt le lendemain matin, avant de quitter la ville, Cork alla jusqu'à l'ancienne cabane de Sam Winter Moon. Une fumée bleutée s'échappait du tuyau du poêle et une odeur de bacon grillé flottait dans l'air. La Blazer bleue de Dot était garée sous un bouleau. La porte de la cabane s'ouvrit au moment où Cork s'en approchait et la mère de Solemn sortit sur le seuil. Elle portait un jean, un T-shirt bleu et blanc des Timberwolves et tenait une spatule en bois.

« Bonjour, Dot.

– Salut, Cork.

– Je cherche Solemn.

– Il est au bord du ruisseau. » Du bout de sa spatule elle montra l'est.

« Où sont les gardes du corps ?

– Les gardes du corps ?

– Junior et Phil Medina.

– Solemn les a renvoyés. » Elle chassa d'un mouvement de la main une mouche qui virevoltait autour de sa tête. « Jo m'a dit que tu allais à L.A. aujourd'hui.

– Ouais.

– J'en ai parlé à Solemn. Il n'a pas eu l'air de s'y intéresser tellement. Il a entendu parler des miracles. Qu'en fait c'était du pipeau.

– Comment va-t-il ? »

Elle secoua la tête.

« Tu crois que ça le dérangerait que je lui parle ?

– Tu peux essayer. Tu as faim ? Les pancakes et le bacon seront bientôt prêts.

– Non, merci. Je vais juste aller dire deux mots à Solemn, ensuite, je file. »

Il trouva Winter Moon assis sur une souche à une centaine de mètres plus bas à côté de Widow's Creek. Ce n'était pas loin de l'endroit où, quelques mois plus tôt, Cork avait trouvé le jeune élan mort. Tout ce qui restait de l'animal avait probablement disparu aujourd'hui, dévoré par les charognards et les insectes. La nature faisait son ménage, Cork le savait.

Solemn était assis, les bras posés sur les genoux, la tête baissée ; il regardait l'eau du ruisseau couler devant lui, à quelques mètres. Il ne sembla pas entendre Cork arriver.

« Solemn ? »

Le jeune homme ne tourna pas la tête, ne bougea absolument pas.

« Ils ne croient pas, dit-il.

– Beaucoup de gens n'y ont jamais cru. Est-ce que cela fait une différence ?

– C'est parti. Ce sentiment que j'ai eu dans les bois. Je l'ai perdu. Pourquoi est-ce venu à moi, si c'était pour s'en aller ensuite ?» Il secoua la tête. «Tu avais raison depuis le début. C'était juste un rêve. Une hallucination, quelque chose comme ça. Tous ces gens qui se tournaient vers moi, en fait, c'était une bande de nigauds.»

Cork s'assit par terre à côté de la souche et regarda l'eau couler, vit le ciel se refléter sur sa surface sans cacher les cailloux qui tapissaient le lit du ruisseau.

«Solemn, l'hiver dernier j'ai vu quelque chose que je ne comprends toujours pas aujourd'hui. C'était juste après la disparition de Charlotte. Je faisais partie de l'équipe de recherche, mais je me suis égaré dans le jour blanc sur Fisheye Lake. J'avais perdu tous mes repères. Cela faisait longtemps que je n'avais pas eu une peur pareille. C'est alors que quelqu'un, quelque *chose*, m'a montré le chemin, m'a sauvé la vie. Je ne l'ai jamais vu distinctement. C'est resté tout juste en marge de ma vision, mais j'ai eu l'impression que c'était Charlotte, et je ne sais pas comment c'était possible.

– Tu crois à ce que tu as vu ?

– Je veux y croire. J'ai très envie d'y croire, mais je bute toujours dans mon raisonnement. Cela m'a sauvé la vie, c'est tout ce que je sais, tout comme ce que tu as vu a sauvé la tienne.» Cork haussa les épaules et planta son regard de l'autre côté du ruisseau, là où la forêt s'étendait aussi profonde que tous les secrets dont il connaissait l'existence. «Je me souviens de ce que Sam me disait souvent. Il disait que ces bois renferment plus de choses que ce qu'un homme ne pourra jamais voir avec ses yeux, plus qu'il ne pourra jamais espérer comprendre.»

Solemn resta longtemps silencieux. Puis il dit :

«Sam est mort.

– Ce que je dis, c'est que la plupart des gens donneraient tout pour connaître un moment de certitude tel que celui que tu as ressenti là-bas, dans ces bois. Cette expérience que tu as vécue est un don exceptionnel et il nous donne de l'espoir, à nous tous. »

Solemn leva lentement la tête. Des larmes brillaient dans ses yeux.

« J'avais l'impression de déborder. Maintenant, je préférerais que cela ne me soit jamais arrivé, parce que maintenant que c'est parti, je me sens plus vide que jamais. Et plus seul. »

Cork eut envie de prendre Solemn dans ses bras, mais ce genre de contact n'était pas ojibwe du tout.

Il se leva. Il avait un avion à prendre.

« Va voir Henry », dit-il.

Il s'arrêta à Aurora pour faire le plein. Tandis qu'il fonçait vers le sud, il passa devant le bureau du shérif, et le parc où la foule s'était amassée, dans l'espoir d'apercevoir l'homme qui avait parlé avec Dieu. Le parc était vide, désormais. Chaque fois que l'espérance pliait bagage et s'en allait pour de bon, tout ce qui restait, c'était un vide terrible, incommensurablement triste.

C'était quelque chose que Solemn comprenait très bien.

Cork alla en voiture jusqu'aux Twin Cities et à deux heures, décolla pour L.A. Le temps qu'il se fasse déposer en navette au parking Hertz pour récupérer une voiture de location et qu'il arrive à son hôtel, un endroit vieillot appelé le Claremont Inn juste à l'extérieur de Pomona, il était six heures. Son estomac était encore à l'heure du Minnesota, et il était affamé. Après avoir déposé son sac dans sa chambre, il ressortit pour trouver un endroit où se restaurer et repérer la Worthington Clinic.

Il trouva d'abord la clinique. C'était un bâtiment à plusieurs ailes, en stuc d'un blanc immaculé, dans un océan de pelouses derrière des grilles en fer forgé et un mur recouvert de bougainvillées. Au fond se dressaient les montagnes de San Gabriel, d'un vert cuivré dans la brume de la fin d'après-midi. On aurait dit le genre d'endroit où seuls un oscar ou un million de dollars pouvaient vous faire entrer.

Il mangea un steak correct dans un restaurant proche de la Route 66, puis il prit le volant et roula un moment. Il n'était pas venu en Californie du Sud depuis des années et ce qui l'avait dérangé à l'époque lui déplaisait toujours. Les bosquets d'orangers étaient devenus des parcelles et des parkings, et même avec toutes les autoroutes, les gens semblaient trouver qu'il fallait encore trop de temps pour aller d'un endroit à un autre.

Il rentra à l'hôtel peu avant dix heures et vit que la diode rouge sur le téléphone de la chambre clignotait. C'était un message de Jo. « Appelle-moi, chéri, disait-elle. J'ai de bonnes nouvelles. »

Bien qu'il fût presque minuit dans le Minnesota, Cork rappela immédiatement. Jo répondit, la voix un peu ensommeillée.

« J'ai parlé à Rose aujourd'hui, lui dit-elle. Après ton départ. Elle sait où se trouve Glory.

– Comment le sait-elle ?

– Glory a entendu parler de l'ange aux roses et elle a appelé Rose la semaine dernière. Elle a fait promettre à Rose de n'en rien dire. Et tu sais comment est Rose lorsqu'elle a promis. »

Il le savait. Et maintenant, il comprenait la discussion qu'il avait eue avec sa belle-sœur la nuit précédente.

« Elle a reparlé à Glory aujourd'hui, et Glory a demandé que tu l'appelles le plus vite possible. »

Jo donna à Cork le numéro de Glory.

Cork regarda le préfixe.

« Où ça se trouve ?

– Dans l'Iowa. Rose a dit que lorsque tu appelleras, tu dois demander Cordelia Diller.

– Qui ça ?

– C'est le nom qu'utilise Glory. Elle t'expliquera. Encore une chose, Cork. Dorothy Winter Moon reçoit de plus en plus d'appels de menaces. Les gens sont furieux après cette histoire de miracles. Beaucoup s'en prennent à Solemn et pensent qu'il est dans le coup. Au fait, il est allé chez Henry Meloux.

– Bien. Si quelqu'un peut faire quelque chose, c'est bien Henry. Comment va Annie ?

– Elle est chez les Pilons. Claire l'a invitée à une soirée pyjama.

– Assure-toi qu'elle soit prudente. Qu'elles soient prudentes toutes les deux.

– Reçu cinq sur cinq.

– J'adore quand tu causes flic.

– Tu me manques.

– Toi aussi. »

Une fois qu'il eut raccroché, il composa le numéro que Jo lui avait donné. Le téléphone sonna plusieurs fois avant que quelqu'un ne décroche enfin.

« Ici Rosemount. Sœur Alice Mary à l'appareil.

– Bonsoir, ma sœur.

– Oui ?

– J'essaie de joindre Cordelia Diller.

– Il est tard. Tout le monde est couché.

– Elle m'a demandé de l'appeler.

– S'agit-il d'une urgence quelconque ?

– Je ne dirais pas que c'est urgent, non.

– Alors je suis sûre qu'elle ne tenait pas à ce que vous l'appeliez si près de minuit. Je m'assurerai qu'elle ait votre message à la première heure demain matin. Y a-t-il un numéro où elle puisse vous rappeler ? »

Cork lui donna le numéro du motel.

« Sœur Alice Mary, où êtes-vous exactement ?

– Juste à la sortie de Dansig, dans l'Iowa, sur les bords du Mississippi.

– En fait, je voulais dire, qui êtes-vous ? Qu'est-ce que Rosemount ?

– Nous sommes un lieu de retraite pour les femmes catholiques, en particulier celles qui envisagent d'entrer dans une vie de piété.

– Vous voulez dire, devenir nonne ?

– C'est bien une des options possibles.

– Merci, ma sœur. »

Cork raccrocha et passa quelques minutes à essayer de se représenter Glory en bonne sœur. Dieu était peut-être capable de la voir ainsi, se dit-il enfin, mais ses propres yeux étaient bien trop myopes pour cela.

35

Cork ne dormit pas bien. Il se leva tôt et essaya d'appeler Glory Kane dans l'Iowa. Le numéro était occupé. Il prit une douche, se rasa, s'habilla, essaya à nouveau et obtint le même résultat. Il alla jusqu'à un petit restaurant plus bas dans la rue du Claremont Inn et commanda des œufs pochés. Ils n'étaient pas mauvais ; le café était bon et très fort. Il lut le *Los Angeles Times.* La page sports, surtout. Les Twins, l'équipe du Minnesota, avaient perdu une place au classement et avaient un point de retard sur les White Socks de Chicago. Il rentra dans sa chambre d'hôtel et essaya de joindre Glory Kane une dernière fois. La ligne était toujours occupée. Il se demanda comment s'expliquait cette densité de communication avec un lieu de retraite paumé au fin fond de l'Iowa.

À huit heures, il se présenta à la réception de la Worthington Clinic. Une blonde avec une démarche chaloupée, que l'on voit généralement sur Rodeo Drive, le conduisit jusqu'au bureau de Steven Hadlestadt. Il se leva pour lui serrer la main.

L'homme était plus jeune que ne l'avait imaginé Cork, à peine plus de trente ans. Il avait le crâne complètement rasé, un visage fin et des yeux bleus intelligents. Il portait un costume gris qui tombait parfaitement et une petite cravate en soie rouge.

« Je dois avouer que je ne m'attendais pas à votre visite, shérif O'Connor.

– C'est important, alors je suis venu. Est-ce *Dr* Hadlestadt ?

– Oui, mais pas docteur en médecine. Je suis l'administrateur de la clinique. Asseyez-vous, je vous en prie. »

Cork s'enfonça dans un fauteuil en cuir. Le bureau était aménagé avec goût et, par la grande baie vitrée, on avait une vue extraordinaire sur les montagnes de San Gabriel.

« Avant que nous n'allions plus loin, puis-je voir vos papiers ? »

Cork sortit son portefeuille et lui tendit une carte.

« C'est un permis de conduire, dit Hadlestadt.

– C'est exact.

– Puis-je voir votre carte de policier ?

– Je n'en ai pas pour le moment. Je suis l'ancien shérif du comté de Tamarack. J'ai occupé ce poste pendant huit ans. En ce moment, je travaille comme consultant sur des affaires judiciaires. »

Hadlestadt lui rendit son permis de conduire.

« Donc, vous n'êtes pas officier de police.

– Auriez-vous l'obligeance de regarder ceci, Mr Hadlestadt ? »

Cork lui tendit un exemplaire du *Duluth News Tribune* daté du mois d'avril avec un article intitulé « La mort de la jeune fille d'Aurora s'avère être d'origine criminelle ». L'article comportait une photo de la jeune femme.

« Est-ce Charlotte Kane ? » demanda Cork.

Hadlestadt lut le titre, puis parcourut l'article et observa la photo.

« On dirait bien que c'est elle, mais je ne vois pas comment c'est possible.

– Pourquoi ?

– D'abord, parce qu'elle est morte il y a quatre ans. Ou du moins, c'est ce que je croyais. Et deuxièmement, on dit qu'elle a dix-sept ans. Charlotte Kane aurait vingt ans aujourd'hui.

– Qu'est-il arrivé à Charlotte il y a quatre ans ? »

Hadlestadt posa le journal sur son bureau.

« Vous dites que vous êtes consultant. En qualité de... ?

– Je travaille pour l'avocat dont le client a été accusé du meurtre de cette jeune fille. »

Pendant un moment, on aurait dit que Hadlestadt évaluait s'il était opportun de répondre. Puis il parut décider que ce n'était pas bien grave.

« Charlotte a disparu. On a retrouvé sa voiture quelques jours plus tard. Beaucoup de sang mais pas de corps. D'après ce que je sais, c'était une scène assez atroce. La police a fait une enquête approfondie, mais je crois qu'on n'a jamais découvert exactement ce qui lui était arrivé. C'était terrible. C'était une enfant tellement géniale.

– Est-ce qu'ils ont jamais retrouvé le corps ?

– Non. Du moins, pas que je sache.

– Est-ce que Fletcher Kane a été suspecté ? »

Hadlestadt se [illegible]

« Non. Et je ne vous dirai rien qui risquerait de nuire au Dr Kane.

– Essayez de comprendre, je ne cherche que la vérité. Un jeune homme a été accusé d'avoir tué la fille du Dr Fletcher Kane, qui s'avère être déjà morte depuis des années. Mr Hadlestadt, tout ce que je vous demande, c'est de m'aider à comprendre comment c'est possible. »

Hadlestadt s'installa confortablement dans son fauteuil. Pendant quelques instants, il détourna les yeux et regarda les montagnes qui se découpaient dans l'encadrement de la fenêtre.

« Que voulez-vous savoir ? dit-il.

– Quel genre de personne était le Dr Kane ?

– Très exigeant avec lui-même et avec ses collègues. Un perfectionniste. Parfois difficile, parce que ses attentes étaient très élevées. Mais absolument extraordinaire avec les patients. Compatissant, compréhensif. »

Ce dernier point surprit Cork, même s'il essaya de ne pas le montrer.

« C'est lui qui m'a embauché. J'ai travaillé avec lui pendant plusieurs années. Je n'ai que de l'admiration pour lui comme médecin et comme directeur de cette clinique. » Hadlestadt se pencha, posa ses coudes sur son bureau et croisa les doigts. « Lorsque le Dr Kane a pris la direction de Worthington, c'était un endroit dont la clientèle était composée exclusivement de gens riches, de gens qui voulaient se racheter une jeunesse ou qui voulaient embellir des parties de leur corps qui, selon eux, avaient été méprisées par Dieu. Kane a changé cela. Il a recruté des médecins de talent et leur a donné des moyens. Avec le temps nous avons acquis une réputation pour nos travaux de chirurgie reconstructive sur des patients ayant subi des traumas physiques. Des accidents de voiture, des brûlures, ce genre de choses. Ne vous méprenez pas. Nous sommes toujours l'adresse préférée des gens d'Hollywood qui veulent se faire refaire le nez, mais ce n'est plus l'essentiel de nos interventions, à Worthington, et ça, c'est grâce à Fletcher Kane.

– Pourquoi est-il parti ? »

Hadlestadt haussa les épaules.

« À cause de ce qui est arrivé à Charlotte. Ça l'a anéanti. Il n'a jamais réussi à s'en remettre. Il a paru perdre une partie de lui-même, la meilleure partie, à vrai dire. Il a démissionné de son poste de directeur, s'est écarté de nous tous, de la vie sociale d'ici. Il a demandé une nouvelle équipe, ce qui était un peu étrange, mais nous avons accédé à sa demande. Il est devenu très secret sur son travail. Si l'on pense à tout ce qu'il avait traversé, j'imagine que c'était plutôt compréhensible. Lorsqu'il a fini par partir, je n'ai pas été surpris du tout.

– Que pouvez-vous me dire de Charlotte Kane ?

– En dehors du fait que tout le monde l'aimait, pas grand-chose. Peut-être devriez-vous parler à quelqu'un qui était plus proche d'elle. Essayez sa mère. Je suis certain que cela l'intéressera. » Il assortit cette dernière phrase d'un tapotement sur le journal.

« Sa mère ? dit Cork. Mais je croyais que la femme de Kane était décédée.

– Le mariage est peut-être mort, mais Constance Kane est bien vivante, je vous l'assure. »

Elle vivait dans une grande maison à Ganesha Hills, au-dessus des Los Angeles County Fairgrounds. L'endroit était dans le style hacienda, deux étages de stuc beige avec un toit en tuiles rouges. Les contours de la propriété étaient délimités par de grands cèdres, presque comme le domaine Parrant à Aurora. Il y avait une fontaine : une jeune fille en porcelaine qui versait de l'eau d'une cruche dans un petit bassin. Elle avait un joli visage et des yeux vides. Cork sonna à la porte. Constance Kane apparut immédiatement.

Cork reconnut Charlotte dans la femme debout devant lui. Les mêmes cheveux noir corbeau, la même forme de visage, petit nez, pommettes hautes, menton fort. Du charme. Les yeux étaient différents, bleus, plus doux, avec de toutes petites pattes d'oie. Elle portait une robe d'été jaune et des sandales.

« Mr O'Connor ?

– Comment allez-vous, Mrs Kane ? »

La main était petite mais ferme, les ongles, bien manucurés et recouverts d'un vernis couleur opale.

« Entrez, je vous en prie. »

Des lys dans un vase sur une table dans l'entrée ; Cork sentit leur merveilleux parfum.

« Voulez-vous du café, ou bien du thé ? proposa-t-elle.

– Non, merci. »

Dans le salon, elle lui indiqua un fauteuil confortable et Cork s'assit. Elle prit place sur le canapé, croisa les chevilles et posa ses mains sur ses genoux.

« Lorsque vous avez appelé de la clinique, vous avez dit que vous aviez des informations concernant Fletcher, que vous pensiez devoir me communiquer. Est-ce qu'il va bien ?

– En fait, c'est ce que j'essaie de savoir. Je viens d'Aurora, dans le Minnesota, la ville natale de votre ex-mari.

– Vous faites erreur, Mr O'Connor. Fletcher vient du Kansas.

– Je l'ai connu jusqu'à ce qu'il déménage, à l'âge de treize ans, avec sa mère. Ils sont partis dans des circonstances assez déplaisantes. Cela ne me surprend pas que votre mari ait pu faire le choix de ne jamais parler de cette période de sa vie.

– Je suis certaine que nous parlons de deux Fletcher Kane différents. »

Cork avait emporté avec lui une photo qu'il avait découpée dans l'*Aurora Sentinel*, à l'occasion de la publication d'un article sur la famille peu de temps après le retour de Kane en ville. L'article était vague mais la photographie était nette. Il la lui tendit :

« Est-ce votre mari ? »

Elle regarda la photo et répondit avec méfiance.

« Oui.

– Il est revenu à Aurora il y a deux ans. Il avait sa fille avec lui. Elle s'appelait Charlotte.

– Charlotte ? » Ses yeux se durcirent et les pattes d'oie s'accentuèrent. « Est-ce une mauvaise plaisanterie ? Vous êtes du département du shérif, avez-vous dit ?

– J'ai été pendant huit ans shérif du comté de Tamarack, c'est là que se trouve Aurora.

– Mais vous ne l'êtes plus ?

– Non. » Cork sortit l'exemplaire du *Duluth News Tribune* qu'il avait montré à Hadlestadt à la clinique. « J'ai quelque chose ici que vous devriez voir. »

Elle prit le journal de ses mains et passa une minute à lire. Elle observa la photographie avec intensité.

« Je ne sais pas qui c'est, mais ce n'est pas ma fille. Elle lui ressemble, mais ce n'est pas elle. » Mrs Kane se leva brusquement et alla jusqu'à un meuble en bois blond qui paraissait avoir été conçu dans le seul but de renfermer des bibelots très chers. Elle y prit une photographie encadrée et l'apporta à Cork.

« Voici ma Charlotte. Vous voyez ? »

C'était un portrait effectué par un professionnel, sur un fond bleu pâle. Au premier abord, il sembla à Cork que c'était la même jeune fille que celle de la photo dans le journal. Mais lorsqu'il mit les deux clichés côte à côte, il vit les différences. Dans la mâchoire, les oreilles, et les yeux, en particulier. La Charlotte californienne avait l'air bronzée et heureuse. La Charlotte du Minnesota était pâle, plus mince, renfrognée. Malgré tout, il était possible que les différences viennent de la mauvaise qualité de la photo du journal, ou d'une humeur différente au moment où les photos avaient été prises.

« Les âges sont différents, aussi, dit la femme. Ma Charlotte serait plus âgée. »

Cork dit :

« Seriez-vous prête à me parler de votre fille et de sa disparition ? Et de Fletcher ? »

Elle le regarda fixement.

« Si vous n'êtes plus shérif, en quoi tout ceci vous concerne-t-il ?

– Un jeune homme a été accusé d'avoir tué Charlotte Kane. Notre Charlotte. Je ne crois pas qu'il soit coupable.

– Pourquoi voulez-vous apprendre des choses sur Fletcher ?

– Beaucoup de questions restent en suspens dans l'affaire. Si ce n'est pas votre fille dont il est question dans cet article, on peut seulement se demander pourquoi elles se ressemblent tellement et portent le même nom. »

Elle s'assit et ferma les yeux. Cork attendit. Entre les portes coulissantes, il vit une grande terrasse, des bacs remplis de fleurs rouges et blanches, et, au-delà, les collines bleutées d'une métropole qui s'étendait sans discontinuer jusqu'à l'horizon violet.

« Charlotte a disparu une semaine après son seizième anniversaire », commença-t-elle lentement. Elle regardait ses mains, pas Cork. « Nous lui avions offert une voiture. Elle venait d'avoir son permis. Elle est partie après le dîner ce soir-là pour retrouver des amis à la bibliothèque. Elle n'est jamais rentrée à la maison. Deux jours plus tard, on a retrouvé sa voiture. Il y avait beaucoup de sang dans le coffre. Le sang de Charlotte. On n'a jamais retrouvé son corps. »

Elle leva la tête. Son visage était tendu, mais calme.

« Il m'a fallu longtemps, Mr O'Connor, mais j'ai fini par accepter la mort de ma fille. C'était différent pour Fletcher.

J'aimais Charlotte beaucoup, mais elle et Fletcher étaient liés par quelque chose de spécial.» Elle hésita. «Je ne sais pas à quel point vous connaissez mon mari.

– Je le connais très peu.

– Vous n'êtes pas le seul. Nous avons été mariés pendant dix-huit ans et je ne le comprenais pas mieux le dernier jour que le premier. Fletcher était une personne très secrète, très fermée. Il permettait à très peu de gens de l'approcher, et il n'autorisait personne à entrer dans son intimité. Personne sauf Charlotte. Du moment où elle est née, elle a réussi, je ne sais pas comment, à ouvrir le cœur de Fletcher. Je l'admets, je me suis souvent sentie exclue, un peu jalouse de ce qu'ils partageaient, tous les deux.

«Mais dans les semaines qui ont précédé sa mort, ils étaient souvent en conflit. Les notes de Charlotte chutaient. Elle passait trop de temps avec ses amis. De l'avis de Fletcher, du moins. En fait, c'était un comportement normal d'adolescente, elle le testait, elle se rebellait. La nuit où elle a disparu, ils se sont disputés. À propos de ses vêtements, qui lui donnaient l'air d'une clocharde, disait Fletcher. C'était la mode, à ce moment-là. Des trous partout. Elle est partie, et elle n'est jamais revenue. Fletcher n'a pas réussi à digérer sa disparition, il ne cessait de s'en vouloir, alors qu'il n'y avait aucune raison. Il a été anéanti. Il s'est enfermé dans son chagrin. À la fin, nous n'avons pas seulement perdu notre fille. Nous nous sommes perdus, l'un l'autre. Huit mois après la disparition de Charlotte, nous nous sommes séparés, puis nous avons divorcé.»

Le téléphone sonna.

«Si vous voulez bien m'excuser», dit-elle. Elle quitta le canapé et alla dans la cuisine. «Allô ? dit-elle. Bonjour, chéri.» Elle resta silencieuse un moment. «Non, j'ai dit jeudi soir. Les billets sont pour le concert de neuf heures. Jill et Ed nous retrouvent là-bas. »

Cork n'avait pas envie d'entendre la conversation. Il se leva et alla remettre la photographie de Charlotte Kane à l'endroit où sa mère l'avait prise.

« Je suis désolée, Mr O'Connor. » Elle se tenait à la porte de la cuisine et lui parlait de là-bas.

« Ne vous inquiétez pas.

– Tout ceci est très difficile à comprendre.

– J'imagine bien.

– Je ne comprends pas ce qui se passe dans votre ville – comment s'appelle-t-elle ?

– Aurora, dans le Minnesota. »

Elle hocha la tête.

« Mais votre Charlotte n'est pas la mienne. De cela, je suis absolument certaine.

– Et vous n'êtes pas curieuse ? »

Elle croisa les bras dans un geste de protection.

« Je ne sais pas si vous avez eu à vivre un événement pareil. Ce genre de perte, cette incertitude écrasante. Au début, vous vivez d'espoir. Vous vous épuisez en prières. Vous ne dormez pas, vous ne mangez pas. Les jours s'étirent en semaines, les semaines, en mois. Finalement, se cramponner à l'espoir, ça devient aussi difficile que de soutenir la terre entière, et vous n'avez plus la force. Vous devez lâcher prise. Faire votre deuil, avancer. Cela fait plus de deux ans que je n'ai pas eu de nouvelles de Fletcher. J'ai avancé. J'avais espéré qu'il en était de même pour lui. » Elle ferma les yeux, fort, comme si elle ressentait une douleur physique. Au bout de quelques instants, elle reprit. « Fletcher n'a pas seulement perdu une fille. Je crois qu'il a perdu le meilleur de lui-même et cette partie-là lui manquait atrocement. Il était devenu obsédé par l'idée de trouver Charlotte, il refusait de croire qu'elle était morte. Il la voyait partout. Dans des voitures qu'il croisait, dans la rue, au centre commercial. J'ai entendu dire qu'on avait tous un double quelque part. Alors, je suppose qu'il est parfaitement possible qu'il ait fini par trouver le double de Charlotte, une jeune femme qui voulait une vie nouvelle autant que lui désirait retrouver son ancienne vie.

– Ou alors il l'a fabriquée. »

Il lui fallut un moment, mais quand elle comprit ce qu'il était en train de suggérer, une expression d'horreur se peignit sur son visage.

« Mon Dieu. C'est difficile à croire.

– Mais pas impossible... Si j'ai bien compris, votre mari était un chirurgien esthétique de grand talent.

– Vous ne me comprenez pas. Je crois que Fletcher est probablement capable de commettre un acte aussi désespéré et étrange. Ce qui est difficile à croire, c'est qu'il ait trouvé quelqu'un qui l'ait laissé faire. » Elle traversa la pièce et prit la photo de sa fille. « Si c'est ce qui est arrivé, je me sens très triste pour elle. Mr O'Connor, lorsque vous découvrirez les réponses, j'aimerais les connaître. »

Il la laissa, debout au milieu de sa magnifique maison, l'air profondément troublé.

36

Après avoir parlé avec l'agent de permanence, Cork dut attendre un moment. Finalement, le sergent Gilbert Ortega arriva et l'escorta jusqu'à la division homicides. Un autre officier en civil assis dans un coin du bureau, sans manteau, manches de chemise roulées, pianotait sur un clavier d'ordinateur. Il leva les yeux lorsque Cork entra accompagné d'Ortega, mais retourna immédiatement à sa tâche. Ortega s'installa à son bureau et fit signe à Cork de prendre l'autre chaise.

« Minnesota, c'est ça ?

– C'est exact. »

Ortega gratta la fine moustache qui lui barrait la lèvre supérieure comme un trait de crayon.

« Jamais été là-bas. C'est beau, à ce qu'on m'a dit.

– Effectivement.

– L'agent Baker a dit que vous vous intéressez à une enquête que nous avons menée il y a quelques années.

– Oui. La victime s'appelait Charlotte Kane. »

Ortega hocha la tête.

« Je me souviens. Tous les indices pointaient vers un homicide, mais nous n'avons jamais retrouvé de corps. Quel est le lien avec le Minnesota ?

– Le père de la jeune fille habite là-bas maintenant. Sa fille a été assassinée. D'après ce que je sais, les circonstances de sa mort sont assez similaires à ce qui s'est passé ici. »

Cork tendit à Ortega le journal de Duluth. L'officier jeta un coup d'œil à la photo de Charlotte Kane puis parcourut l'article. « J'en crois pas mes yeux. Emory, viens donc jeter un coup d'œil là-dessus. »

L'autre flic se leva. Il était grand et avait un seul grand sourcil qui courait au-dessus des deux yeux. Il laissa son ordinateur, s'approcha du bureau d'Ortega et lut par-dessus l'épaule de son collègue. Il émit un sifflement et son front se plissa. Son sourcil se coupa au milieu. Il regarda Cork.

« Ils ont un suspect ?

– Un homme a été accusé. Je travaille pour son avocat.

– Et qu'est-ce que vous attendez de nous ? demanda Ortega.

– Toute information concernant votre enquête il y a quatre ans. »

Ortega sourit, d'un sourire aussi mince que sa moustache. « Vous vous intéressez au père.

– Ça semble normal, non ?

– C'est une affaire classée. Je n'étais pas sur le coup.

Buster », dit Emory, le grand flic

Ortega s'appuya au dossier de sa chaise et croisa les bras.

« Buster Farrell était à la tête de la division homicides à l'époque. C'était son enquête. »

Cork dit :

« Est-ce qu'il est toujours dans le coin ? »

Les deux flics de Pomona éclatèrent de rire.

« Oh que oui, dit Emory. Buster est dans le coin.

– Il est à la retraite, dit Ortega. Raisons médicales. Mais il passe. Tout le temps, en fait.

– Vous pensez qu'il accepterait de me parler ?

– Je suis certain que ça lui ferait très plaisir, dit Ortega. Je vais l'appeler et arranger ça. Mais avant, une ou deux choses. Je veux faire une copie de cet article avant que vous ne partiez et je voudrais avoir le nom de l'officier chargé de l'enquête, là-bas, dans le Minnesota. »

Buster Farrell vivait dans une petite maison en stuc beige avec des moulures marron, en face d'un petit parc. L'allée était bordée de fleurs, le jardin, entouré d'une haie parfaitement taillée. Un arroseur tournait lentement au milieu de la pelouse, crachant des gouttelettes d'eau comme des diamants sur l'épaisse pelouse. Tandis que Cork remontait l'allée, le flic ouvrit la porte à moustiquaire et sortit sur le seuil. Il s'appuyait sur une canne métallique.

« O'Connor ? » fit-il.

Cork monta les trois marches.

« Appelez-moi Cork.

– Et tout le monde m'appelle Buster. »

Il n'était pas âgé. Une bonne cinquantaine, peut-être. On aurait dit que son corps avait été plus lourd autrefois, mais qu'il avait été réduit, récemment. Cork lui serra la main et sentit un tremblement peu naturel dans le bras de l'homme.

« Entrez donc. Puis-je vous offrir quelque chose à boire ? Une bière, peut-être ? »

À l'intérieur, la maison était intégralement dans les tons beiges. C'était un endroit bourré de souvenirs – des trophées de bowling et de softball, des photographies sur les étagères et sur les murs, des figurines en argile peintes et des dessins d'enfants sur des grandes feuilles de papier kraft, mais tout semblait avoir une place. Buster Farrell se traîna jusqu'à la cuisine et Cork prit un moment pour regarder une photographie posée sur une petite table à côté du canapé.

« C'est mon épouse, Georgia », dit Farrell, quand il revint avec deux bières dans sa main libre. Elle est institutrice. Elle joue au bridge cette après-midi. Elle joue beaucoup au bridge ces derniers temps. Ce n'est pas qu'elle aime tellement jouer aux cartes, pourtant. Mais depuis que je suis à la retraite, je lui tape sur les nerfs. J'espère que vous aimez la Coors. » Il tendit une bouteille à Cork.

« C'est parfait, merci.

– Asseyez-vous donc. »

Farrell s'installa dans un grand fauteuil. Cork s'assit sur le confident.

Farrell dévissa la capsule de sa bière.

« Je me rappelle quand ces trucs n'étaient pas pasteurisés et que c'était dur d'en trouver ailleurs que dans le Colorado parce que ça voyageait pas bien. Sacré breuvage, en ce temps-là. Gilbert m'a dit que vous vous intéressiez à l'enquête Charlotte Kane. Il a pas dit pourquoi. »

L'article du *Duluth News Tribune* que Cork lui tendit le lui expliqua.

« Mince alors », fit-il en posant le journal.

Cork dit :

« J'ai parlé à Constance Kane il y a quelques heures. Elle dit que la jeune fille sur ce journal n'est pas son enfant. »

Farrell haussa les épaules.

« C'est elle la mère. Elle doit bien savoir. Mais moi, vous auriez pu m'avoir. Si ce n'est pas elle, c'est sa sœur jumelle. Et elle en a pas, ça, j'en suis sûr. » Il tapota le journal du bout du doigt. « L'âge est pas bon, mais elle a pu mentir là-dessus. J'ai vu des filles dont on aurait pas pu dire si elles avaient seize ou vingt-six ans, vous voyez le genre ?

– Pouvez-vous me parler de votre enquête ?

– Quel est votre intérêt dans cette affaire ?

– Le gars qui est accusé du meurtre, je travaille pour sa défense.

– Vous ne pensez pas qu'il a fait le coup ?

– Non. »

Farrell but un peu de bière et contempla Cork.

« OK. » Il s'installa confortablement dans son fauteuil.

« Le département a reçu un appel des parents de la fille le soir de sa disparition. Le chef a envoyé quelques gars. Les parents ont expliqué qu'elle avait dit qu'elle allait à la bibliothèque. Plus tard, on a trouvé des gamins qui ont dit autre chose. Elle se rendait à une fête là-haut, dans les montagnes, et elle avait prévu d'aller se chercher un peu d'herbe avant. Elle est jamais arrivée à la fête. Pendant deux ou trois jours, nos gars sont revenus avec *nada*. Puis la police de Long Beach a trouvé sa voiture abandonnée dans un terrain vague, avec du sang plein le coffre. C'est là que je m'y suis intéressé. Nous avons examiné toutes les possibilités. Les dealers connus dans la région de Pomona. Les voleurs de voitures. Ses amis, ses connaissances.

– Ses parents ?

– Eux aussi. Rien. C'était le pire scénario possible. Un cauchemar pour tout le monde. J'ai élevé quelques gosses, moi aussi. Vous croyez que je me faisais pas de bile ? Vous vous dites, que Dieu les préserve de toutes les folies de ce monde, parce qu'on peut pas être toujours là pour les protéger, à chaque instant. Je souffrais pour les parents, vraiment. C'était pas des mauvais parents. C'était pas de leur faute. C'est juste un truc qui arrive.

– Le sang dans la voiture, est-ce que ça aurait pu être une diversion ? Est-ce qu'elle a pu fuguer ? »

Farrell secoua la tête.

« C'était son sang, et il y en avait des tonnes. Et pour ce qu'on pouvait en dire, elle n'avait rien à fuir. Elle était intelligente, populaire, de bons parents, de bons amis. L'histoire de l'herbe ? Bah, les gosses de cet âge-là, ils le font tous. Je dirais que c'était juste un deal de drogue ou un vol de voiture, un truc qui a mal tourné. La gosse se trouvait juste au mauvais endroit au mauvais moment. C'est qu'une supposition. » Il ramassa le journal et regarda longuement la photo. « C'est comme de voir un fantôme. » Il le rendit à Cork. « Que ce soit elle ou pas, ça n'a pas grande importance, à mon avis. D'une manière ou d'une autre, elle est morte pour de bon, cette fois. Une autre bière ?

– Non, merci. Autre chose qu'il serait utile que je sache ?

– Vous aimeriez bien soupçonner son père, hein ? C'est ce que je penserais, si j'étais vous. Il est la constante dans toute l'équation. Mais j'éviterais de tirer des conclusions trop hâtives. » Il désigna le journal. « Ce genre de tragédie, ça vous ouvre les gens en grand. On les voit bien de l'intérieur. Je ne sais pas à quoi le Dr Kane ressemblait, là-bas, mais ici, tout ce que j'ai vu, c'était un chagrin sincère. Ça ne veut pas dire qu'il est exclu que ce soit lui. Peu importe le temps qu'on a passé dans ce job, on peut encore se faire avoir. Moi, j'essaierais de rester réservé dans mon jugement, c'est tout ce que je dis.

– Merci. J'apprécie que vous me fassiez part de votre point de vue. » Cork finit sa bière en deux longues gorgées et se leva. « Il faut que j'y aille.

– Encore une chose.

– Quoi ?

– Deux Charlotte. Si j'étais vous, je réfléchirais au fait que Kane est un chirurgien plastique. De ce que j'ai appris pendant mon enquête, un des meilleurs. Cela doit vous inspirer quelque chose.

– C'est déjà le cas. »

Buster Farrell le raccompagna jusqu'à la porte.

« Ça vous manque ? demanda Farrell.

– Quoi ?

– Le boulot de flic.

– J'ai jamais dit que j'en étais un.

– Vous l'étiez. Je le sens. » Farrell le regarda droit dans les yeux. « Ouais, ça vous manque. » Il tendit à Cork une main tremblante. « À moi aussi, ça me manque. »

37

Cork acheta un atlas routier des États-Unis dans un 7-Eleven sur Murchison Avenue, puis retourna au restaurant où il avait pris son petit déjeuner. Il commanda un café et un club sandwich et ouvrit l'atlas. Il repéra Dansig, dans l'Iowa, un petit point sur la State 26 juste au sud de la frontière du Minnesota. Il était impatient de parler à Glory Kane. Ou Cordelia Diller, si tel était le nom qu'elle se donnait désormais.

Lorsqu'il retourna dans sa chambre d'hôtel, il se rendit compte qu'il était l'heure du dîner dans le Minnesota. Il appela à la maison et fut surpris par la voix qu'il entendit au bout du fil.

« Rose ?

– Bonsoir, Cork.

– Tu es passée dîner à la maison ?

– En fait, je suis en train de le préparer. Ellie Gruber est revenue aujourd'hui. Elle est au presbytère, donc... je suis rentrée ici. »

Rentrée ici, se dit Cork. Pourquoi n'a-t-elle pas dit rentrée à la maison ?

« C'est une bonne chose, j'imagine.

– Bien sûr que c'est bien. » Sa voix s'anima d'une gaieté un peu forcée. « As-tu parlé à Glory ?

– J'ai essayé d'appeler, dit-il. Mais c'était occupé.

– C'est probablement à cause des tornades. Il y en a eu plusieurs dans le sud du Minnesota et le nord de l'Iowa. Beaucoup de lignes ont été coupées.

– Voilà l'explication. Est-ce que Jo est dans le coin ?

– Elle entre dans la cuisine à l'instant.

– Je suis content que tu sois rentrée à la maison.

– Merci, Cork. »

Quelques instants de silence à l'autre bout, puis Jo prit le combiné.

« Cork ?

– Bonjour, toi. Alors, la maison est pleine à nouveau ?

– Pas complètement. Tu n'es pas là... Comment ça s'est passé aujourd'hui ? Est-ce que tu as découvert des choses ?

– Fletcher Kane est bien plus compliqué que je l'avais imaginé. Je ne sais plus quoi penser, maintenant.

– Et Charlotte ?

– Je pense qu'il y en a eu deux, et l'une d'entre elles a très bien pu être fabriquée de toutes pièces. » Il lui raconta les détails des conversations qu'il avait eues dans la journée. « J'ai reparlé avec Hadlestadt. Il a dit que, avec les extraordinaires progrès de la reconstruction faciale, ce n'était pas du tout exclu en termes de faisabilité. Ce n'est absolument pas éthique, mais pas illégal non plus.

– Il a créé un sosie ? demanda-t-elle.

– Il est possible qu'il soit tombé par hasard sur une fille qui ressemblait beaucoup à Charlotte, mais les probabilités sont très faibles. Étant donné qu'il était terriblement malheureux, je crois qu'il est plus plausible qu'il se soit servi de ses talents de chirurgien pour ramener sa fille à la vie.

– Mon Dieu, que c'est grotesque.

– J'en saurai plus une fois que j'aurai parlé à Glory. Ou Cordelia. Bon Dieu, les gens ne pourraient-ils donc pas être ce qu'ils paraissent ? Comment ça va, à la maison ?

– Plus de rôdeurs, Dieu merci.

– On ne se relâche pas pour autant, d'accord ?

– Ne t'inquiète pas. Au fait, j'ai entendu dire que Nestor Cole pourrait bien retirer les accusations contre Solemn.

– Pourquoi ?

– Des bruits autour de tes soupçons sur la relation de Fletcher Kane avec Charlotte. Il y a eu des fuites.

– Cy Borkmann, dit Cork. Il n'a jamais su la fermer, celui-là.

– Ce qu'on dit de Fletcher est assez vilain. Je crois que notre procureur craint que la situation soit trop trouble maintenant pour être certain d'obtenir une condamnation.

– Bon, c'est déjà ça. » Il prit une grande inspiration. « Contente d'avoir retrouvé Rose ? »

Jo resta silencieuse, puis reprit : « Nous en parlerons quand tu seras rentré.

– D'accord, dit-il. Je t'aime.

– Je t'aime aussi. »

Il raccrocha en se demandant pourquoi Jo était réticente à parler de Rose.

Il commençait à avoir faim, alors qu'il était encore tôt en Californie. Il alla jusqu'à la fenêtre et regarda dehors. Quelques palmiers étiques, trop de voitures, une brume sale. Une mégalopole pleine de monde, et il se sentait seul, malgré tout. Il savait que ce n'était rien en comparaison de la solitude de Solemn Winter Moon.

Cork retourna jusqu'au lit, s'assit, prit le téléphone et composa le numéro de Rosemount. Cette fois, il eut la communication. Elle était mauvaise, on aurait dit le craquement de l'herbe sèche. Il demanda à parler à Cordelia Diller. Au bout d'une minute, la femme qu'il connaissait sous le nom de Glory Kane prit le combiné.

« Glory ?

– C’est Cordelia, en fait.

– Pourquoi ce nouveau nom ?

– Il n’est pas nouveau. C’est l’ancien. Avant Glory. Bien avant Glory.

– Alors pourquoi Glory ?

– Il faut que nous parlions. Où êtes-vous ?

– En Californie. »

Elle hésita.

« Alors, vous savez pour Charlotte.

– Pas tout. Et si vous m’expliquiez ?

– Je préférerais ne pas le faire par téléphone.

– OK. Je rentre en avion aux Twin Cities demain. Je descendrai en voiture à Rosemount dès que j’aurai atterri. »

Elle réfléchit.

« D’accord.

– Ce sera probablement en milieu d’après-midi.

– Cork ?

– Oui ?

– Pensez-vous que Fletcher est un homme bien ?

– Les gens ici semblent le penser. »

Le bruit de l’herbe sèche occupa tout l’espace sonore pendant quelques instants. Puis elle dit :

« Je le pensais, moi aussi. »

38

Cork reprit sa voiture à l'aéroport des Twin Cities et prit la direction du sud. Dans le relief escarpé du paysage près de la frontière de l'Iowa, il vit les effets des ouragans qui étaient passés par là deux nuits plus tôt. De grands arbres étaient déracinés. Les déluges d'eau avaient laissé des tas de débris enchevêtrés dans le sous-bois le long des rives des cours d'eau. Des panneaux de signalisation étaient pliés sur leur pied métallique. Ainsi était le Midwest en cette saison.

Cork arriva à Dansig en fin d'après-midi. Près de la frontière sud de la ville, il vit un entrepôt éventré, dont il ne restait des parois que l'armature en ferraille, rouillée et tordue. Deux kilomètres plus loin, il vit un panneau, qu'on avait temporairement réparé avec du gros scotch argenté ; il indiquait l'est, une route secondaire menant à Rosemount. C'était un long chemin étroit bordé de part et d'autre par des amas de grands ifs brisés. En plusieurs endroits, un arbre tombé gisait, découpé en tronçons au bord du fossé. Tandis que Cork approchait du centre, il entendit le bourdonnement d'une tronçonneuse dans l'air humide.

Le centre de retraite Rosemount se trouvait sur une hauteur boisée bien au-dessus du Mississippi. Les bâtiments, en brique rouge foncé, paraissaient être là depuis la guerre de Sécession. Le tronc d'un grand chêne à côté de l'entrée s'était fendu. La moitié de l'arbre gisait à terre. Le bois blanc, au cœur de l'arbre, était visible dans la grande plaie béante. La pelouse était jonchée de branches cassées. Dans plusieurs bâtiments, les vitres avaient disparu des fenêtres, et des panneaux de contreplaqué bouchaient les ouvertures. Cork se gara sur le parking devant le bâtiment principal, où un panneau vert indiquait BUREAU. Il sortit et profita un instant de la chaleur de l'été. Le bruit de la tronçonneuse avait cessé.

À l'intérieur, l'air était frais. Cork dit à la femme qui se tenait à la réception qu'il venait voir Cordelia Diller et qu'il était attendu. La réceptionniste passa un appel, lui dit d'attendre quelques minutes et lui demanda s'il souhaitait s'asseoir. Il venait de passer trois heures au volant ; il préféra rester debout.

Lorsqu'elle arriva à la porte, il eut du mal à reconnaître la femme qu'il avait connue sous le nom de Glory Kane. Ses cheveux étaient coupés très court et n'étaient plus noirs, mais d'une douce couleur auburn. Pas le moindre maquillage. Elle portait un simple chemisier blanc, un jean, des baskets et un petit sac noir. Elle avait toujours été mince, mais elle paraissait maigre aujourd'hui. C'était comme si elle avait perdu quelque chose d'elle-même, même si ce n'était pas forcément du poids.

« Bonjour, Cork. » Elle lui tendit la main.

« Cordelia, dit-il.

– Allons marcher un peu. »

Il la suivit, le long d'un sentier qui descendait vers le fleuve.

« Cordelia Diller ? » fit-il.

Elle haussa les épaules.

« C'est ce qui est écrit sur mon acte de naissance. Je l'ai changé en Ruby James lorsque j'ai déménagé à Las Vegas.

– Et Glory Kane ?

– C'était l'idée de Fletcher. Lorsque je suis devenue sa sœur.

– Avez-vous le moindre lien de parenté avec Fletcher ?

– Non. Sa vraie sœur est décédée peu de temps après sa naissance. Une complication liée à la grossesse de sa mère, je crois. Là. » Elle désigna un banc perché au bord de la falaise. Ils s'assirent. Elle ouvrit son sac à main, sortit un paquet de Pall Mall et alluma une cigarette. « J'essaie toujours d'arrêter, dit-elle en soufflant une bouffée. Encore un point sur lequel je m'efforce de changer. »

L'humidité oppressait Cork. L'odeur qui régnait ici était différente de chez lui, plus au nord. Ça sentait la dessication, les feuilles mortes, la terre mouillée et la lente pourriture. Le parfum frais des pins et l'air pur d'Iron Lake lui manquaient.

« On peut à peine respirer, dit-elle comme si elle avait lu dans ses pensées. C'est ce que j'ai ressenti chaque jour que j'ai passé ici.

– Quand était-ce ?

– Il y a longtemps. » Elle tapota sa cigarette pour en faire tomber la cendre. « C'est comme ça que je connais l'existence de Rosemount. Je suis née dans l'Iowa. Dans une ville appelée Winterset. Vous connaissez ?

– Non.

– C'est là qu'est né John Wayne. Lui aussi, il a changé de nom. » Elle aspira une grande bouffée de sa cigarette et contempla Cork à travers la fumée qu'elle exhala. « Rose m'a dit que vous pensiez que Fletcher avait peut-être quelque chose à voir avec le meurtre de Charlotte. Je ne vous connais pas, mais Rose pense le plus grand bien de vous et je pense le plus grand bien de Rose. Alors, je vais vous rencarder sur un certain nombre de choses. Et j'espère qu'il en ressortira du bon.»

Elle se tut. Elle resta silencieuse si longtemps que Cork commença à se dire qu'elle avait changé d'avis. Quelque part, de l'autre côté des bâtiments, la tronçonneuse se remit en marche et commença à bourdonner comme une cigale cinglée.

«La route a été longue et, croyez-moi, déplaisante, de Winterset à Las Vegas. Peu importe comment c'est arrivé, mais toujours est-il que mon boulot était de fournir de très jeunes et jolies filles vulnérables à des hommes très riches. Les rues de Las Vegas sont pleines de fugueuses, de gamines qui pensent que, avec tout cet argent qui circule, il y a forcément un moyen d'en récupérer un peu. C'est l'effet des lumières, aussi, et du soleil. Les gamines sont des proies toutes trouvées.

– Charlotte était l'une d'entre elles ?

– Ce n'était pas comme ça qu'elle s'appelait, bien entendu. Elle m'a dit qu'elle s'appelait Maria, mais je suis presque sûre qu'elle mentait. C'était la plus intelligente, la plus prometteuse. Elle avait de la classe. J'imagine que je voyais un peu de moi en elle. Je ne sais pas ce qui était vrai dans ce qu'elle m'a raconté, qu'elle venait de Saint Louis, qu'elle était allée dans une école catholique. Une famille aisée, mais elle les détestait. Sa mère, en particulier. Son père avait commencé à coucher avec elle quand elle était assez jeune et sa mère avait fait comme si elle ne se rendait compte de rien. Cette partie est probablement vraie. C'est l'histoire de beaucoup de gosses de la rue.

«Elle est devenue la propriété exclusive d'un client régulier, un homme appelé Frank Vincente, qui était en cheville avec la mafia. Il lui accordait un traitement de faveur. Il lui offrait des cadeaux. Maria est tombée amoureuse de ce salopard. Autant qu'une gamine de quinze ans peut tomber amoureuse. J'ai essayé de l'avertir, je lui ai dit de faire attention. Je connaissais Frankie depuis longtemps. Il était beau, charmant. Mais ce n'était pas un homme capable d'amour. Si par hasard on le mettait en colère, il devenait une bête de sadisme. »

Elle ferma les yeux. La cigarette s'était tellement consumée entre ses doigts que Cork pensa qu'elle allait se brûler. Elle dut sentir la chaleur. Elle la laissa tomber dans l'herbe et l'écrasa du bout de sa chaussure. Elle plongea aussitôt la main dans son sac à la recherche de son paquet de Pall Mall.

« Finalement, Maria a appris la vérité sur Frankie. Brutalement. Elle a essayé de s'enfuir. Elle a fini dans la rue, à Phoenix. Je ne sais pas comment il a fait pour la retrouver là-bas, mais il l'a fait. Il a envoyé ses sbires, qui l'ont ramenée à Las Vegas. Frankie l'a tabassée. Lui a cassé les côtes. Personne ne quitte Frankie si Frankie ne lui a pas dit de partir.

– Elle n'est pas allée voir la police ? Vous non plus ? »

Elle regarda Cork pendant un moment avec le plus grand mépris, puis comprit.

« C'est vrai, vous étiez flic. Eh bien, les flics, à Las Vegas, ils sont différents. C'est Frankie et ses hommes qui les tiennent. »

Elle alluma une autre cigarette et exhala un nuage de fumée.

Puis soudain, les larmes se mirent à couler. Elle les essuya de son autre main.

« Est-ce qu'il vous est déjà arrivé d'avoir peur, Cork ? D'être désespéré ? D'avoir si peur, d'avoir perdu tellement espoir que vous ne voyez pas de moyen de vous en sortir ?

Vous ne pouvez pas savoir combien de fois j'ai pensé à me tuer, et à tuer Maria aussi, juste pour faire cesser nos malheurs à toutes les deux. Mais j'étais trop faible. Alors je me suis maintenue dans un brouillard alcoolisé et j'ai laissé les choses arriver.

« Un jour, Maria a fait quelque chose qui lui a déplu. Je ne sais même pas quoi. Il l'a frappée avec une bouteille de whisky, le salopard. Il lui a écrasé la pommette, l'a horriblement défigurée. Bien sûr, il a payé pour avoir le meilleur chirurgien plastique possible.

– Fletcher Kane, dit Cork.

– Oui, Fletcher. Frankie m'a dit de m'en occuper. Maria et moi sommes allées en Californie plusieurs fois pour le voir en consultation. Il était extraordinaire. Patient, gentil. Mais blessé, aussi, ça se voyait. Avec le temps, à force de le voir, de l'écouter, j'ai fini par avoir confiance en lui. Il avait une drôle de dégaine, mais il semblait avoir un cœur d'or.

– Vous êtes toujours de cet avis ?

– Laissez-moi terminer. Une fois loin de Las Vegas, j'ai commencé à repenser à l'idée de retourner à cette vie-là, et je n'ai pas aimé ça. Je n'aimais pas l'idée que Maria retourne auprès de Frankie. Je ne savais pas quoi faire. J'ai fini par tout raconter à Fletcher et il a proposé de nous aider. Il s'est servi d'un ordinateur pour nous montrer à quoi ressemblerait Maria après la chirurgie. Elle serait différente, mais toujours jolie. Il a dit que si on changeait sa couleur de cheveux aussi, Frankie ne la reconnaîtrait jamais. Et il a dit qu'il nous trouverait un endroit où nous cacher.

« Je connais les hommes. Je savais qu'il y avait autre chose dans cette histoire que son grand cœur. Mais je m'en fichais. C'était une sortie. Maria avait fini par comprendre qui était Frankie et elle avait peur de lui. Nous avons accepté sa proposition. La procédure tout entière a pris plusieurs mois. Nous avons loué un appartement à côté de la clinique. Frankie n'est pas venu nous voir une seule fois. Le fils de pute ne voulait pas la voir tant qu'elle n'était pas arrangée.

« Ensuite, Fletcher nous a installées dans un autre endroit, à Ventura. Il a laissé passer quelques semaines pour que personne ne fasse le lien entre lui et notre disparition, puis nous sommes tous partis pour Aurora.

– Saviez-vous qu'il avait modifié le visage de Maria pour la faire ressembler à sa propre fille ?

– Je savais qu'il avait eu une fille et qu'elle était morte. Je ne savais pas à quoi elle ressemblait jusqu'au jour où nous sommes arrivés à Aurora et où j'ai trouvé des photos d'elle qu'il gardait dans une boîte.

– Saviez-vous comment elle était morte ?

– Pas avant que Rose me raconte que vous étiez allé en Californie et ce que vous y cherchiez.

– Qu'avez-vous pensé quand vous l'avez découvert ?

– Que vous aviez tort de croire que Fletcher avait pu être responsable de la mort de Maria. Fletcher n'est pas un homme facile, mais ce n'est pas un meurtrier.

– Comment le savez-vous ?

– Il était avec moi la nuit où Maria a disparu. J'étais saoule, mais pas assez pour être inconsciente. Nous nous sommes tous les deux couchés vers deux heures. Mais vous le saviez certainement, d'après ma déposition. Vous ne me croyiez pas, j'imagine. »

C'était vrai.

« Est-ce que Maria savait, pour Charlotte ? demanda Cork.

– Non, Fletcher ne voulait pas qu'elle soit au courant. Je crois qu'il se disait qu'elle ne comprendrait pas ou qu'elle pourrait prendre peur. Je ne sais pas, peut-être craignait-il aussi de lui confier ce secret et qu'elle en parle à quelqu'un.

– Comment avez-vous trouvé cette façon qu'il a eue de se servir d'elle ?

– Beaucoup d'hommes se sont servis de nous, de Maria et de moi. Cette façon-là ne me paraissait pas si affreuse. Au début, du moins. Nous avons tous essayé d'être la famille que Fletcher imaginait. Mais il ne voulait pas seulement que Maria ressemble physiquement à Charlotte, il voulait qu'elle soit Charlotte. Il lui disait comment s'habiller, comment parler, quoi dire. Il a essayé d'obtenir qu'elle fasse avec lui le genre de choses qu'il avait faites avec sa propre fille, du vélo, du ski, du tennis. Il passait son temps à la sermonner. Parfois il se fâchait vraiment. Elle avait une grande tache de naissance sur la hanche, de la forme de la Floride. Il refusait qu'elle porte un bikini ou même un pantalon taille basse parce qu'elle pourrait se voir. Il a même suggéré qu'on l'enlève, parce que Charlotte n'avait pas de tache comme ça. Il n'a jamais compris, ou peut-être qu'il n'a tout simplement jamais accepté que, peu importait son apparence, ses faits et gestes, elle ne serait jamais Charlotte. Et il ne savait pas comment aimer la personne qu'elle était. Elle le comprenait, je crois, même si elle ne comprenait pas pourquoi. » Elle secoua la tête. « Maria essayait tellement de lui faire plaisir. Elle avait besoin d'être aimée. Finalement, elle a essayé d'obtenir de Fletcher qu'il l'aime de la même manière que son père l'avait aimée. Elle a allumé Fletcher, a essayé d'utiliser son corps pour gagner son amour. »

Elle ferma les yeux, comme si le souvenir ou le récit l'épuisaient.

« Que s'est-il passé ?

– Fletcher était dégoûté. Maria était embrouillée. Moi, j'étais saoule. Après ça, il la tenait à bonne distance, mais sans jamais la quitter des yeux. Il en est devenu un peu effrayant. Maria a commencé à dire qu'elle se sentait prisonnière. Le silence était étouffant. Vers la fin, Maria était assez perturbée. Je voulais qu'elle voie quelqu'un, un thérapeute, par exemple, mais Fletcher ne l'a pas permis. Parfois, j'ai pensé à prendre Maria avec moi et m'en aller, mais je n'avais pas d'argent. Et j'avais une peur bleue que si nous partions, Frankie nous retrouve. Ou Fletcher. Il était devenu si étrange. Dégoûté par Maria mais désespéré à l'idée de la perdre.

– Fletcher n'a jamais répondu aux avances de Maria ?

– Vous voulez dire, couché avec elle ? Non. Croyez-moi, je l'aurais su. Peut-être que je n'aurais rien fait pour l'arrêter, mais je l'aurais su.

– Pourquoi êtes-vous restée ? Je veux dire, après la disparition de Maria ?

– J'espérais qu'elle apparaîtrait sur le seuil un jour, et je voulais être là quand ça arriverait. Je n'ai jamais eu de fille, et je n'étais pas très bonne pour jouer les mamans, mais j'aimais Maria. Une fois qu'elle a été enterrée, je n'avais plus de raison de rester. Fletcher a été en fait assez généreux. Je n'ai pas de souci à me faire concernant l'argent. » Elle se leva et se tourna vers le centre. « Rosemount est un lieu qui accueille les femmes qui envisagent une vie dans la piété. Vous devez vous demander comment quelqu'un comme moi peut envisager une seule seconde d'être capable de servir Dieu.

– Non, ce n'est pas du tout ce que je pense », répondit Cork.

Elle laissa tomber sa cigarette et l'écrasa.

« Je pensais que Fletcher nous offrait une chance d'avoir une nouvelle vie, Maria et moi. Je pensais que peut-être nous pourrions tous échapper à notre passé. J'avais tort. Il n'y a qu'une manière de commencer une nouvelle vie, et c'est en se confrontant à la vérité. Je ne sais pas ce qui m'attend. Dieu ne m'a pas encore montré la voie mais, pour la première fois de ma vie, je n'ai pas peur. »

Elle semblait incapable de se décider : s'asseoir ou rester debout. Elle se mit à faire les cent pas.

« Je vous ai raconté tout ça parce que j'ai une dette envers Fletcher. À sa manière, il a essayé de nous aider. J'espère que, maintenant que vous savez la vérité, vous aurez un peu plus de compassion à son égard. Je prie pour lui constamment. Je sais ce que c'est que d'être perdu. Je pense à lui, tout seul, dans cette grande maison horrible, et je suis triste pour lui. S'il n'y avait pas eu Rose, je n'aurais jamais réussi à traverser tout ça.

– Avez-vous dit la vérité à Rose ?

– Je ne lui ai rien dit. Je voulais. Je savais qu'elle ne me jugerait pas, mais je n'y arrivais pas. Elle savait qu'il se passait quelque chose de très grave, et elle a fait de son mieux pour être mon amie. Elle m'a aidée à croire qu'il y avait du bon en moi. Et les sœurs ici m'aident aussi beaucoup. Je sais que j'ai encore un long chemin à faire, mais je pense que je suis sur la bonne voie. » Elle regarda Cork. « Je ne sais pas si Solemn Winter Moon est responsable de la mort de Maria...

– Il ne l'est pas.

– Quoi qu'il en soit, je prierai pour lui. C'est le mieux que je puisse faire. »

Cork attendit un peu pour voir s'il y avait autre chose qu'elle souhaitait lui dire mais, apparemment, elle avait terminé. Il avait les informations qu'il était venu chercher ; il se leva, prêt à partir.

«Je crois que je vais rester ici encore un peu, dit Cordelia Diller. Embrassez Rose pour moi.»

Cork s'en alla vers sa Bronco. Lorsqu'il se retourna, il la vit à nouveau assise sur le banc, un fin ruban de fumée s'étirant dans l'air au-dessus de sa tête.

Il roula vers le nord pendant quelques heures, mais il était trop fatigué pour avaler les quatre cents kilomètres qui restaient jusqu'à Aurora. Il s'arrêta à Red Wing et appela Jo depuis un motel Super 8 pour lui dire qu'il n'arriverait que le lendemain. Il mangea un assez bon burger dans un endroit appelé le Bierstube et but deux Leinenkugel bien fraîches. Il faisait nuit lorsqu'il sortit après son dîner mais il n'avait pas envie d'aller se coucher. Il se rendit en voiture jusqu'à un parc au bord du Mississippi, se gara et alla marcher.

La nuit était claire, le ciel était plein d'étoiles mais la lune n'était pas encore visible. Le fleuve formait une large bande noire dont un bord était plongé dans les ténèbres. Cork s'installa au calme sous un peuplier sur la rive.

Même après avoir parlé à Cordelia Diller, il avait envisagé la possibilité que Kane ait tué la deuxième Charlotte parce qu'il ne parvenait pas à la contrôler, n'arrivait pas à faire d'elle la fille qu'il avait essayé de faire revivre. Mais à moins que Cordelia Diller n'ait menti – et Cork ne pensait pas que ce fût le cas –, Fletcher Kane avait un alibi en béton armé. Cork devait donc accepter qu'il s'était trompé. Même si la manière dont cet homme s'était servi de Maria était scandaleuse, Kane était innocent des péchés que Cork lui avait imputés.

Il repensa aux minutes de désespoir qu'il avait vécues dans le jour glacial de janvier où il s'était perdu, et à la silhouette grise qui était restée tout juste hors de son champ de vision et de sa portée, et l'avait ramené à sa motoneige, lui sauvant la vie. Il avait senti que c'était Charlotte, et en même temps que ce n'était pas Charlotte. Maintenant il comprenait. D'une certaine manière, Maria lui avait tendu la main, l'avait sauvé. Mais pourquoi ? Parce qu'il avait essayé de la sauver et que, comme elle, il s'était perdu ? Ou était-ce qu'elle voulait qu'il trouve son assassin, qu'elle voulait simplement que justice soit faite ?

Si tel était le cas, il y avait un problème, parce qu'il n'avait plus de suspect. Il pensait que le meurtrier n'était ni Fletcher Kane, ni Arne Soderberg, ni Lyla. Il croyait toujours à l'innocence de Solemn. Le crime était ancien maintenant, les pistes étaient froides. Cork se demanda si cette affaire serait jamais résolue. Parfois, il fallait accepter, on n'avait pas le choix.

Mais pas quand les morts venaient vous chercher, pas quand vous saviez qu'ils réclamaient votre aide.

Au loin, à l'est, la lune était cachée juste en dessous de l'horizon, et sa lumière éclairait le ciel comme un feu lointain. Partout autour de Cork, la nuit était encore noire.

39

Il avait repris le volant à l'aube et il atteignit les faubourgs d'Aurora à onze heures. Il alla droit au bureau de Jo. Il referma la porte derrière lui et elle se jeta dans ses bras.

« J'ai l'impression que ça fait une éternité », dit-il en respirant le parfum de sa femme. Du Dentyne et un vague effluve de Sunflower.

« Tu as l'air fatigué, dit-elle.

– C'est ces drôles de chambres dans les motels, les lits trop durs.

– Mais tu es rentré maintenant.

– Comment va Solemn ?

– Je ne l'ai pas vu depuis qu'il a quitté la prison. J'ai parlé à Dot hier. Elle a changé de numéro de téléphone. Trop de gens qui l'appelaient, qui lui disaient des choses méchantes. Des menaces aussi. Même si l'accusation est abandonnée, Solemn n'en est pas pour autant devenu innocent dans la tête des gens. Est-ce que tu vas raconter à Cy Borkmann ce que tu as découvert sur Fletcher ?

– Je lui en dirai assez pour le laver de tout soupçon. » Il posa sa joue sur l'épaule de Jo. « Tu avais raison. Si on ne fait pas attention, on ne voit que ce qu'on cherche chez les autres. Je devrais probablement lui présenter des excuses. »

Elle prit sa tête entre ses mains et l'embrassa. Les lèvres de Jo étaient la meilleure chose qu'il ait goûtée ces derniers jours.

« Tu sais que tu es une femme sacrément intelligente, toi ? » lui dit-il.

Elle rit doucement.

« Cela fait des années que j'essaie de te le faire comprendre. »

Il se dégagea de son étreinte.

« Je vais voir Fletcher.

– Bonne chance, chéri. »

De gros nuages menaçants montaient rapidement à l'ouest lorsque Cork s'engagea sur North Point Road. Il passa lentement devant la maison des Soderberg. La PT Cruiser de Lyla était là, ainsi que la Jeep couverte de boue de Marion Griswold. La BMW d'Arne avait disparu. Cork avait entendu dire que Soderberg s'était installé dans leur résidence secondaire au bord de Lake Vermilion et qu'il était retourné travailler pour Big Mike. Il se demanda comment Tiffany prenait toute cette affaire.

Tandis qu'il s'approchait de la vieille demeure Parrant, le tonnerre se mit à gronder au loin. Le vent se leva et Cork sentit l'arrivée de l'ouragan dans l'air. C'était une bonne odeur, une odeur dont il savait qu'elle promettait quelque chose de purifiant, de rafraîchissant.

Il frappa à la porte. Presque immédiatement, Fletcher Kane l'ouvrit. Il accueillit Cork avec un regard courroucé et le canon d'une Remington.

« Tu es vraiment l'homme le plus idiot de la terre », dit Kane.

Cork eut peur de la Remington.

« Je vais me retourner, là, maintenant, et je vais m'en aller, d'accord, Fletcher ?

– C'est si facile que ça, d'après toi ? Je ne crois pas, non. »

Cork décida de ne pas bouger.

« J'ai parlé à Constance. Et à Glory, dans l'Iowa.

– Qu'est-ce qui te donne le droit d'aller fouiller dans ma vie ?

– Je sais la vérité maintenant, et je suis désolé.

– Désolé ? dit Kane. Désolé pour quoi ?

– Désolé qu'il te soit arrivé tant de malheurs que tu ne méritais pas. Je suis désolé que Charlotte soit morte. Et Maria. Je suis désolé d'avoir pensé que tu aies pu être responsable, parce que je sais aujourd'hui à quel point tu aimais tes filles.

– Mes filles ? » Il fronça les sourcils. « Il n'y a eu que Charlotte.

– Je sais que tu n'aurais jamais pu lui faire de mal. »

Les nuages noir-bleu avaient englouti le soleil. Le grondement caverneux du tonnerre fit trembler le porche. Cork attendit. Kane le regardait fixement. L'œil noir au bout du canon le fixait aussi. Cork essaya de penser a autre chose qu'il pourrait dire.

« Dégage d'ici », finit par cracher Kane.

Sans un mot de plus, Cork recula et descendit les marches du porche. Il se déplaçait d'un pas régulier, sans jamais quitter Kane des yeux. De grosses gouttes de pluie tombèrent sur le sol autour de lui et s'écrasèrent contre sa peau. Le temps qu'il s'abrite dans sa Bronco, la pluie était devenue torrentielle. Il referma la portière, s'essuya le visage et s'engagea lentement dans l'allée. Pendant tout ce temps, Fletcher Kane le suivit du bout de la Remington.

Lorsqu'il fut suffisamment loin pour être en sécurité, Cork se permit enfin de respirer.

Il prit la direction du nord et sortit de la ville. L'orage passa rapidement, laissant les trottoirs fumants. Il emprunta une petite route de graviers et continua sur plusieurs kilomètres avant d'arriver à l'endroit où le tronc de bouleau fendu marquait le chemin qui menait à la cabane de Henry Meloux. Il laissa la Bronco garée au bord de la route et entama la longue marche dans la forêt.

Une demi-heure plus tard, il traversa les eaux rougeâtres de Wine Creek. Sur l'autre rive, l'air était immobile. De grands rayons de soleil filtraient entre les hautes branches comme des planches qu'on aurait descendues du ciel pour créer un sanctuaire. Chaque fois que Cork entrait dans la forêt profonde, il savait qu'il pénétrait dans un endroit sacré. C'était proche de ce qu'il ressentait lorsque, enfant, il entrait dans l'église. Ce n'était pas seulement la paix qui y régnait, même si c'était un lieu vraiment paisible. C'était plus que le parfum entêtant des conifères tout autour de lui, le chœur des oiseaux dans les branches au-dessus et la couche d'aiguilles de pin, comme une épaisse moquette sous ses pieds. Il y avait ici un esprit si grand qu'il rendait le cœur de l'homme tout petit. Le sang anishinaabeg qui coulait dans ses veines était peut-être la raison pour laquelle il ressentait cela, mais il ne le croyait pas. Il pensait que tout homme ou toute femme qui venait ici sans méchanceté ressentirait la même chose.

Il trouva Henry Meloux assis par terre, en tailleur, au soleil devant sa cabane. Walleye, son vieux chien jaune, était allongé dans l'ombre à proximité. Meloux tenait une petite branche de pin dans une main et un couteau Green River dans l'autre. Il travaillait soigneusement le morceau de bois avec sa lame acérée. Walleye se mit lentement debout et s'avança à pas traînants pour accueillir le visiteur, mais Meloux parut ne pas s'en apercevoir.

« *Anin*, Henry, dit Cork, adoptant le salut ojibwe traditionnel.

– *Anin*, Corcoran O'Connor », dit le vieil homme. Il leva le morceau de bois taillé et plissa les yeux en l'observant. «Je pensais à ta grand-mère, ce matin.» Du bout de son couteau, Meloux désigna un endroit à côté de lui sur le sol et Cork s'assit. Le vieux Mide reprit son travail. « C'était une jolie femme. Quand j'étais jeune homme, je me disais qu'un jour elle serait ma femme. »

Cette information était nouvelle pour Cork. Grand-mère Dilsey n'en avait jamais parlé, et Meloux non plus, jusqu'à aujourd'hui.

« Mais un jour, un homme avec les cheveux couleur de la fourrure de renard est arrivé et il a ouvert une école sur la réserve. Ses cheveux n'étaient pas la seule chose qui le rapprochait du renard. Il a pris le cœur de ta grand-mère. Si je n'avais pas déjà choisi de devenir membre de la Grand Medecine Society et de comprendre la manière dont Kitchimanidoo veut que ses enfants vivent heureux ensemble sur la terre, j'aurais peut être été rempli de haine envers cet homme. Peut-être que je l'aurais tué sous l'emprise de la colère. » Le vieil homme jeta un coup d'œil à Cork et ses lèvres esquissèrent un sourire. « Ton grand-père était un homme chanceux.

– Tu parles de colère, Henry. Tu es au courant pour Fletcher Kane ?

– Je sais.

– Est-ce que Solemn est ici ?

– Pas ici.

– Mais tu sais où il est. »

Meloux ôta un copeau de son morceau de bois.

«Je voudrais lui parler», dit Cork.

Le vieux Mide posa le couteau et le morceau de bois par terre. «Il va falloir que j'y réfléchisse.» Il décroisa les jambes et se mit debout. Il commença à descendre le sentier vers le lac et Cork lui emboîta le pas.

Ils se frayèrent un chemin entre deux gros rochers et arrivèrent à l'extrémité de Crow Point, l'endroit où Meloux faisait souvent un feu pour brûler de la sauge et du cèdre. Iron Lake s'étendait au-delà des rochers et scintillait sous le soleil. Meloux s'assit sur la souche d'un érable à côté du cercle noirci. Cork s'assit par terre. Le vieil homme sortit une blague à tabac de la poche de sa vieille chemise en flanelle. Il en offrit un peu aux quatre points cardinaux, puis sortit du papier de la blague et se roula une cigarette. Il tendit le tabac et le papier à Cork. Ils fumèrent longtemps en silence. Cork n'avait jamais vu Henry Meloux se précipiter pour faire quoi que ce soit.

«Que penses-tu ?» demanda le vieux Mide au bout d'un très long moment.

À propos de quoi, Cork ne savait pas du tout. Mais il réfléchit longuement à la question et finit par répondre :

«Plus je réfléchis, plus grande est ma confusion.»

Meloux hocha la tête une fois et fuma encore.

«Que ressens-tu ? demanda-t-il.

– J'ai l'impression que j'ai été floué.

– Qui t'a floué ?

– J'imagine, Henry, que c'est forcément moi. J'ai laissé mes sentiments pour Fletcher Kane perturber ma manière de comprendre les choses. Peut-être ai-je tout mal jugé à cause de cela.»

Henry Meloux contempla ce qui restait de sa cigarette.

«La tête embrouille, dit-il. Le cœur égare.

– Et quelle est la réponse ?

– Il y a un endroit entre les deux, un endroit où se trouve la connaissance.

– Comment vais-je le trouver, cet endroit ? »

Meloux jeta le mégot de sa cigarette dans les cendres au milieu du cercle de suie.

« Suis le sang », dit-il. Il se leva, tourna les talons et commença à s'éloigner.

Cork n'avait pas la moindre idée de ce que les derniers mots du vieil homme voulaient dire, mais il était clair que Meloux n'en dirait pas plus. Et sur l'endroit où se trouvait Solemn, il avait apparemment décidé de garder le silence.

Cork fit ses adieux à Meloux à la cabane, gratta Walleye derrière l'oreille et reprit le chemin du retour. Il était un peu déçu de ne pas avoir fait exactement ce pour quoi il était venu jusque-là. Il n'avait pas pu parler à Solemn.

Il suivit le sentier dans les bois et retrouva le ruisseau. Il commença à le traverser mais, au beau milieu, il s'arrêta si brusquement qu'il glissa et tomba de la pierre sur laquelle il venait de poser le pied. Il se retrouva debout avec l'eau rougeâtre et ferrugineuse jusqu'à mi-mollet. Même si les Blancs l'appelaient Wine Creek, Cork se souvenait qu'il y a longtemps Henry Meloux lui avait dit que les Anishinaabegs avaient un autre nom pour ce cours d'eau. Ils l'appelaient Miskwi. Cela voulait dire « sang ».

40

« Suis le sang», avait dit Meloux. Une subtile instruction ? Ou alors un test ?

Le ruisseau se jetait dans Iron Lake à quelques centaines de mètres à l'ouest. Cork inspecta rapidement cette étendue, ne trouva rien et fit demi-tour. Pendant une heure, il suivit l'eau vers l'est et s'enfonça dans les bois. Elle coulait entre des petites collines, des bosquets d'épicéas, de pins, de peupliers, formait une mousse rougeâtre quand elle se glissait entre deux parois rocheuses très proches et se déversait ensuite dans des bassins profonds, sanguinolents.

Il arriva finalement à une longue corniche de pierre grise qui se dressait devant lui comme un mur. Le cours d'eau paraissait sortir de la pente elle-même, surgissant directement d'un buisson de mûres qui poussait à la base de la falaise sur toute sa longueur. Cork prit à gauche, puis à droite, cherchant un passage à travers les ronces, mais il ne vit aucune possibilité. Pour finir, il se glissa dans l'eau et avança en pataugeant le long du bord, se frayant un chemin entre les épineux. Les branches accrochaient ses vêtements, lui tiraient les cheveux, lui égratignaient la peau. Il avait dérangé une colonie de moustiques qui vinrent s'ajouter aux douloureuses épines de mûriers. Le lit du ruisseau était jonché de cailloux qui lui coupaient les mains dans sa pénible progression. Enfin, il parvint à sortir du fourré et se redressa, tout ruisselant.

Devant lui, une ouverture dans la paroi rocheuse, où le cours d'eau avait creusé un étroit passage. La brèche, tout juste assez large pour qu'un homme puisse s'y glisser, se poursuivait par un corridor qui formait un angle et dont on ne voyait pas la suite. Cork se mit de profil et se faufila entre les rochers, suivant le cours. Au bout de quelques minutes d'une avancée très lente, il ressortit de l'autre côté de la roche et se trouva dans un endroit où il n'avait jamais été mais qu'il reconnut instantanément.

La clairière était circulaire, contenue tout entière dans une combe formée par un cirque de parois granitiques comme celle qu'il venait de franchir. Elle était bordée de peupliers et de trembles, et le sol était recouvert d'une herbe des prés haute et soyeuse. Au bord du ruisseau poussaient des roseaux. Tout près de là se dressait une hutte de sudation artisanale, un cadre fait de jeunes branches de saule attachées en faisceau et recouvert d'une bâche. Presque au centre exact de la combe, à une centaine de mètres de l'endroit où se tenait Cork, un rocher sortait de la terre à la verticale, un obélisque gris bien plus grand qu'un homme. Dans l'herbe au pied de la pierre était assis Solemn Winter Moon.

Solemn regarda Cork approcher et son visage sombre s'éclaira d'un grand sourire, comme un croissant de lune.

« Mais qu'est-ce qui t'est arrivé ? T'as croisé une maman ours avec ses petits ou quoi ?

– Non, un buisson de ronces », répondit Cork.

Solemn était torse nu. Il ne portait qu'un short en toile. Ses bottes et ses chaussettes étaient par terre, à côté de lui. Ses longs cheveux n'avaient pas vu de peigne depuis longtemps. Ils étaient devenus une nasse qui attrapait à peu près tout ce qui voyageait sur les ailes de la brise. Du duvet de pissenlit, un fil de soie tissé par une araignée, une pincée de pollen jaune. Solemn semblait faire naturellement partie de cet endroit où il était venu se réfugier. Sur le sol à côté de lui était posée la petite bible noire que Mal lui avait donnée lorsqu'il était en prison.

« Ça t'ennuie que je vienne troubler ta solitude ? demanda Cork.

– Rien ici ne m'appartient, pas même la solitude. Assieds-toi. »

Le soleil était presque au zénith au-dessus de leurs têtes, mais l'air dans la clairière était frais.

« C'est ici que tu L'as rencontré, n'est-ce pas ?

– Il est arrivé par les arbres, là-bas. » Solemn pointa un index vers l'est, un endroit proche de celui où le ruisseau se déversait dans la cuvette.

« Tu espérais qu'Il reviendrait ? »

Solemn sourit.

« Ouais.

– Tu espères toujours ?

– Non, plus maintenant.

– Plus d'espoir ? »

Solemn regarda longuement Cork.

« Tu devrais te laver de tout ce sang. Peut-être même boire un peu, tant que t'y es. Tu as l'air d'avoir soif.

– C'est le cas.

– Le ruisseau est propre, dit Solemn. C'est l'eau que je bois. »

Cork se leva. Il s'accroupit, mit ses mains en coupe et but. L'eau le rafraîchit.

« Je suis content que tu aies disparu de la circulation, dit Cork en lavant ses blessures. C'est plus sûr.

– Je n'ai pas disparu de la circulation. Je me suis enfui. Je suis venu voir Henry parce que j'avais peur.

– La peur, c'est parfois une bonne chose. Il y avait une foule de gens en colère, là-bas, à Aurora.

– Je n'avais pas peur des gens qui croyaient que je les avais trompés. J'avais peur de m'être trompé moi-même.

– Est-ce que Henry t'a aidé ?

– Il m'a ramené ici. Nous avons bâti cette hutte, et Henry a fait ce qu'il a pu pour que je retrouve l'harmonie. Après ça, il m'a dit que je n'avais pas fini, qu'il fallait que je reste un peu seul. Je lui ai demandé s'il pensait que Jésus allait revenir. Tu sais ce qu'il m'a répondu ? Il a dit : "N'espère rien, parce que rien, c'est précisément ce qui va arriver." » Solemn rit doucement. « C'est bien Henry. Il est toujours très sérieux quand il dit quelque chose mais, parfois, c'est difficile à comprendre. »

Cork finit de se laver et s'assit à côté de Solemn au pied de la pierre.

« Jésus n'est donc pas arrivé ?

– Rien n'est arrivé. Exactement ce que Henry avait dit. Mais je sais ce qu'il voulait dire, maintenant. Rien n'allait venir parce que c'était déjà là. Je l'avais depuis le début. Et tu sais ce que c'est, Cork ?

– Non.

– C'est intéressant parce que, la dernière fois que tu es venu me voir à la cabane de Sam, tu m'as dit exactement ce que c'était. La certitude. Je connaissais Dieu. Ou Kitchimanidoo, ou quel que soit le nom qu'on donne à l'esprit qui relie toutes les choses entre elles. Je *savais.* Et après ça, rien n'avait d'importance. Ni l'ancienne colère, ni les anciennes blessures. Ni hier ni demain. Je n'avais pas besoin d'y réfléchir, d'essayer de comprendre. Je le savais, c'était tout. Cela n'a pas d'importance que Jésus soit sorti de ces bois ou que je l'aie rêvé. Ce que j'ai reçu est bien vrai. Je sais que Dieu est.»

Il sourit vers le ciel, et son visage resplendit comme s'il avait avalé le soleil. Il regarda Cork et vit le doute dans ses yeux.

«Tu te demandes, pourquoi lui ? Pourquoi Solemn Winter Moon ? Je me suis posé la même question. J'ai parcouru un difficile chemin de ténèbres, mais ce que j'ai reçu n'est pas arrivé à cause de ce voyage. Ce n'est pas quelque chose que j'ai gagné par la souffrance. C'était une offrande, une bénédiction, comme la pluie. Si seulement tout le monde pouvait savoir ça.» Il tendit le bras et posa sa main sur le cœur de Cork. «Si seulement tu pouvais.»

Une brise se leva et froissa l'herbe de la clairière. Solemn retira sa main et, pendant un moment, Cork eut le sentiment qu'il allait se désagréger, comme si c'était le contact de Solemn qui le maintenait intact.

«Tu as fait une longue route pour me trouver, dit Solemn.

– Je voulais te prévenir.» Cork lui parla de Fletcher Kane. Il lui dit tout ce qu'il savait.

Solemn hocha la tête.

«Cet homme, cela fait longtemps qu'il marche sur un difficile chemin de ténèbres.

– Pendant un moment, il va falloir que tu restes ici ou avec Meloux, jusqu'à ce que nous ayons trouvé un moyen de régler le problème Kane.

– Pourquoi as-tu si peur pour moi ?

– Je viens de te le dire.

– En fait, je veux dire, pourquoi as-tu tellement peur que je meure ?» Il ouvrit les bras, embrassa la cuvette.

«Ne le sens-tu pas ? La source ? Nous venons d'un grand cœur, Cork. Le cœur de Kitchimanidoo, le cœur de Dieu.

Et nous retournons dans ce cœur, c'est tout. Il n'y a rien à craindre.

– Quand tu regardes dans le canon d'un fusil, Solemn, il est difficile de s'en tenir à cette philosophie, crois-moi. Je le sais.

– Peut-être que tu devrais rester un peu ici.

– J'ai fait ce que j'avais à faire. J'espère juste que cela a amélioré les choses.

– Je n'avais pas envisagé de partir.

– Bien.

– Merci, Cork. Merci pour tout.»

Cork se leva, sur le point de s'en aller. Il baissa les yeux vers Solemn.

«J'aimerais que Sam te voie.

– Qui dit qu'il ne me voit pas ?» Solemn tendit le bras vers un épais bosquet de peupliers, au pied de la corniche à l'ouest. «À deux ou trois cents mètres au sud du ruisseau, tu vois cette interruption dans les arbres ? C'est un sentier qui franchit la corniche. À moins que tu n'aies une envie folle de repasser par le buisson de ronces.

– Une fois, ça suffira», dit Cork.

Il trouva le passage entre les arbres. Tandis qu'il atteignait le sommet de la corniche, il regarda derrière lui. Solemn n'avait pas bougé. Il ne bougerait pas. L'endroit où il était venu se réfugier était le meilleur endroit qu'un homme puisse espérer, et bien meilleur que tous ceux que la plupart des hommes connaîtraient jamais.

41

Cork savait qu'il avait quitté un jeune homme remarquable dans la combe où coulait le sang. Solemn s'était emparé de quelque chose – ou quelque chose s'était emparé de lui – et cette chose l'avait profondément changé. Cork, qui luttait à chaque pas pour comprendre le monde et se comprendre lui-même, enviait Solemn. Pourtant, en quittant les bois pour rentrer à Aurora, une petite voix sombre tout au fond de lui murmurait : Cela ne va pas durer. Une fois de retour parmi les hommes, au bout d'un moment, il sera à nouveau comme nous.

Ses enfants se réjouirent de le voir, mais pas autant que lui d'être rentré chez lui. Il embrassa longtemps chacun d'entre eux. La leste Jenny. Annie, solide comme un roc. Stevie, dont le petit corps était continuellement en mouvement. Cork ferma les yeux et sut que perdre un enfant serait le coup du sort le plus cruel qui soit. Même si dans sa tête il se disait que la prière était inutile, dans son cœur il ne pouvait s'empêcher de murmurer : « Je prie Dieu pour que rien n'arrive à mes enfants. »

La maison embaumait le parfum de la cuisine de Rose. Rôti de porc avec marinade aux agrumes, pommes de terre nouvelles, purée de butternut et compote de pommes maison. Un repas pour fêter son retour, lui dit-elle lorsqu'il entra dans la cuisine. Elle lui fit un baiser sur la joue et sourit, mais elle fut incapable de lui cacher qu'une tristesse intérieure l'assombrissait.

« Ça fait du bien de rentrer à la maison, dit-il.

– Va te débarbouiller, répondit-elle en retournant à ses fourneaux et en s'essuyant les mains sur son tablier. Le dîner est presque prêt. Oh, et tu as eu un appel. Un homme appelé Boomer. Il a dit que tu devais le rappeler. »

Boomer Grabowski avait promis de rappeler dès qu'il serait rentré à Chicago, au cas où Cork voulait toujours qu'il enquête sur Mal Thorne. Cork se demanda si c'était toujours nécessaire. Il avait identifié l'amant de Charlotte, et ce n'était pas le prêtre. Non pas qu'il ait jamais cru que c'était lui, mais il avait voulu faire les choses correctement. Et il le voulait toujours. Alors, il se dit qu'il rappellerait Boomer après le dîner.

Il n'en eut pas l'occasion. Mais cela aurait été mieux...

Dans l'immobilité qui précède juste le coucher du soleil, il s'assit avec Jo sur la balancelle installée sur le porche. Jenny était sortie avec son petit ami, Sean. Annie était dans le parc avec Ilsa Hardesty, elles travaillaient leurs lancers. Elle avait promis de rentrer avant la nuit. Stevie faisait du vélo dans Gooseberry Lane en vrombissant comme une voiture de sport. Rose était partie se promener seule, ce qu'elle faisait régulièrement maintenant.

« Elle est bien silencieuse, dit Cork.

– Elle est amoureuse. Elle pense qu'elle le cache bien, mais même les filles s'en aperçoivent.

– Est-ce qu'elle t'en a parlé ?

– Non.

– Que va-t-elle faire ?

– Que peut-elle faire ? Il est prêtre. Il est déjà pris.

– Parfois les prêtres quittent l'Église. Parfois, à cause d'une femme. Est-ce que tu penses que Mal partage ses sentiments ?

– Je ne sais pas. » Elle regarda Stevie passer en trombe devant la maison, ses petites jambes pédalaient comme s'il était poursuivi par le diable en personne. « Je ne cesse de repenser à Memorial Day. Je l'ai compris ce jour-là et je n'ai rien fait.

– Qu'est-ce que tu aurais pu faire ? » Il serra la main de Jo. « Ce n'est pas ta faute, Jo. Lorsque deux cœurs se rencontrent, il n'y a pas grand-chose qu'on puisse faire. Nous le savons tous les deux.

– Elle a toujours voulu tomber amoureuse, trouver quelqu'un qu'elle aimerait et qui l'aimerait. Pourquoi faut-il qu'il en soit ainsi ? Pourquoi l'amour est-il toujours si douloureux ?

– Il ne l'est pas. Pas toujours, en tout cas.

– Oh, Cork, ça me fend le cœur. »

Avec le crépuscule, la rue se drapa des premières ombres de la nuit. Cork se leva pour appeler Stevie, mais, d'abord, il se tourna vers Jo et dit :

« Est-ce que tu n'es pas censée confier tout ça aux mains de Dieu ? »

Jo secoua la tête.

« Je ne sais pas. Parfois, on dirait qu'Il n'a pas la solution. »

Cork coucha Stevie et lui fit la lecture un moment. Il entendit sonner à la porte. Quelques minutes plus tard, Jo monta et vint jusqu'au seuil de la chambre de Stevie. Elle avait l'air préoccupée.

« Que se passe-t-il ? » demanda Cork doucement. Les yeux de Stevie venaient tout juste de se fermer.

Elle lui fit signe de venir la rejoindre dans le couloir.

« Dot Winter Moon est en bas. Elle est inquiète au sujet de Solemn. »

Dorothy Winter Moon était assise sur le canapé du salon. Son visage était luisant de sueur. Des mèches de cheveux étaient collées sur son front comme de noires fêlures.

« Qu'est-ce qui se passe ? demanda Cork.

– Solemn est parti, dit Dot.

– Je sais. Il est dans le bois, près de chez Meloux.

– Il est revenu », dit Dot.

Cork s'assit dans le fauteuil.

« Raconte-moi ce qui s'est passé.

– Il est rentré tard, cette après-midi, il a pris une douche, a changé de vêtements. Ensuite il m'a parlé, comme on parlait autrefois.

– De quoi ? demanda Cork.

– De Sam, de plein de choses du passé. Je lui ai dit que j'allais préparer des côtes de porc pour dîner. Il m'a répondu qu'il avait une course à faire et qu'il serait rentré pour manger. Il m'a embrassée sur la joue. Je ne me rappelle pas la dernière fois qu'il m'a embrassée. » C'était une femme forte mais, là, elle était au bord des larmes. « Il n'est pas revenu.

– Est-ce qu'il t'a dit où il allait ? demanda Cork.

– À l'endroit où deux chemins difficiles se rejoignent. Je ne sais pas où ça se trouve. »

Cork lui demanda : « Est-ce que tu es allée voir à la vieille cabane de Sam ?

– Oui. Il n'y était pas. Et j'ai appelé tout le monde à la réserve. Personne ne l'a vu. J'ai été voir dans les bars où il allait avant. Ensuite, je suis venue en ville avec l'espoir qu'il était peut-être passé ici.

– Je parie qu'il est retourné chez Henry Meloux, dit Cork. Je suis certain qu'il va bien, Dot.

– Tu crois ?

– J'appellerais volontiers Henry mais il n'a pas le téléphone. »

Jo intervint.

« Tu veux bien y aller et vérifier ? »

Dot le regarda et ses yeux en amande étaient pleins d'espoir.

« D'accord.

– Merci, dit Dot. Mille mercis, Cork. »

Rose arriva sur ces entrefaites. Elle embrassa la scène d'un coup d'œil et dit :

« Ça va, Dot ? »

Dot haussa les épaules.

« Mon fils a disparu.

– Cork pense qu'il est avec Henry Meloux, dit Jo. Il y va. »

Rose posa une main douce sur l'épaule de Dot.

« L'attente risque d'être longue. Et si je faisais du café ?

– Oh, c'est une très bonne idée », répondit Dot.

Rose lança un coup d'œil à Jo, vit l'inquiétude sur son visage et reprit :

« Viens donc à la cuisine avec moi, Dot. Ça me fera du bien d'avoir de la compagnie. »

Une fois que les deux femmes eurent quitté la pièce, Jo se tourna vers Cork.

« Tu crois vraiment qu'il est chez Meloux ?

– Je l'espère, mais il y a un endroit où je vais aller voir d'abord.

– Tu crois qu'il est allé voir Kane ?

– Oui.

– Tu feras attention ?

– Bien sûr. »

En centre-ville, tout était fermé pour la nuit, à l'exception du Pinewood Broiler et du Perkins. Il restait encore des véhicules dans la rue, des gamins en vacances qui n'avaient rien de mieux à faire en cette soirée d'été, des touristes à la recherche d'une animation nocturne qui était introuvable à Aurora.

Il s'engagea sur North Point Road et passa devant la maison des Soderberg, qui paraissait déserte. La lune commençait à peine à monter, comme une cloque jaune qui s'arrondissait sur l'horizon noir.

Aucune lumière n'était allumée dans la vieille demeure Parrant. Il espérait que Fletcher Kane était couché. Mais lorsqu'il fut suffisamment proche et qu'il put voir les choses plus distinctement, son malaise fit place à la peur. Le pick-up noir de Solemn était garé dans l'allée circulaire.

Cork se gara derrière la Ranger et sortit. Dans la lumière qu'émettait la lune blafarde, il vit que le pick-up était vide. Un vent nocturne soufflait depuis le lac, faisant bruisser les hautes haies à côté de la maison, qui ne cessaient de griffer les pierres. Cork monta les marches et arriva sur le porche. Il glissa un œil par une fenêtre dont les rideaux n'avaient pas été complètement tirés, mais il ne vit rien à l'intérieur. Il frappa à la porte. Il n'y eut pas d'autre réponse que le craquement d'une planche disjointe lorsqu'il recula pour attendre. Puis il essaya de tourner la poignée. La porte n'était pas verrouillée. Il l'ouvrit.

Une odeur de rôti l'accueillit, un parfum agréable qui paraissait déplacé dans cette maison si peu hospitalière.

« Fletcher ! cria-t-il. Solemn ! »

Il fit un pas hésitant vers l'intérieur. Pour Cork, ce mouvement avait un affreux arrière-goût d'inéluctable, car il ne se rappelait que trop bien la nuit, trois ans auparavant, où il était entré dans la demeure des Parrant exactement de la même manière, pour découvrir qu'un coup de fusil avait arraché la quasi-totalité de la tête du juge. Il attendit que ses yeux se soient habitués à l'obscurité, puis il s'avança jusqu'à l'interrupteur dont il connaissait l'emplacement. Les lumières s'allumèrent, ne révélant rien d'inhabituel. Le salon était vide. Dans la salle à manger, la table était dressée pour le dîner, avec un gros rôti au milieu. Une assiette était posée sur la table, une assiette sale. Une bouteille de vin rouge ouverte se trouvait à côté d'un verre à pied à moitié plein. Cork alla jusqu'aux escaliers et cria : « Fletcher ! Solemn ! »

Il finit par se tourner vers le long couloir qui menait jusqu'au bureau, où la scène de mort violente et l'odeur de sang répandu l'avaient accueilli la fois précédente. Ses pas parurent résonner fort dans le silence de la maison. Il atteignit la porte du bureau, qui était fermée. Il frappa, attendit, puis poussa la porte. Bien que toute la pièce soit plongée dans le noir, l'odeur écœurante, putride, lui révéla tout. L'odeur nauséabonde de la poudre, la puanteur du sang.

Lorsqu'il alluma la lumière, sa pire crainte se concrétisa. Le mur derrière le bureau était constellé de taches de sang et de fragments de tissus et d'os, encore luisants. Sur le sol était étendu Fletcher Kane, caché par la masse du bureau ; seules étaient visibles ses longues jambes d'insecte. Ses jambes et l'affreux canon métallique d'un fusil.

Couché sur le ventre à côté d'une chaise renversée, en plein milieu de la pièce, se trouvait Solemn, baignant dans son sang.

Les genoux de Cork menacèrent de céder sous lui et il prit appui contre le chambranle de la porte.

Il avança d'un pas hésitant, sachant que c'était inutile, qu'avec tout ce sang étalé sur le plancher Solemn était déjà mort. Mais c'était ce qu'on faisait, ce qu'on était censé faire. Il composa le 911, puis s'agenouilla à côté de Solemn et fouilla, fébrile, à la recherche d'un pouls.

À la seconde où les doigts de Cork le touchèrent, Solemn laissa échapper un petit grognement.

« Bon Dieu », dit Cork. Il s'agenouilla lentement, au beau milieu du sang. Doucement, il retourna Solemn. La balle de fusil avait pulvérisé son T-shirt et réduit en bouillie tout ce qui se trouvait en dessous. Solemn ouvrit les yeux, à peine, mais assez pour que Cork se rende compte qu'il était conscient.

« Froid, dit Solemn.

– Attends. » Cork s'assit, le prit dans ses bras et le serra contre lui. « Les secours sont en route. Tiens bon, fiston, surtout, tiens bon. »

Solemn leva les yeux vers lui et essaya de parler.

« Ne parle pas. » Cork le serra tendrement et chuchota : « Dieu, je vous en prie, faites qu'il vive. »

Comment Solemn trouva la force, Cork ne le savait pas. La main du jeune homme monta lentement, toucha la poitrine de Cork, reposa sur son cœur, resta là un moment, puis retomba sur le sol avec un bruit sourd.

Solemn Winter Moon était parti.

« Oh, Solemn, Solemn », gémit Cork. Il posa sa joue contre les cheveux du jeune homme collés par le sang et, tout à coup, il se mit à sangloter, pleurant à chaudes larmes comme s'il venait de perdre un fils.

42

Cork était assis sur les marches, ébloui par les lumières des voitures de patrouille ; il buvait un café que Cy Borkmann lui avait versé de la Thermos qu'il avait toujours dans sa voiture. Les marches étaient larges, et l'équipe de la scène de crime n'avait pas la moindre difficulté pour circuler, dans un sens et dans l'autre. Il était content d'avoir un café. Son amertume était à la fois familière et apaisante. Même ainsi, il avait l'impression d'avoir fait une grande chute et d'avoir perdu au passage une grande partie de lui-même.

Avec Solemn mourant dans les bras, il avait énoncé une prière désespérée, mais elle n'avait pas eu d'effet. S'il avait été croyant, s'il avait eu la même confiance en Dieu que Solemn, cela aurait peut-être été complètement différent.

C'était une pensée ridicule, il le savait. Le genre de pensée que faisaient naître la culpabilité et le chagrin. Parce qu'il croyait qu'il n'avait pas fait assez pour protéger Solemn. Qu'il n'avait compris que trop tard combien il l'aimait. Il but son café et se souvint du petit garçon aux yeux noirs et farouches, qui adorait la pêche et les blagues de Sam Winter Moon. Il voulait empêcher que s'inscrivent dans sa mémoire la sensation de Solemn abandonné dans ses bras, la vue de sa poitrine déchirée par la chevrotine, l'impuissance qui l'avait conduit à une vaine prière.

Gooding sortit de la maison, Borkmann sur ses talons.

« Terminé ? fit Cork.

– Nous venons d'emballer les corps. » Borkmann poussa un soupir qui résonna comme la respiration sifflante d'un cheval de trait fatigué. « Tu as bien tout regardé avant de nous appeler ?

– Assez bien, je crois.

– Tu as remarqué la surface du bureau de Kane ?

– Je n'ai pas fait attention, Cy.

– Beau bois de cerisier, mais bien rayé. Des rayures récentes. Gooding pense qu'elles ont été faites par le recul du fusil. Je crois qu'il a raison. Je crois que Kane a calé le canon sur le bureau et qu'il le pointait directement sur Winter Moon. Le gamin savait forcément ce qui l'attendait. Je ne vois pas comment Kane aurait pu dégainer et viser d'un seul coup avec une arme aussi lourde. » Il s'interrompit un moment, comme s'il attendait que Gooding ou Cork propose une autre théorie. Lorsqu'il constata qu'ils n'en faisaient rien, il reprit : « Meurtre et suicide, je dirais. »

La portière d'une voiture de patrouille claqua et Pender approcha.

« Dross vient d'envoyer un message radio. Elle a fini d'interroger Olga Swenson. »

Borkmann jeta un coup d'œil à l'adjoint Gooding et hocha la tête en signe d'approbation. Immédiatement après leur arrivée à la maison, Gooding recommanda au shérif en exercice d'envoyer, malgré l'heure tardive, quelqu'un chez la gouvernante de Kane.

Pender regarda ses notes.

« Miss Swenson déclare qu'elle a servi le dîner à la table à huit heures, ce qui était un peu plus tard que d'habitude, mais elle dit que Kane avait des horaires assez irréguliers, ces derniers temps. Après avoir servi le repas, elle est partie. Elle n'attendait pas de compliment pour sa cuisine. J'imagine qu'il était d'usage que le Dr Kane fasse sa propre vaisselle. Pour autant qu'elle sache, Kane était seul dans la maison. Elle a aussi dit qu'il insistait toujours pour qu'elle prépare un grand repas même s'il ne mangeait pas beaucoup ces derniers temps. Apparemment, il ne respectait plus très bien ses habitudes. Vraiment à cran. Dross vous fera un rapport complet demain matin au bureau.

– Huit heures, dit Borkmann. Et à quelle heure es-tu arrivé ici, Cork ?

– Onze heures moins le quart.

– D'accord. » Borkmann repoussa son chapeau sur sa nuque. « On dirait que le Dr Kane a bien entamé le rôti posé sur la table. Et la bouteille de vin est plus qu'à moitié vide, il a pris le temps de se calmer. Disons qu'il a commencé à manger tout de suite après le départ de la gouvernante et qu'il a pris son temps pour se remplir la panse. Peut-être une demi-heure. Maintenant, d'après ce que tu dis, Cork, Winter Moon a quitté la maison de sa mère aux environs de huit heures. S'il est venu directement ici, il a dû arriver une demi-heure plus tard, à peu près au moment où Kane finissait de dîner, buvait un dernier verre de vin. Winter Moon entre. Ils discutent, finissent dans le bureau avec le fusil entre eux. J'imagine l'heure à laquelle le crime a eu lieu. C'est un miracle qu'il ait été encore vivant lorsque tu es arrivé ici, Cork. »

Gooding était resté terriblement silencieux. Il était appuyé contre l'un des gros piliers en pierre du porche et gardait les yeux rivés sur ses pieds. De temps en temps, il secouait la tête, comme s'il était en conversation avec lui-même.

« Dot Winter Moon est encore chez toi, Cork ? demanda Borkmann.

– Probablement. Elle pense que je suis parti chez Henry Meloux. Elle attend que je rentre avec des nouvelles de Solemn. »

Borkmann avait le visage de quelqu'un qui souffre d'une vilaine indigestion.

« J'imagine que je devrais aller lui annoncer la nouvelle.

– Je m'en occupe, Cy.

– Ça fait partie du boulot, que je le veuille ou non.

– Je crois que ce sera plus facile si ça vient de moi. »

Gooding intervint :

« Ce ne serait pas une bonne chose pour elle de te voir comme ça, tout couvert de sang.

– Je m'arrêterai Chez Sam pour me laver. J'ai toujours des vêtements de rechange là-bas. »

Borkmann dit :

« D'accord. Mais viens au bureau après. On prendra ta déposition à ce moment-là, d'accord ?

– OK. »

Borkmann retourna dans la maison. Gooding resta dehors encore une minute.

« Dorothy Winter Moon a appelé le bureau ce soir, dit-il. C'est moi qui ai pris l'appel. Je suis allé voir d'abord à la vieille cabane de Sam Winter Moon. J'aurais dû venir ici. J'aurais pu empêcher ça.

– Tu ne pouvais pas savoir. »

Gooding baissa les yeux vers la petite bible qu'il tenait à la main.

« Elle était dans le salon. C'est celle que Winter Moon avait avec lui en prison. Je me suis dit que sa mère la voudrait peut-être. » Il la donna à Cork. « Nous ne voyons pas en quoi elle pourrait être pertinente pour l'enquête. »

Gooding tourna les talons et retourna à ses devoirs à l'intérieur de la maison.

Cork contempla le volume, une petite Nouvelle Bible américaine. Un objet très simple, pour tout dire, mais assez important dans l'esprit de Solemn pour qu'il ait pensé à l'apporter sur le lieu de sa mort.

Pourquoi Solemn était-il venu ici ? Espérait-il pouvoir soulager la souffrance de Kane, le délivrer de sa haine ? Pensait-il vraiment qu'il pouvait offrir la paix qu'il avait lui-même trouvée à Blood Hollow ? Si c'était le cas, Cork se dit qu'il voudrait bien le considérer comme un acte de courage, mais son chagrin ne lui faisait voir que le caractère tragique et inutile de ce geste.

Il se mit debout et prit le chemin de la maison, accablé par le fardeau de la nouvelle qui allait détruire le monde de Dorothy Winter Moon.

43

La veillée funèbre de Solemn dura deux jours. Elle eut lieu dans la réserve, dans la maison de quartier à Alouette, avec les amis et les parents de Dorothy Winter Moon, qui se relayèrent pour veiller le corps. Le soir où Cork vint lui rendre un dernier hommage, il tomba sur George LeDuc, Eddie Kingbird et le vieux Waldo Pike en train de fumer devant le bâtiment.

« *Boozhoo*, dit LeDuc en manière de salut.

– *Boozhoo*, répondit Cork.

– Regardez-moi ça, dit Kingbird en souriant. Juste à temps pour manger. »

Pike intervint :

« Reste un peu dans le coin, Cork. Rhonda Fox va chanter. Elle chante pas terrible, mais elle connaît les vieilles chansons. Y en a pas beaucoup qui les savent encore. »

Waldo Pike avait une imposante chevelure blanche. Il était un peu voûté ; ce n'était pas une infirmité mais les muscles de son dos s'étaient trop développés au long de décennies passées à manier la hache et la tronçonneuse pour gagner sa vie.

Cork répondit :

« Je vais rester un peu.

– Ta grand-mère, elle chantait, dit Pike.

– Oui.

– Je l'ai entendue une fois, quand j'étais jeune. C'était quand Virgil Lafleur a trépassé. Des chanteurs étaient venus de partout. Beaucoup de gens admiraient Virgil, et ils sont venus lui rendre hommage. Certains sont venus depuis Turtle Mountain. Ta grand-mère qui chantait, c'était quelque chose. »

Waldo Pike se tut et fuma pendant un moment. Cork attendit, respectueusement. Pike était un vénérable qui parlait avec le temps indien, il appréciait les longs silences, et Cork ne voulait pas risquer d'être irrespectueux en partant avant qu'il n'ait fini de dire ce qu'il avait à dire.

« J'ai faim, dit enfin le vieil homme. Et si on mangeait ? »

À l'intérieur, la plus grande des salles avait été préparée pour la veillée. Le cercueil se trouvait devant une fenêtre qui donnait sur le terrain de jeux derrière la maison de quartier. Des fleurs et des cartes étaient étalées sur des tables. Des chaises pliantes avaient été installées sur une demi-douzaine de rangs face au cercueil. Le long des murs se trouvaient des petites tables avec quelques chaises, afin que les visiteurs puissent s'asseoir et manger. La nourriture, apportée par les uns et les autres, avait été disposée au fond. Cork repéra divers parfums : parmi eux, celui du pain frit, d'un plat de riz sauvage et d'un gratin de pommes de terre.

Quelques dizaines de personnes se trouvaient dans la pièce, certaines prenaient leur place dans la file pour manger, d'autres, assises sur les chaises pliantes, écoutaient Chet Gabriel, un genre de poète, qui, debout devant un micro à droite du cercueil, lisait une feuille qu'il avait à la main. Cork connaissait la plupart des gens présents, surtout des Ojibwes d'Iron Lake.

Dorothy Winter Moon était assise à une des petites tables. Elle portait une robe bleue, unie. Cork ne se rappelait pas l'avoir jamais vue dans un vêtement aussi féminin. Lorsqu'elle fut seule un moment, il s'approcha d'elle.

« Bonsoir, Dot.

– Salut, Cork. Merci d'être venu. » Malgré la robe et les circonstances, elle paraissait plus forte que jamais.

« Jo va arriver. Elle avait un rendez-vous tardif avec un client. » Il regarda autour de lui. « Beaucoup de monde.

– C'est gentil, dit-elle. Merci.

– Pour quoi ?

– Pour tout ce que tu as fait. Solemn avait beaucoup d'admiration pour toi.

– J'aurais aimé faire plus.

– Tu n'aurais pas pu le sauver, si c'est ce que tu veux dire. Il savait ce qu'il faisait. Il avait ses raisons. »

Cork était certain que cela l'aidait de penser ainsi, et il ne dit rien. D'autres personnes arrivèrent pour parler à Dot, et Cork se retira.

Lorsque le poète s'arrêta au milieu d'applaudissements polis, Cork s'approcha du cercueil, qui était ouvert. Solemn était étendu sur un drap de satin blanc, vêtu d'un costume sombre que Cork ne lui avait jamais vu, les bras tout raides le long du corps. Une nouvelle chemise et une nouvelle cravate habillaient sa poitrine mais Cork savait l'outrage caché sous le fin tissu de coton. Le visage de Solemn était un chef-d'œuvre d'art cosmétique, coloré par la poudre et le fard à joues, comme une figure de cire dans un musée. Quoi que Solemn Winter Moon ait été en réalité, un saint malgré lui ou un dément, son corps habillé et maquillé était à des millions de kilomètres de là. Henry Meloux aurait dit que Solemn était déjà loin sur le Chemin des Âmes. Mal Thorne croyait probablement que Solemn avait pris sa place au purgatoire, attendant le jour du rachat de ses péchés pour pouvoir accéder au paradis. Cork n'avait pas la moindre idée du lieu où l'esprit de Solemn pouvait bien se trouver.

«Je pensais qu'il était une honte pour les Ojibwes.»

Cork se tourna à demi. Oliver Bledsoe était à côté de lui, les yeux baissés vers le cercueil.

«Et maintenant? dit Cork.

– Maintenant, je pense que le Peuple se souviendra de lui avec un grand respect.» Il se tourna vers son voisin. «T'aurais une minute?

– Bien sûr.

– Dehors.»

Sur l'une des petites tables à côté du cercueil se trouvaient un petit plat couvert de cigarettes et une boîte d'allumettes de cuisine. Cork prit une cigarette et une allumette. Bledsoe l'imita. Une fois dehors, ils allumèrent leur cigarette. Cork avait arrêté de fumer quelques années auparavant. Les cigarettes relevaient du respect anishinaabeg qu'on témoignait au tabac, *biindaakoojige*, et de la vieille croyance selon laquelle la fumée portait les prières jusqu'au créateur, Kitchimanidoo.

Bledsoe dit:

«J'ai entendu dire que le département du shérif abandonnait l'enquête sur le meurtre de Charlotte Kane. On m'a dit qu'officieusement ils le collaient sur le dos de Solemn.

– Ouais.

– Tu penses que c'est ça qui s'est passé? C'est Solemn?

– Non, dit Cork.

– C'est pas bon, de laisser ça comme ça, dit Bledsoe. Un jeune Indien qui tue une fille blanche. Tu sais que, maintenant, on va nous le jeter à la figure constamment?

– Je sais.»

Bledsoe fuma pendant un moment. Les gens ne cessaient d'arriver, et entraient en faisant un signe de tête ou de la main.

Bledsoe reprit.

« J'ai parlé avec le conseil tribal. Ils veulent t'embaucher pour que tu laves le nom de Solemn. »

Cork regarda la fumée monter lentement vers le ciel clair, couleur bleuet.

« D'accord, dit-il.

– Bien.

– Je l'aurais fait de toute façon, tu sais. »

Bledsoe rit doucement.

« C'est ce que George LeDuc a dit.

– C'est pour ça qu'il préside le conseil tribal. »

À l'intérieur, une femme se mit à chanter. Les notes n'étaient pas pures, mais les paroles étaient ojibwes.

« Rhonda Fox, dit Cork.

– On y retourne.

– Je ne voudrais pas rater ça. »

Le jour où Solemn Winter Moon fut enterré, un chien du soleil apparut dans le ciel. Peu de gens avaient été témoins d'un tel phénomène dans leur vie ; c'était un événement rare, au cours duquel la lumière réfractée sur des cristaux de glace en suspension dans l'atmosphère créait l'illusion d'un second soleil. Cork ne l'avait vu qu'une fois, c'était en hiver, et il n'avait aucune idée de la raison pour laquelle on appelait ça un chien du soleil. Jo et lui, comme tous ceux qui s'étaient rassemblés pour l'enterrement, se tenaient debout au bord de la tombe dans le cimetière derrière l'ancien bâtiment de la mission, au fond de la réserve, tournés vers l'est, émerveillés devant les deux soleils dans les cieux du matin. Le faux soleil demeura jusqu'à ce que le cercueil soit descendu et que le gouffre noir de la tombe ouverte ait englouti le corps de Solemn Winter Moon. Ensuite, tandis que ceux qui s'étaient rassemblés pour un dernier hommage se dispersaient en silence, le second halo s'évanouit.

Le même jour, Cork regarda le corps d'un autre homme descendre dans les entrailles de la terre.

On était en fin d'après-midi. L'air était devenu chaud et étouffant. Cork gara sa Bronco à l'ombre d'un chêne à l'intérieur du cimetière ; il avait une vue dégagée sur la route qui montait à flanc de colline depuis la ville. On sentait la tempête ; elle était en train de se former quelque part à l'ouest, de gros nuages noirs commençaient seulement à monter au-dessus des arbres, au loin.

En attendant, il se mit à penser à Fletcher Kane. Il s'était radicalement trompé sur cet homme, parce qu'il s'était lui-même aveuglé. Il avait voulu que Kane soit le genre d'individu capable d'abuser de sa fille. Mais Kane ne l'était pas, malgré la persistance des rumeurs sur son compte. Était-ce si étonnant que Kane ait perdu les pédales ? Au final, qu'avait-il à perdre ? Sa vie avait déjà été détruite. Il avait perdu ce qu'il aimait le plus – deux fois – et, de surcroît, il avait perdu le respect de la communauté.

Quel rôle Cork avait-il joué dans tout cela ? Il avait émis des soupçons, qui étaient devenus des rumeurs, répandues par la langue agile de Cy Borkmann. Mais Cork connaissait Borkmann et il était tout à fait au courant de cette faiblesse dès qu'il s'agissait de garder des secrets. Y avait-il une partie sombre au fond de lui qui avait sciemment instillé le soupçon et utilisé le shérif pour détruire Kane ? À quel point se connaissait-il ? Mon Dieu, se demanda-t-il, à quel point chacun se connaissait-il ?

Au bout de trente minutes, il vit la colonne de voitures, une demi-douzaine à peine, monter la colline, avec, à sa tête, un corbillard rutilant. Juste derrière se trouvait la Tracker de Randy Gooding. Au moment où la courte procession passait les grilles, Cork vit que Gooding servait de chauffeur au prêtre, et il vit aussi que le prêtre n'était pas Mal Thorne, mais le vieux père Kelsey. Les voitures suivirent les étroites allées jusqu'à l'endroit qui avait été préparé, un emplacement très éloigné de la tombe de Charlotte.

Pendant le service, le prêtre sénile se tint penché sur le cercueil de Fletcher Kane. Cork n'entendait pas ce qu'il disait, il était trop loin et sa voix n'était qu'un murmure qui se perdait dans la lourdeur de l'air. Le service fut heureusement très court. Au moment où il se termina, Gooding s'avança vers Donny Pugmire, l'un des hommes qui portaient le cercueil, et les deux hommes échangèrent quelques mots. Puis Pugmire prit le vieux prêtre par le bras et l'emmena jusqu'à sa voiture, alors que Gooding montait la pente pour rejoindre Cork.

«Je ne savais pas que tu aimais autant Fletcher Kane, dit Cork.

– Le père Mal m'a appelé. Il a dit qu'il n'y avait pas assez de monde pour porter le cercueil et m'a demandé si je voulais bien donner un coup de main. J'ai accepté.

– Où est Mal ?

– Il est malade.» Gooding regarda les voitures quitter le cimetière. «Tu sais, lorsque j'ai quitté la grande ville, j'ai pensé que j'en avais fini avec les horreurs.

– Par certains côtés, elles sont pires ici, dit Cork. Ici, quand une tragédie débarque, elle frappe à la porte de gens qu'on connaît.»

Gooding se tourna vers la nouvelle tombe.

« J'espère que cet événement marque la fin de la tragédie pour un bon moment.

– Tu crois que c'est fini ?

– Borkmann veut que le meurtre de la fille Kane soit classé. Je crois que c'est une bonne chose.

– Tu penses que c'est Solemn qui l'a commis ? »

Gooding resta silencieux un moment. Il regarda vers les grilles du cimetière où, au moment où le dernier véhicule de la procession funèbre sortait, une vieille camionnette marron entra et s'arrêta. Un homme en sortit et contempla le champ de pierres tombales. Il mit sa main en visière pour protéger ses yeux du soleil.

Gooding dit :

« Je crois que, à la fin, il en était arrivé à voir le monde différemment, mais qu'avant cela il était certainement capable de commettre un meurtre. Je sais que les Ojibwes ne veulent pas le croire et, pour la paix de notre communauté, à laquelle je tiens beaucoup, j'ai l'intention de ne pas réveiller le lion qui dort. »

L'homme à côté de la grille retourna à sa vieille camionnette rouillée et se mit à avancer lentement entre les rangées de morts. Tandis que le véhicule approchait, Cork vit deux autres personnes dans la voiture.

« Et si ce n'était pas Solemn ? dit Cork. Et si un monstre courait toujours ?

– Pas d'homicides depuis janvier, Cork. » Gooding secoua la tête. « Plus de monstre. Je parie sur l'homme qui a été enterré à la réserve aujourd'hui.

– Tu vois une objection à ce que je jette un œil au dossier ?

– Aucune. Va falloir que tu voies ça avec Borkmann. Ou peut-être que tu attendes une ou deux semaines. » Gooding sourit. « J'ai entendu dire que les autorités pensaient te proposer le poste de shérif, le temps qu'ils organisent une élection. Auquel cas tu n'aurais pas besoin d'une permission. »

La camionnette s'arrêta à quelques mètres des deux hommes. Trois personnes en sortirent, un homme, une femme et un garçon, âgé de douze ou treize ans. Ils parurent familiers à Cork.

L'homme s'approcha d'un pas hésitant.

« Pardon de vous déranger, messieurs, mais je me demandais si vous pouviez nous aider.

– Avec plaisir », dit Gooding.

La femme portait une robe blanche avec des marguerites. Elle tenait ses mains jointes devant elle, dans un geste qui paraissait exprimer une immense sérénité. Le garçon se tenait en retrait, un peu voûté, comme s'il était fatigué.

L'homme dit :

« Nous cherchons la tombe de quelqu'un qui a été enterré aujourd'hui.

– C'est juste là. » Gooding désigna le trou béant dans lequel le cercueil de Fletcher Kane venait d'être descendu.

« Merci, dit l'homme.

– Vous connaissiez Fletcher Kane ? » demanda Cork.

L'homme se retourna.

« Fletcher Kane ?

– Le gars qui a été enterré aujourd'hui. »

L'homme parut troublé.

« Je croyais que c'était Solemn Winter Moon.

– Winter Moon ? dit Gooding. Il a été enterré à la réserve, ce matin.

– Oh. » L'homme se retourna vers la femme et le garçon.

Cork comprit soudain qui ils étaient.

« Vous venez de Warroad.

– C'est exact. Comment le savez-vous ? »

L'attention de Cork se porta brusquement sur le garçon debout à côté de sa mère.

« Où est passé le fauteuil roulant ? »

Le gamin ne répondit pas.

« Allez, Jamie. Dis au monsieur. »

Le gamin bégaya, comme s'il n'avait jamais parlé avant.

« Il m'a guéri.

– Solemn ? »

Le garçon hocha la tête.

La femme enlaça son fils et le regarda au fond des yeux.

« Cet homme si bon l'a guéri.

– Un instant », dit Gooding. Il s'avança vers l'enfant, qui recula à son approche. « Je ne vais te faire aucun mal, fiston. Je veux juste voir de plus près. Je suis policier. » Gooding s'accroupit devant le gamin. « Montre-moi tes mains. »

Le gamin tendit lentement les bras, et les doigts qui autrefois étaient recroquevillés comme des serres se déplièrent devant l'agent.

« Tu veux bien marcher un peu ? »

Le garçon fit quelques pas. Ils n'étaient pas parfaits.

« Dis-moi comment tu t'appelles.

– Jamie Witherspoon.

– Quel âge as-tu, Jamie ?

– Treize ans.

– Et tu as toujours été malade ?

– Oui.

– Toujours dans un fauteuil roulant ?

– Oui.

– Ce n'est pas tes parents qui ont monté ça ?

– Non. »

Gooding se redressa.

« Je vous présente mes excuses pour cette dernière question, dit-il à la mère de l'enfant. C'est juste que tout ceci est un peu difficile à croire. »

Face aux doutes de Gooding, le visage de la femme n'exprimait rien d'autre que de l'amour. « Croire, c'est bien tout ce qui importe. »

Cork les envoya au magasin de George LeDuc sur la réserve, leur dit de lui raconter leur histoire, qu'il se ferait un plaisir de les accompagner jusqu'à la tombe de Solemn. Il leur dit aussi de demander à George de leur montrer où habitait la mère de Solemn. Elle voudrait certainement entendre ce qu'ils avaient à dire.

Pendant que la vieille camionnette sortait en bringuebalant du cimetière, Cork dit :

« Tu m'as dit un jour que tu étais un homme à croire aux miracles. Alors, qu'est-ce que tu en penses, Randy ? »

Un long moment, Gooding se contenta de regarder fixement un point au-delà des grilles du cimetière, l'endroit où avait disparu la camionnette. Puis il hocha la tête.

« Je ne pense rien, dit-il. Que Dieu m'en soit témoin, je ne sais que croire, je ne sais pas du tout. »

44

Cork arriva chez lui et découvrit que Mal Thorne avait apparemment pris le jardin devant la maison pour un parking. La Nova jaune avait escaladé le trottoir, et les roues avant étaient calées sur la bande de gazon qui le longeait. Quand il entra dans le salon, il y trouva Annie, l'air ahuri.

« Tu vas bien ? »

Elle le regarda fixement.

« Le père Mal est ici.

– Ça, je m'en doutais. Est-ce qu'il est malade ?

– Pas malade, dit-elle. Saoul.

– Où est maman ?

– Elle a emmené Stevie chez le coiffeur. Le père Mal est arrivé après leur départ. Je ne savais pas quoi faire.

– Où est-il ? »

Les yeux d'Annie montèrent lentement vers le plafond, mais Cork savait qu'elle ne voulait pas parler du ciel.

« Dans la chambre de Rose ?

– Je les ai entendus parler. Il dit qu'il va quitter la prêtrise, papa. Il a dit qu'il était amoureux de tante Rose et qu'il voulait l'épouser. Comment peut-il faire une chose pareille ?

– Ce n'est pas encore fait », répliqua Cork.

Annie plongea ses yeux dans ceux de son père, espérant peut-être y trouver quelque chose qui l'aiderait à comprendre.

« Il est prêtre. L'Église, c'est toute sa vie. »

Au-dessus d'eux, dans la chambre sous le toit, quelque chose tomba lourdement.

« Attends-moi ici », dit Cork.

Il monta les marches quatre à quatre, courut jusqu'à la porte ouverte qui menait au grenier. Il entendit un grognement venant de la chambre de Rose, le bruit d'une lutte. Il bondit sur les marches menant aux combles.

Au fond de la pièce, la table de couture de Rose était renversée et la machine à coudre était sur le sol. Tout autour, des morceaux de tissus d'une douzaine de motifs différents, en vrac. Au milieu du chantier, Rose et Mal Thorne se tenaient l'un l'autre dans une étreinte désespérée. À la minute où Cork fit son apparition, Rose jeta un regard par-dessus l'épaule du prêtre et ses yeux s'écarquillèrent.

« Aide-moi, dit-elle dans un souffle, je vais le lâcher. »

Cork se rendit compte que Mal ne tenait pas sur ses jambes et la seule chose qui l'empêchait de tomber, c'était le soutien de Rose. Il mit ses bras autour de la poitrine de Mal Thorne, glissant ses mains entre Rose et le prêtre.

« Je l'ai », dit-il.

Le prêtre se redressa, assez pour aider Cork, qui le traîna jusqu'au lit. Cork relâcha son étreinte et Mal tomba à plat dos sur le matelas. Rose lui souleva les jambes et, avec l'aide de Cork, l'installa dans une position relativement confortable.

Mal portait des mocassins marron, sans chaussettes. Son pantalon était froissé. Sa chemise à carreaux était déchirée, une longue fente sous son bras droit. Son haleine empestait le Southern Comfort. Il entrouvrit à peine les yeux, les paupières lourdes, et regarda Rose qui se penchait sur lui.

«Je t'aime, Rose, dit-il, la langue pâteuse, les lèvres bougeant à peine. Je t'aime.

– Chhh, fit Rose avec douceur. Dormez.»

Les yeux de Mal se refermèrent. Il marmonna entre ses dents et, quelques instants plus tard, il ronflait.

Cork respirait fort.

«Nous n'allons pas pouvoir le bouger, Rose.

– Ce n'est pas grave.» Elle tendit le bras et effleura tendrement la joue de Mal, couverte d'une courte barbe rousse. «Il peut rester là un moment.

– Je redescends voir Annie», dit Cork.

Rose hocha la tête, mais ne détourna pas les yeux de l'homme couché sur son lit.

Pendant que Cork était occupé à l'étage, Jo était rentrée avec Stevie. Cork la découvrit dans la cuisine en train d'écouter le récit des derniers événements fait par Annie, d'une voix aiguë à la limite de l'hystérie.

«Il est toujours en haut avec Rose ? demanda Jo.

– Oui, mais il dort maintenant.

– Il dort ? fit Annie.

– En fait, il s'est endormi sur le lit de tante Rose.

– Sur son lit ?» Annie paraissait mortifiée. «Mais qu'est-ce qu'on va faire ?

– Le laisser dormir et cuver.» Cork alla jusqu'au réfrigérateur et sortit une bière.

«Et après ?»

La question se posait. Cork n'était pas content de ce qu'avait fait Mal, de son intrusion dans sa maison, de cette manière maladroite, irréfléchie, que le prêtre avait choisie pour faire connaître ses sentiments. Mais il comprenait aussi le terrible conflit qui avait dû l'agiter, verrouillé derrière le visage calme qu'un homme dans sa position devait afficher. Il ôta la capsule de sa bière et en but une gorgée.

« Ce n'est pas bien, dit Annie. Il est prêtre. »

Jo répondit :

« Les prêtres sont seulement des hommes, Annie. Ils ont aussi des problèmes. Ils font des erreurs, ils changent d'avis...

– Tante Rose ne le laissera pas changer d'avis. Il est prêtre. » Elle surprit le regard qu'échangèrent ses parents. « Quoi ?

– Ta tante Rose l'aime », dit Jo.

Cette révélation parut surprendre Annie au point de lui couper le sifflet.

Cork entendit le craquement de l'escalier et vit Rose descendre des étages. Elle vint rejoindre les autres.

« Je suis désolée que tu aies assisté à tout ça, Annie, dit-elle en entrant dans la cuisine.

– Tu ne vas pas le laisser quitter l'Église, n'est-ce pas ?

– Annie... avertit Jo.

– Tu ne vas pas faire ça ? » dit Annie.

Rose joignit les mains, ferma les yeux et, pendant un moment, on aurait vraiment dit qu'elle priait.

« Je crois que je vais devoir parler à Dieu de tout ça, dit-elle enfin. Je suis un peu troublée moi-même. »

Annie, qui ne s'était jamais dérobée devant quoi que ce soit, tourna les talons et s'enfuit, en laissant la porte à moustiquaire claquer derrière elle. Rose fit un pas, prête à la suivre.

« Laisse-la, dit Jo. Elle va se calmer. Elle a juste besoin d'un peu de temps toute seule pour réfléchir. »

Rose prit une longue inspiration tremblante.

« Ça me ferait du bien, à moi aussi.

– Oh, Rose. »

Jo traversa la cuisine et prit sa sœur dans ses bras. Cork continua à boire sa bière, aussi ébahi que les autres devant les derniers événements.

Il appela le département du shérif et attrapa Cy Borkmann juste au moment où il partait. Il expliqua au shérif en place ce qu'il voulait.

« Cela ne me pose pas de problème que tu regardes le dossier de la fille Kane. Mais fais-moi une promesse. Si tu tombes sur quelque chose qu'on a laissé passer, un élément important, tu me le dis ou tu le dis à Gooding. OK ?

– Ça marche, Cy.

– Quand est-ce que tu le veux ?

– Dès que possible. Ça t'ennuie que j'en fasse une copie ? Comme ça, je ne serai pas tout le temps dans vos pattes.

– Je vais même faire mieux. Je vais demander à un adjoint de te faire les copies. Le dossier t'attendra ici.

– Encore une chose.

– Ne pousse pas trop le bouchon.

– Est-ce que je pourrais jeter un œil au dossier sur l'incident chez Kane ?

– Pour quoi faire ?

– Peut-être pour rien. Je voudrais juste disposer de tout ce qui est en relation de près ou de loin avec la mort de Charlotte. »

Borkmann réfléchit pendant quelques instants.

« D'accord. Je ne vois pas le mal que ça pourrait faire.

– Merci, Cy.

– Je déteste prendre ce genre de décisions. » Borkmann raccrocha.

Une heure plus tard, Cork récupérait les documents promis. On était déjà au début de la soirée lorsqu'il rentra chez lui. La maison paraissait déserte, Jo était seule.

« Où sont-ils tous passés ? demanda-t-il.

– Jenny est avec Sean. Je crois qu'ils vont au cinéma. Stevie est en face, en train de jouer dans la cabane chez les O'Loughlin. Rose est en haut, elle veille le père Mal.

– Aucune nouvelle d'Annie ?

– Non. »

Cork regarda dehors, pensant au rôdeur qui avait suivi sa fille.

« Ne t'inquiète pas, dit Jo. Elle rentre toujours avant la nuit ces derniers temps. Tu as faim ? Je peux te faire un sandwich.

– Qu'est-ce qu'on a ?

– Jambon et fromage sur pain de seigle.

– Je vais me le faire.

– Assieds-toi. Et détends-toi. » Jo alla avec Cork dans la cuisine. « Des chips et de la bière ?

– Merci. »

Jo prit une bouteille de Leinenkugel dans le réfrigérateur et la lui tendit. Sur la table de la cuisine, Cork étala les chemises contenant les documents qu'il avait récupérées au bureau du shérif et ouvrit le premier dossier.

« Tu n'aurais pas par hasard obtenu des honoraires raisonnables d'Oliver Bledsoe ? » demanda Jo en posant un morceau de jambon fumé sur une planche à découper.

Cork but une grande gorgée de bière.

« Je le ferais même s'ils ne me payaient pas. »

Jo posa un cube de cheddar sur le comptoir et, à côté, le reste d'une miche de pain de seigle.

« Les gens demandent si tu vas rouvrir Chez Sam un jour. Pas tous. Les autres paraissent se demander si tu vas reprendre le boulot de shérif si on te le propose.

– Tu te ranges dans quel groupe ?

– Dans aucun. Je soutiendrai ta décision. » Elle se mit à trancher le jambon. « Tu veux de la moutarde ?

– Un conseil à me donner ?

– C'est meilleur avec de la moutarde.

– Sur le job de shérif.

– J'ai assez de mal à maintenir un semblant d'ordre dans ma propre vie. Je sais que tu feras ce qui te paraît le mieux. »

Cork s'assit et se détendit.

« Tu veux que je te raconte une histoire, Jo ?

– Est-ce qu'elle finit bien ?

– Pour un enfant handicapé et ses parents, ouais.

– Je suis tout ouïe. »

Il commença à lui parler de la famille de Warroad et elle s'assit à table avec lui. Quand il eut terminé, elle dit :

« T'en penses quoi ?

– Que j'aurais peut-être dû faire plus pour protéger Solemn. Peut-être qu'il avait reçu un don, Jo, quelque chose qu'il était important de partager. Maintenant, ce don est parti. »

Elle tendit le bras et lui prit la main.

« Ces gens, tu es sûr qu'ils ne font pas partie d'une arnaque quelconque ?

– Aussi sûr que de tout le reste en ce moment. Je ne dis pas que Solemn avait le don de guérir. Son don consistait peut-être simplement à aider les gens à croire assez fort pour que leur miracle, à eux, se produise. Tu vois ?

– Oui.

– C'est important pour moi que l'on pense du bien de Solemn. Alors c'est important que tout le monde sache la vérité sur l'affaire Charlotte Kane.

– Je comprends. Que puis-je faire pour toi ?

– D'abord, me laisser finir mon sandwich. »

Plus tard, Jo fit couler un bain pour Stevie, et, pendant que son fils jouait dans la baignoire, elle redescendit à la cuisine où Cork avait étalé sur la table tous les éléments du dossier concernant la mort de Charlotte Kane.

« Alors ? demanda-t-elle.

– Rien pour l'instant. » Il croisa les mains derrière sa tête et leva les yeux vers le plafond. « Il y a un truc qui me revient sans cesse. Les papiers d'emballage trouvés à côté du corps. Un salaud s'est installé là et a imperturbablement mangé pendant qu'elle mourait. Je n'arrête pas de me demander quel genre de monstre ferait une chose pareille.

– Un mangeur de péchés. » Annie était debout à la porte à moustiquaire et regardait à l'intérieur. La nuit commençait à tomber derrière elle. « Est-ce que je peux entrer ?

– Bien sûr, chérie », répondit Jo.

Elle entra, les yeux rivés sur les lignes du linoléum.

« Je suis désolée pour la manière dont je me suis comportée.

– Tout va bien, dit Jo. Tu as faim ?

– J'ai toujours faim.

– Que dirais-tu d'un sandwich jambon-fromage ?

– Je te le recommande vivement, dit Cork.

– Merci. »

Jo alla chercher les ingrédients dans le réfrigérateur.

« Tu as marché ? » demanda Cork.

Annie secoua la tête.

« Je suis tombée sur Randy Gooding, et il m'a accompagnée au Broiler. On a parlé. Regarde, il m'a donné ça. »

Elle lui tendit un dessin qui avait été fait au dos d'un set de table en papier du Broiler, un portrait d'elle au crayon. Elle était très jolie et avait l'air un peu triste.

« Ça t'a aidée ?

– Ouais.

– Tiens », fit Jo.

Annie prit l'assiette.

« Est-ce que je peux aller le manger dans ma chambre ?

– Bien sûr. À condition de descendre l'assiette quand tu auras fini. »

Annie s'en alla vers le salon, puis s'arrêta et jeta un coup d'œil par-dessus son épaule.

« Je vous aime.

– Bonne nuit, chérie », répondit Jo. Elle regarda sa fille monter l'escalier et sourit. « Tu crois que ça va ?

– Elle va s'en sortir. Elle a une tête solide, bien posée sur ses épaules, dit Cork. Et jolie en plus. Elle le tient de sa mère.

– Merci, cow-boy. » Elle se pencha sur lui et déposa un baiser sur ses cheveux. « Je vais monter voir Stevie et le mettre au lit. »

Cork reprit son étude des documents, cherchant quelque chose qui aurait pu lui échapper auparavant ou qu'il aurait repéré mais trop vite écarté. Il fallut un moment pour qu'un détail attire son attention. Lorsque cet instant arriva enfin, il attrapa les papiers qui concernaient la nuit où Fletcher Kane s'était donné la mort après avoir tué Solemn. Il parcourut le rapport d'autopsie des deux hommes.

Il alla jusqu'au téléphone qui se trouvait dans le salon et prit son carnet d'adresses. Il emporta le tout dans la cuisine et passa un appel longue distance. Jo descendit au moment où il raccrochait.

« Stevie dort, dit-elle.

– Assieds-toi, Jo. »

Elle perçut la tension dans sa voix, prit une chaise et s'assit.

« Tu as trouvé quelque chose.

– Peut-être. »

Jo regarda le téléphone posé sur la table.

« Qui as-tu appelé ?

– Boomer Grabowski, à Chicago. Tu te souviens de lui ?

– Bien sûr. Mais cela fait des années que tu ne lui as pas parlé.

– En fait, je l'ai appelé la semaine dernière.

– À propos de quoi ?

– Pour voir s'il acceptait d'enquêter sur Mal Thorne.

– Pourquoi ?

– En vertu de mon légendaire talent d'enquêteur. Mais il était occupé sur une affaire à Miami, et ensuite ça m'est un peu sorti de la tête et je ne l'ai pas rappelé dans la foulée. C'était une grave erreur, parce que Annie m'a fait réfléchir ce soir, Jo. Nous pensons que quelqu'un se trouvait avec Charlotte et a mangé pendant qu'elle mourait. Maintenant, jette un œil là-dessus. »

Il lui tendit le rapport d'autopsie concernant Fletcher Kane.

Après avoir passé une minute à lire, elle demanda :

« Qu'est-ce que je cherche ?

– Le bol stomacal.

– Il n'y a pas grand-chose.

– Exactement. Olga Swenson avait posé un bon rôti sur la table pour Kane le soir où il s'est tué. Quelqu'un a mangé une grande quantité de nourriture et a bu une bonne partie du vin qui l'accompagnait. »

Les yeux de Jo se baissèrent vers le document qu'elle tenait à la main.

« Ce n'était pas Fletcher Kane.

– C'est juste.

– Solemn ?

– Il jeûnait depuis plusieurs jours et son autopsie l'a confirmé. »

Jo fronça les sourcils.

« Tu es en train de faire référence au commentaire d'Annie sur le mangeur de péchés.

– Ouais.

– Cork, c'était juste une plaisanterie. Un mangeur de péchés ? C'est délirant.

– La personne qui a tué Charlotte Kane n'était pas franchement saine d'esprit. Qui a parlé à Annie de l'histoire du mangeur de péchés ? »

Jo réfléchit un moment.

« Le père Mal.

– Que savons-nous de lui ?

– Que veux-tu dire ?

– Exactement ce que je viens de dire. Que savons-nous vraiment de l'homme qui est prêtre dans notre paroisse ?

– Pourquoi se poser cette question ? Parce qu'il a raconté à Annie cette histoire ?

– Suis-moi jusqu'au bout, s'il te plaît.

– C'est un bon prêtre.

– Il dit qu'il est amoureux de Rose. Il veut l'épouser. Est-ce le comportement d'un bon prêtre ?

– Mais je l'aime bien.

– Moi aussi, mais ce n'est pas pertinent pour l'instant. Que savons-nous de son passé ?

– Qu'il dirigeait un centre d'accueil pour sans-abri à Chicago. J'ai entendu qu'il a risqué sa vie pour empêcher que l'argent du foyer ne soit volé.

– C'est peut-être l'histoire qu'il raconte pour expliquer ses cicatrices. Est-ce vrai ? Que savons-nous d'autre ?

– Que savons-nous des gens en dehors de ce qu'ils nous racontent ? Mon Dieu, Cork, il y a certaines choses qu'on ne peut qu'accepter.

– Pas quand il s'agit d'un meurtre. » Il fit un geste vers le téléphone. « Boomer est d'accord pour enquêter sur Mal, pour découvrir l'incident à l'origine de ses cicatrices, et me dire tout ce qu'il pourra trouver sur les antécédents du prêtre. »

Jo secoua la tête.

« Cela ne me paraît pas correct.

– Si Boomer ne trouve rien, tout ira bien. Ça ne peut pas faire de mal.

– Pourquoi ne demandes-tu pas tout simplement au père Mal où il se trouvait la nuit où Fletcher et Solemn sont morts ?

– Il est complètement ivre, là, tout de suite. Et je n'ai aucune garantie qu'il ne mentirait pas. » Cork s'adossa soudain. « Mais il y a quelqu'un qui pourrait peut-être nous aider. Quelle heure est-il ? »

Jo jeta un œil à sa montre.

« Neuf heures et demie.

– Il n'est pas trop tard. » Cork se leva.

« Où vas-tu ?

– Au presbytère, parler à Ellie Gruber. Jo, crois-moi, j'espère bien qu'elle pourra trouver un alibi à Mal. »

La gouvernante ouvrit la porte en robe de chambre.

« Je suis navré de venir vous déranger si tard.

– Ce n'est pas grave, Cork. Je ne me coucherai pas tant que le père Mal ne sera pas rentré. Était-ce lui que vous vouliez voir ?

– C'est vous, en fait. Cela ne vous ennuie pas que je vous pose une question sur Mal ?

– Cela ne peut pas m'ennuyer tant que je ne connais pas la question... Voulez-vous entrer ?

– Non, merci. J'en ai seulement pour une minute. Je ne sais pas comment formuler ça avec délicatesse. Avez-vous remarqué chez lui un comportement un peu étrange ces derniers temps ?

– Eh bien... » Elle tenait sa robe de chambre bien fermée au niveau du col.

«Je suis un peu inquiet à son sujet, c'est tout, poursuivit Cork. Comme beaucoup d'entre nous. Avez-vous une idée de ce qui le tracasse ?

– Si j'en avais une, Cork, je ferais de mon mieux pour l'aider.

– Ellie, repensez à la nuit où Fletcher Kane et Solemn Winter Moon sont morts.

– Mon Dieu, c'est bien une nuit que je voudrais oublier.

– Vous souvenez-vous de Mal ? Comment vous a-t-il paru ?

– C'était une nuit affreuse, c'est certain. Il a reçu un appel et il est sorti. Lorsqu'il est revenu, il était bouleversé. Puis, un peu plus tard, il a eu l'appel du département du shérif concernant le Dr Kane. Quelle nuit terrible.

– Savez-vous de qui provenait le premier appel ?

– Non.

– À quelle heure est-il sorti ?

– Oh, il devait être environ neuf heures.

– Quand est-il revenu ?

– Environ une heure et demie plus tard.

– Est-ce qu'il a dit quelque chose ?

– Pas que je me souvienne. Il est généralement si agréable. Il aime bien prendre un petit Irish coffee avant d'aller se coucher, alors j'avais tout préparé. Mais il n'en a pas voulu. Il est allé directement dans sa chambre. Je me fais du souci. Je prie beaucoup pour lui ces derniers temps.

– Je suis certain que cela ne fait pas de mal, Ellie. Une dernière question. Avez-vous passé la Saint-Sylvestre ici avec les pères ?

– Mon Dieu non. J'ai une vie en dehors du presbytère. J'étais dans la famille de mon défunt mari, à Tower.

– Alors, Mal et le père Kelsey étaient seuls ?

– Je crois bien. Le père Kelsey était probablement endormi dès neuf heures, alors je suis sûre que le pauvre père Mal a dû passer le cap de la nouvelle année tout seul.

– C'est tragique », conclut Cork.

Jo attendait dans la cuisine.

« Alors ?

– La nuit où Kane et Solemn sont morts, Mal est sorti à neuf heures, environ. Il est revenu vers dix heures et demie, bouleversé. Pas d'explication. »

Jo prit le téléphone et le lui tendit.

« Boomer Grabowski a appelé. Il veut que tu le rappelles.

– Ça, c'est du rapide.

– L'exécution en règle d'une bonne réputation, ça se fait rapidement par ici. »

Cork ignora son commentaire et composa le numéro de Boomer.

« Ne me dis pas que tu as déjà quelque chose.

– Il suffit d'appeler la bonne personne.

– Balance.

– Tu te souviens de Dave Jenkins ?

– Ouais. Crâne rasé, c'est ça ? Tu l'appelais la Boule, autrefois.

– C'est bien lui. Il est aux homicides, secteur deux. Ça fait quelques années maintenant. Tu as tapé dans le mille avec le prêtre, Cork. Avant de reprendre son unité, la Boule a été chargé d'une enquête sur deux homicides à Hyde Park. Quelqu'un a refroidi deux gugusses avec des casiers judiciaires presque aussi longs que ma bite. Il s'avère qu'ils étaient les deux principaux suspects dans une tentative d'attaque et de vol dont la victime était un prêtre du nom de Malachi Thorne.

– Bon Dieu.

– Ouais. Bref, l'affaire puait vraiment et ils ont été obligés de laisser la vie sauve à ces deux salopards, sur un vice de forme. Mais écoute ça. La Boule dit que, pendant un moment, le prêtre a été suspecté pour ces deux meurtres. Apparemment les gars avaient été pas mal tabassés avant de se faire trancher la gorge. Et devine qui était un boxeur de première à la fac. Le prêtre. Voilà le moment où ça devient intéressant pour ton affaire. Ce n'était pas la première fois que le prêtre était lié à une enquête de meurtre. Il y a seize ans, un orphelinat dont il avait la charge a brûlé. Incendie criminel. Une jeune fille de quinze ans est morte, elle s'appelait Yvonne Doolittle. T'es assis, Cork ? Cette fille Doolittle avait accusé ton Père Thorne de l'avoir agressée. » Grabowski se tut quelques instants. « T'es toujours là ?

– Ouais.

– Pas assez de preuves pour monter une accusation contre lui. L'Église l'a retiré de là vite fait et a étouffé l'affaire. » Boomer rit doucement. « Encore une chose qui va te plaire. Sur les meurtres de Hyde Park... il y a un truc vraiment dingue. Apparemment, le meurtrier s'était payé un festin sur la scène après avoir commis ses meurtres. La Boule a creusé un peu. Tu connais son talent pour découvrir des trucs vraiment zarbis. Cette fois il cherche du zarbi catho et trouve qu'il existe une espèce de vieux cérémonial catholique qui consiste à manger avec les morts.

– Mangeur de péchés, dit Cork.

– Exact. » Boomer parut impressionné que Cork fût au courant. « Une autre bonne raison pour laquelle la Boule avait fait du prêtre le suspect numéro un. Au final, ton Père Thorne avait un alibi qu'ils n'ont pas pu casser. Et puis, il y a eu un autre double homicide avec le même mode opératoire zarbi, et ça s'est passé avant l'arrivée du prêtre à Chicago.

– Tu saurais quelque chose sur ces meurtres ?

– Non. Tu veux que j'me renseigne ?

– Essayons de rassembler tout ce qu'on peut.

– D'accord. Mais tu sais, Cork, si j'étais toi, je coffrerais ce prêtre tout de suite. Il me paraît être un sacré grand malade. Apparemment, tu pourrais bien avoir ton petit tueur en série perso bien à toi, à Nulle-Part, Minnesota.

– Merci pour tout ça, Boomer. Je te tiens au courant. »

Il raconta tout à Jo, qui resta immobile, les lèvres serrées. Lorsqu'il eut terminé, elle se leva, alla jusqu'à la porte et regarda à travers la moustiquaire, où des douzaines de papillons de nuit cognaient leurs ailes contre le treillis. Elle ne dit rien.

« Ça colle, avança-t-il doucement. Solemn pensait que Charlotte fréquentait un homme marié. Mal *est* un homme marié.

– Je croyais que nous savions qui était l'homme marié. Arne Soderberg.

– Lorsque j'ai parlé à Glory Kane – je veux dire Cordelia Diller –, elle m'a dit que Charlotte, enfin, Maria, avait eu une relation sexuelle avec son père et qu'elle s'était offerte à Fletcher, espérant s'assurer son amour de cette manière aussi. Mal n'est pas seulement marié. C'est le père Mal. Et repense au graffiti écrit sur le mur de Sainte-Agnès. Menteur. Tu penses que c'était dirigé contre qui ? »

Elle choisit ses mots avec prudence, et sans se retourner vers Cork.

«Je sais que tu penses que tout le monde est capable de commettre un meurtre. Tu as été formé à penser ainsi. Je trouve difficile de croire que le père Mal est le genre de monstre que tu as décrit.»

Cork alla la rejoindre à la porte. Il l'enlaça et parla doucement.

«J'aimerais tant avoir ta foi. En Dieu. En les gens. Je ne l'ai pas. J'en ai trop vu, je crois.

– Tu croyais en Solemn alors que personne ne croyait en lui.

– C'était pour Sam.

– Finalement, c'était pour Solemn.» Elle posa sa tête contre l'épaule de son mari. «Et tu as cru en nous, même quand tout paraissait perdu. Qu'est-ce que la foi, selon toi? Je crois que c'est le fait de croire en ce qu'on trouve important, même quand tout s'ingénie à prouver le contraire. Le père Mal est important pour moi, je veux croire en lui.

– Il faut malgré tout poser les questions, surtout celles qui sont difficiles.»

Elle s'écarta de la porte.

«Et Mal? Ce soir?

– Je vais le ramener au presbytère.

– Je suppose que c'est le mieux. Ne disons rien de tout cela à Rose. Pas encore.

– D'accord.»

Elle posa ses mains doucement sur la poitrine de Cork, comme pour sentir les battements de son cœur.

«Je sais que nous devons être zélés et poser les questions difficiles, mais j'espère que l'un et l'autre, nous ne cesserons jamais de croire que les réponses peuvent être bonnes.»

Ils trouvèrent Rose assise dans le fauteuil à bascule, qu'elle avait tiré près du lit où le prêtre était endormi. La lampe dans le coin était en position tamisée, et une douce lumière régnait dans la pièce. Mal paraissait paisible.

« Comment va-t-il ? demanda Jo.

– Il n'a pas bougé.

– Il faut que je le réveille, dit Cork. Je vais le ramener chez lui. »

Rose parut sur le point de formuler une objection, puis elle hocha la tête.

« C'est probablement ce qu'il y a de mieux à faire. »

Cork se pencha sur Mal, sentit un effluve de bourbon sur sa peau.

« Mal », dit-il. Puis, plus fort : « Mal, réveillez-vous. » Il secoua le prêtre par l'épaule.

Les paupières de l'homme battirent, et ses pupilles flottèrent un moment avant de se poser et se fixer sur le visage de Cork.

« Hein ?

– Je vous ramène chez vous, Mal. Au presbytère. »

Le prêtre réfléchit et, pendant qu'il réfléchissait, ses paupières retombèrent.

« Allez, Mal. » Cork glissa un bras sous l'aisselle du prêtre et le tira en position assise.

« Oh, bon Dieu, marmonna Mal.

– Je vais t'aider », dit Rose.

Ils descendirent ses pieds du lit et, ensemble, le mirent debout.

« Je ne me sens pas bien, dit Mal en titubant.

– Accrochez-vous à nous. » Rose se plaça d'un côté, Cork prit l'autre. À eux deux ils réussirent à le faire descendre et sortir.

« Ma voiture », dit Mal tandis qu'il s'écroulait sur le siège passager de la Bronco.

« On s'en occupera demain », répondit Cork.

Pendant un court moment, Mal dut s'obliger à se concentrer, et il sortit ses mains pour prendre le visage de Rose.

« Je ne voulais pas... commença-t-il, mais il parut perdre le fil de sa pensée. Je suis désolé.

– Rentrez, reposez-vous et on parlera plus tard », répondit-elle.

Cork fit marche arrière dans l'allée, les feux braqués sur Rose et Jo, sur leur visage blafard et inquiet. À peine la Bronco eut-elle atteint la rue que Mal se penchait par la fenêtre et vomissait.

« Désolé », parvint-il à dire en se réinstallant. Il ferma les yeux et, en moins d'une minute, il dormait profondément.

Cork s'était dit qu'il l'interrogerait, mais c'était clairement impossible. Il se contenta de le ramener au presbytère, et, avec l'aide d'Ellie Gruber, il le monta dans sa chambre et l'installa dans son lit.

En rentrant à Gooseberry Lane, il repensa à ce que Jo avait dit sur le fait de croire en ceux qui étaient importants même si cela paraissait délirant. Jo croyait en Mal. Rose aussi. Pourquoi pas lui ?

45

Le lendemain matin, Cork fut réveillé par un petit coup sur la porte de leur chambre.

« Papa ? Maman ?

– Qu'est-ce qu'il y a, Jenny ?

– Est-ce que je peux vous parler ?

– Une minute. » Cork regarda le réveil sur la table de nuit. Sept heures trente. Il avait un peu tardé à se lever.

Jo bougea.

« Qu'est-ce que c'est ?

– Jenny veut nous parler.

– Quelle heure est-il ?

– Sept heures trente.

– Oh là là. » Elle était réveillée. « Il faut que je me prépare pour le boulot.

– Viens, entre, Jen », cria Cork.

Jenny entra. Elle portait encore sa tenue de nuit, un long T-shirt des Goo-Goo Dolls qui lui descendait jusqu'aux cuisses. Elle resta à la porte.

« Qu'est-ce qu'il y a ? demanda Cork.

– C'est tante Rose. Elle est dans la cuisine, elle pleure.

– Rose ? » Jo se redressa.

« Elle refuse de me parler, dit Jenny. Elle ne fait que pleurer.

– Je descends tout de suite. » Jo rejeta les couvertures.

En bas, Stevie était assis par terre devant la télévision et regardait Nickelodeon.

Rose était assise seule dans la cuisine. Une tasse de café et une enveloppe étaient posées sur la table. Elle tenait une feuille de papier bleu clair. Elle sanglotait sans bruit.

« Rose ? » Jo s'accroupit à côté d'elle.

« Il est parti.

– Mal ?

– J'ai entendu sa voiture démarrer ce matin. Lorsque j'ai regardé par la fenêtre, je l'ai vu partir. Je suis descendue et j'ai trouvé ceci, scotché sur la porte de derrière. » Elle ramassa l'enveloppe posée sur la table. Son nom était écrit dessus. « Il a laissé un mot. » Elle regarda la lettre qu'elle tenait à la main.

« Rose, tu veux bien que je lise ce mot ? Que Cork le lise ? »

Rose hésita.

« S'il te plaît, implora Cork. C'est important. »

Par-dessus l'épaule de Jo, il lut les mots écrits par Mal Thorne.

Chère Rose,

Pardonnez-moi. Je me suis tourné vers vous à tort pour trouver une rédemption qu'il ne vous appartenait pas de donner. Ce fardeau que je porte, cette gloutonnerie pour le péché, n'est que le mien. J'ignore si j'ai abandonné Dieu ou si c'est Dieu qui m'a abandonné, ou si nous nous sommes dégoûtés l'un de l'autre et nous sommes tourné le dos. Je sais que je me sens perdu et que j'ai besoin de retrouver ma voie. Je crains que le chemin ne soit long. Mais je chérirai à jamais le souvenir éternel de la seule véritable beauté que j'ai rencontrée dans ma vie, la seule perfection. Une fleur nommée Rose.

Avec ma plus grande affection,

Mal

« Gloutonnerie pour le péché ? dit Cork d'un ton cassant comme une pierre.

– Que se passe-t-il ? dit Rose.

– Ce n'est rien. Oh, Rose, je suis désolée. » Jo prit sa sœur dans ses bras.

« Il va quitter Aurora, dit Rose. Il en a parlé, maintenant il va le faire.

– Pour aller où ? demanda Cork.

– Je ne sais pas. Ce point-là n'a jamais été très clair.

– Je vais m'habiller. » Cork sortit de la cuisine.

Il n'était pas bien loin quand Jo le rattrapa par le bras.

« Il faut que j'obtienne des réponses, lui dit-il. Avant de ne plus en avoir la possibilité. Tu le sais. »

Il vit sur son visage le dilemme qui la rongeait. Elle finit par lui lâcher le bras.

Dehors, l'air du matin était empreint d'un silence de mort, mais, très haut, un vent invisible poussait inexorablement les nuages éparpillés dans le ciel d'un bleu dur. La lumière aveuglante du soleil éclaboussait par moments le pare-brise de la Bronco et Cork plissait les yeux pour voir la route. Il semblait y avoir une espèce d'agitation dans l'air, mais il la mit sur le compte de son esprit un peu perturbé.

Il fut surpris de voir la Nova encore garée devant le presbytère. Il sauta de la Bronco tandis qu'un immense nuage passait devant le soleil, et il traversa une ombre bleue et profonde pour atteindre la porte du presbytère. Ellie Gruber répondit à la porte.

« Il faut que je voie Mal », dit Cork.

Ellie se tordit les mains et ne répondit pas.

« Je sais qu'il est là, Ellie.

– Il est dans tous ses états. Je ne sais pas. » Elle regarda derrière elle d'un air effrayé.

Cork posa deux mains fermes sur ses épaules et la poussa sur le côté.

« Tout va bien se passer. »

Il entra sans qu'elle élève la moindre objection.

La porte de la chambre de Mal Thorne était ouverte et Cork vit qu'il faisait ses bagages. Une grande valise était posée sur le lit, et, à côté, une pile de vêtements. Le prêtre entreprenait de plier un pantalon sans le moindre soin.

« Vous partez, Mal ? »

Le prêtre leva les yeux, surpris.

« Cork ?

– Vous vous envolez sans dire au revoir ?

– Ouais. C'est ça.

– Où allez-vous ?

– Je ne sais pas encore. » Mal alla jusqu'à la commode et ouvrit un tiroir.

« Vous abandonnez la paroisse comme ça ?

– Le père Kelsey est toujours là.

– Exact.

– Le diocèse enverra quelqu'un. Quelqu'un de meilleur que moi.

– On dirait que vous avez perdu la foi en vous-même.

– On pourrait dire ça.

– La gloutonnerie pour le péché ? »

Le prêtre pivota brusquement. Pendant un moment, il parut contrarié, puis il sembla balayer cette contrariété d'un haussement d'épaules. Il reprit son rangement.

Cork s'approcha plus près du lit.

« Mal, vous avez raconté à Annie une histoire, il y a un moment. Quelque chose à propos d'un mangeur de péchés. »

Mal Thorne fourra une poignée de chaussettes assorties dans la valise.

« C'est quelque chose que je raconte à tous les enfants à qui j'ai affaire. Je l'utilise comme exemple de la manière dont la parole du christianisme est parfois déformée par la doctrine de l'Église. C'est un peu macabre, mais ça retient leur attention.

– Vous ne croyez pas au fait de manger les péchés ? »

Mal leva les yeux.

« À notre époque, il faudrait être un peu fou pour croire en une telle chose.

– Je vois. Mais il est parfaitement sain de croire, par exemple, en l'Immaculée Conception ?

– Pourquoi parlons-nous théologie ? » Le prêtre se serra les tempes, comme s'il essayait de soulager une migraine. Il plongea une main dans sa valise, sortit une bouteille de Southern Comfort et dévissa le capuchon. En la portant à ses lèvres, il dit : « L'alcool du lendemain et tout et tout.

– Bien sûr. Vous avez beaucoup de choses en tête, j'imagine.

– Content que tu comprennes.

– Parmi lesquelles Fletcher Kane et Solemn ? »

Le prêtre but une grande gorgée. Il regarda la bouteille et secoua la tête.

« J'ai été d'un grand secours, sur ce coup-là, n'est-ce pas ?

– La nuit où ils sont morts, où étiez-vous ? »

Mal Thorne hésita. Il jeta un coup d'œil à Cork puis détourna les yeux.

« J'étais ici.

– Au presbytère ?

– Oui. » Il reprit son rangement.

« Toute la soirée ?

– Je suis peut-être sorti prendre l'air une minute.

– Ou plutôt une heure et demie. »

Le prêtre le fusilla du regard.

« Où avez-vous passé ces quatre-vingt-dix minutes ?

– Avec tout le respect que je te dois, cela ne te regarde en rien.

– Ellie m'a dit que vous avez reçu un appel à environ neuf heures et que vous êtes sorti précipitamment. Était-ce Fletcher Kane qui vous appelait ? Vous appelait-il pour vous dire ce qu'il avait fait ? Ce qu'il allait faire ? Vous êtes-vous précipité là-bas pour découvrir que c'était trop tard ? Et vous êtes-vous assis à la table qui était dressée pour consommer les péchés des deux hommes que vous ne pouviez pas sauver ? »

Mal Thorne regarda Cork comme s'il pensait que l'ancien shérif était devenu complètement cinglé.

« C'est ridicule.

– Vraiment ? Les deux hommes qui ont essayé de vous voler à Chicago ont été assassinés. Et la personne qui les a tués a ensuite mangé leurs péchés. » Cork se pencha sur le lit, réduisant considérablement l'espace qui le séparait du prêtre. « Parlez-moi d'Yvonne Doolittle, Mal. »

Le prêtre se figea. Son regard devint glacial, sa voix aussi.

« C'est pour ça que tu es là ? Tu sais, tu es un vrai fils de pute.

– Effectivement, Mal. Dans la poursuite de la vérité, en ce moment, je serais prêt à cracher à la face de Dieu.

– La vérité. » Le prêtre énonça le mot comme s'il s'agissait d'un juron. « Tu as rassemblé beaucoup de faits, mais tu es encore très loin de la vérité.

– Alors, éclairez-moi, Mal. Je suis tout ouïe. »

Le prêtre rit presque.

« Très bien. Yvonne Doolittle. Cette pauvre fille perturbée. Elle avait été abusée sexuellement chez elle et dans ses foyers d'accueil. Elle voyait en moi une figure paternelle. Malheureusement pour nous deux, pour elle, père voulait dire aussi sexe. Lorsque j'ai refusé de répondre à ses avances, elle m'a menacé et elle a fini par répandre ces rumeurs. Tu vois ? Je n'ai pas été d'une plus grande aide pour elle que je ne l'ai été pour Fletcher Kane ou Solemn Winter Moon. Ou Charlotte. » Le prêtre parut près de vaciller, comme s'il allait tomber, et il retrouva son équilibre en posant ses mains sur le lit. « Menteur. L'inscription sur le mur. Elle me visait, moi.

– Pourquoi ?

– Charlotte est venue me voir un jour. Ce devait être en novembre. Elle était si perturbée, si convaincue qu'elle était l'être humain le plus affreux qui soit. Ce qu'elle voulait, c'était mourir, disait-elle, parce qu'elle aimait quelqu'un qui ne l'aimait pas en retour. Tu sais combien j'ai entendu d'adolescents me dire la même chose ? Alors, que lui ai-je répondu ? Que le temps réglait les choses, qu'elle devait faire confiance à Dieu le Père. Qu'Il l'aimait. Qu'elle était un de Ses trésors. Elle est devenue complètement folle. Elle m'a traité de menteur. Elle a dit que l'Église était un mensonge parce que les pères n'aimaient pas leurs enfants. Ils les sautaient. Elle est partie et n'est jamais revenue. Ni pour parler ni pour prier. Elle n'a jamais remis les pieds à l'église jusqu'à la nuit où elle est entrée par effraction avec Solemn. »

De l'obscure forêt de sa répugnance pour lui-même, il regarda Cork.

« La vérité, toute la vérité, rien que la vérité, je le jure. C'est bien comme ça qu'on dit ? Très bien. Pendant que Fletcher Kane, au comble de sa douleur, attentait à sa vie et à la vie de ce jeune homme extraordinaire, tu sais où j'étais ? J'étais avec Rose. » Il leva les yeux, son visage déformé par une expression d'intense douleur. « Avec

Rose, pour essayer désespérément de m'en faire une alliée qui m'aiderait à renoncer à mon vœu de célibat, quelque chose qu'elle refusait de faire. N'est-ce pas terriblement pathétique ? Tu ne me crois pas ? Demande à Rose. Elle ne te mentira pas. C'est la plus belle personne que j'aie jamais rencontrée. »

Mal Thorne plongea la main dans sa valise à la recherche de la bouteille de Southern Comfort.

« Gloutonnerie pour le péché ? Essaie la fierté, par exemple ; j'étais si certain que je pourrais faire une différence, d'une façon ou d'une autre. Et à tout le reste, tu peux maintenant ajouter la luxure. » Il leva la bouteille. Avant de boire, il dit : « Je suis fatigué, Cork. Je veux juste rester seul. »

On frappa doucement sur le chambranle de la porte, Cork se retourna ; le prêtre parut ne rien entendre. Ellie Gruber se tenait là, tout intimidée. Elle avait un téléphone sans fil dans la main.

« Un appel pour vous, Cork. C'est Jo.

– Merci, Ellie. »

Cork prit le téléphone. Ellie disparut.

« Salut, dit Cork.

– Avant que tu ne t'emballes là-bas... il faut que tu saches quelque chose. La nuit où Fletcher Kane et Solemn sont morts, Rose était avec le père Mal. Elle le jure.

– Je me suis déjà emballé. Et Mal m'a dit la vérité.

– Oh. » Elle resta silencieuse un moment. « Comment va-t-il ?

– Pas terrible, je dirais.

– Toujours décidé à quitter Aurora ?

– Je ne sais pas.

– Quel foutoir. Tu as eu un appel de Boomer Grabowski. Il m'a dit de te transmettre les informations que tu voulais :

les autres victimes de meurtres à Chicago étaient un couple, jeune, tout juste fiancés. L'affaire n'a jamais été résolue. Il a ajouté que le truc intéressant, c'était que l'homme était un ancien prêtre et la fiancée, une ancienne sœur.

– Des noms ?

– Oui. Lui, c'était James Trowbridge, et elle, Nina van Zoot.

– Redis-moi ça.

– Il s'appelait...

– Non, la fille.

– Nina van Zoot. » Elle attendit. « Cork ? Tu es toujours là ?

– Ouais », fit-il quand il parvint à retrouver sa respiration. « Une nonne, t'a dit Boomer ? Tu es sûre ? Pas une prostituée ?

– Non, vraiment une bonne sœur. Boomer a ajouté que tu pouvais le rappeler n'importe quand. Et il ne croit pas que tu aies renoncé à être flic.

– OK. »

Après avoir raccroché, Cork regarda Mal Thorne. Le regard qu'il lui lança parut rendre instantanément au prêtre sa sobriété.

« Tu vas bien, Cork ?

– Randy Gooding, dit Cork.

– Quoi ? »

Il prit le temps de mettre de l'ordre dans ses pensées.

« Cela paraît délirant, Mal, mais Gooding pourrait bien être notre mangeur de péchés.

– Pourquoi dis-tu une chose pareille ?

– Il m'a parlé un jour d'une femme qu'il connaissait à Chicago. Il a menti à son sujet sur certains points et ne m'a pas parlé de ce qui était important, à savoir qu'elle avait été assassinée et que quelqu'un avait mangé ses péchés.

– Gooding ? Je n'y crois pas. C'est un jeune homme si vertueux. »

Cork se frotta le front et réfléchit à haute voix. « Si c'est Gooding, pourquoi aurait-il tué les deux hommes qui vous avaient attaqué ?

– Tu n'es pas certain qu'il l'ait fait.

– Vous croyez que tout cela, c'était juste une sorte de coïncidence ? Lorsque les meurtres ont eu lieu, il travaillait pour le FBI, à Milwaukee, un saut de puce jusqu'à Chicago. Il était lié à une des victimes. Étiez-vous en contact avec Gooding à Chicago ?

– Non. »

Cork essaya d'assembler les pièces du puzzle mais il restait des trous. Malgré tout, la tournure générale de son raisonnement paraissait juste.

« Je suis prêt à parier qu'il vous connaissait, d'une façon ou d'une autre. Je crois qu'il vous a suivi ici, et les meurtres du mangeur de péchés ont continué.

– Pourquoi ?

– Je ne sais pas, mais il y a forcément un lien. Nous ne l'avons pas encore trouvé, c'est tout. »

Cork se dirigea vers la porte.

« Où vas-tu ? demanda Mal Thorne.

– Je vais avoir une petite conversation avec celui qui nous tient lieu de shérif. » Il marqua une pause avant de sortir de la pièce. « Et vous ? Vous partez toujours ? »

Le prêtre baissa les yeux vers la bouteille qu'il tenait à la main. Il rangea l'alcool dans la valise et la referma.

« Il n'est absolument pas question que je quitte la ville maintenant ! »

46

Cy Borkmann n'était pas dans son bureau. Il était parti dans le village de North Star, lui dit l'adjointe Marsha Dross, pour parler avec Lyman Cooke, le chef de la police locale, qui était intéressé par le poste de shérif du comté de Tamarack, au cas où les autorités choisiraient de le lui offrir.

Dross s'agita sur sa chaise et ramassa un crayon sur le bureau.

« J'espérais un peu qu'ils te le proposeraient. J'ai entendu dire que tu pourrais être intéressé. J'espère que tu y réfléchiras. T'avoir à nouveau comme shérif, moi, ça m'irait vraiment bien.

– Merci pour le vote de confiance, Marsha. On va voir ce qu'ils décident de faire. Dis-moi, est-ce que Randy est là ? » Il regarda derrière le comptoir d'accueil vers les bureaux du département.

Elle secoua la tête.

« Il n'arrivera pas avant trois heures.

– Rends-moi service, tu veux ? C'est important. Dis à Cy de me passer un coup de fil dès qu'il revient de North Star. Je serai à la maison.

– Je peux essayer de le joindre par radio. »

Cork réfléchit mais décida qu'il n'avait rien de concret sur Gooding. Il lui faudrait probablement discuter longuement pour convaincre Borkmann et il ne voulait pas le faire par radio.

« Ne te dérange pas. Quand il rentre, dis-lui juste qu'il faut qu'on se parle le plus vite possible.

– D'accord.

– Encore une chose, Marsha. Te souviens-tu si Randy Gooding était de garde la nuit de la Saint-Sylvestre ?

– Tu me donnes une minute et je peux te sortir le planning pour cette nuit-là.

– Tu veux bien ?

– Je reviens tout de suite. »

Quelques minutes plus tard, elle revint.

« Ce jour-là, Randy était de service de huit heures à quinze heures trente. Un des rares privilégiés qui avait sa soirée. »

Quand Cork arriva chez lui à Gooseberry Lane, Jo était partie travailler. Jenny était dans la cuisine, elle mangeait un bol de Cheerios, toujours en chemise de nuit.

« Est-ce que nous allons ouvrir Chez Sam aujourd'hui ? demanda-t-elle.

– J'ai autre chose de prévu.

– Tu sais, dit-elle. J'ai beaucoup réfléchi. Si tu embauchais Sean pour nous aider, Annie et moi, nous pourrions pratiquement faire tourner Chez Sam toutes seules. C'est pas hyper sorcier, papa.

– Sean, ton petit ami ?

– Je ne connais pas d'autre Sean. »

Cork alla jusqu'à l'entrée du salon. Stevie était toujours par terre devant la télévision, mais il était concentré sur ses crayons et son album de coloriage, totalement indifférent à ce qui se passait sur l'écran.

« L'autre truc, c'est que si tu n'ouvres pas Chez Sam bientôt, poursuivit Jenny, je vais devoir me trouver un autre boulot. Je commence à taper dans mon compte épargne, tu sais, celui où je mets de l'argent pour mes études.

– Où est Rose ?

– Elle a reçu un coup de fil du bureau de l'église il y a un petit moment. Ils avaient besoin d'elle, alors elle y est allée, à pied.

– Comment va-t-elle ?

– Je ne l'ai jamais vue aussi triste. Donner un coup de main à Sainte-Agnès, ça lui fera peut-être du bien. » Elle marqua une pause très brève. « Alors ?

– Alors quoi ?

– Alors, qu'est-ce que tu dis d'embaucher Sean ?

– D'accord. À l'essai.

– Vraiment ? Super. » Jenny se leva. « Je vais me changer et je file le lui dire. » Elle adressa un immense sourire à son père. « Je vais adorer être le chef de mon jules. » Elle posa son bol dans l'évier et franchit la porte de la cuisine. « Oh, au fait, maman veut que tu l'appelles tout de suite. »

Cork alla jusqu'au bureau de Jo pour téléphoner. Il voulait être au calme pour lui parler de ses soupçons concernant Randy Gooding. Il se disait que, sans en connaître les raisons, tout cela n'était étrangement bien emboîté. Gooding n'était pas de service la nuit où Charlotte avait été tuée. Il pouvait facilement avoir entendu parler de la fête à Valhalla et s'être posté là-haut, attendant l'occasion. Il pouvait avoir volé la clé anglaise de Solemn et avoir ramassé la bouteille de Corona que Solemn avait laissée dans la neige. S'il était allé à Valhalla avec un projet de meurtre, il s'était probablement arrêté dans une épicerie pour acheter la nourriture qu'il avait avalée en même temps que les péchés de Charlotte. Quant au soir où Fletcher Kane s'était tué après avoir tué Solemn, Gooding avait dû mentir. Il n'était pas allé d'abord à la vieille cabane de Sam.

Il était allé directement chez Fletcher Kane, trop tard pour arrêter la tuerie mais à temps pour consommer les péchés.

Mais pourquoi ? Que savait-il sur Gooding qui aurait permis de constituer un mobile de l'assassinat de Charlotte ?

Il tendait la main vers le téléphone au moment où il se mit à sonner.

« Cork ? Ici Mal. Je suis chez Randy Gooding.

– Bon Dieu, Mal, mais qu'est-ce que vous fichez là-bas ?

– Je sais pour quelle raison Gooding me connaît. Et il y a quelque chose ici qu'il faut que tu voies.

– Est-ce que Gooding est là ?

– Non.

– J'arrive. Mais s'il se pointe avant moi, ne faites rien de stupide.

– C'est promis. »

Cork dégringola l'escalier jusqu'à sa chambre. De la plus haute étagère de son placard, il descendit une mallette métallique et la posa sur son lit. Il entra la combinaison sur la serrure et ouvrit le couvercle. À l'intérieur, emballé dans un morceau de toile cirée, se trouvait son vieux .38 Police Special, un Smith & Wesson. L'arme avait d'abord appartenu à son père, qui l'avait portée tous les jours quand il était shérif, puis elle était revenue à Cork, qui avait fait de même pendant les années où il était au service des citoyens du comté de Tamarack. Il y avait un verrouillage sur le revolver. Cork prit une clé sur son porte-clés et défit le verrou. Il retourna au placard et descendit une boîte en carton. Il en sortit un holster en cuir tressé et un ceinturon, qu'il mit immédiatement. Il se servit dans le stock de cartouches qu'il conservait, suffisamment pour remplir le barillet. Il soupesa l'arme pour retrouver la sensation de son poids, quelque chose qu'il n'avait pas fait depuis un certain temps, et la glissa dans le holster avant de refermer le rabat avec le bouton-pression. Il y avait eu un temps où il portait son arme tous les jours, où le poids qu'elle faisait sur sa hanche passait inaperçu pendant des heures. Beaucoup de choses étaient survenues dans sa vie entre cette époque-là et aujourd'hui. Le .38 lui permettait de se sentir prêt à toute éventualité. Mais il était également conscient du fait que l'insigne, qui autrefois faisait partie intégrante de l'équipement et qui était la justification absolue du port de l'arme, était absent, et cette absence lui donnait l'impression d'être nu.

Il arriva dans le couloir au moment où Annie sortait de sa chambre. Elle paraissait encore endormie, les cheveux emmêlés lui tombant dans les yeux. Elle bâilla.

« B'jour, papa. »

Puis elle vit le revolver sur sa hanche et ses yeux remontèrent lentement jusqu'au visage de son père, qu'elle étudia avec inquiétude.

« Je dois sortir un moment, Annie. Jusqu'au retour de Rose, il faut que Jenny ou toi restiez pour garder Stevie. Tu comprends ?

– Qu'est-ce qui se passe, papa ?

– Rien... j'espère. Reste ici, c'est tout, dit-il. Je t'expliquerai quand je rentrerai. »

Il la frôla en passant ; il l'avait à peine effleurée mais elle recula brusquement comme s'il l'avait repoussée.

Il alla en voiture jusqu'à l'appartement de Gooding, à deux rues au nord de Sainte-Agnès. La Tracker de Gooding était garée sous un grand érable devant la maison de Mamie Torkelson. Cork s'arrêta le long du trottoir de l'autre côté de la rue et sortit. Il essaya d'ouvrir la portière de la Tracker. Elle était verrouillée.

Une douzaine d'années plus tôt, après la mort de son mari, Mamie Torkelson avait transformé sa maison en deux appartements et avait mis l'étage en location. Cork regarda vers l'étage, que louait Gooding. Les rideaux étaient tirés.

Les nuages, dispersés pendant une bonne partie de la matinée, se rassemblaient en une ligne continue qui annonçait la pluie. Ils se glissèrent devant le soleil, et toutes les maisons autour de Cork furent soudain plongées dans un calme bleu, sinistre.

Il n'aima pas ce décor. Il était dérangeant, menaçant. Il tendit le bras et défit le rabat de son holster, puis se mit à marcher à pas prudents vers la maison. Mamie Torkelson était presque sourde. En approchant du porche, il entendit la télévision qui braillait au rez-de-chaussée, une pub pour Wendy's. Il se rendit compte qu'il n'avait rien dans l'estomac et qu'il avait faim. Soudain, la seule chose à laquelle il put penser, ce fut manger. C'était étrange, mais il se souvint que cela arrivait parfois quand on se trouvait dans une situation de stress intense. On pensait à quelque chose et, une fois que l'esprit s'y était fixé, on ne pouvait plus s'en défaire. Même quand on se répétait qu'il fallait rester concentré, parce que sa vie pouvait en dépendre, on pensait à cette chose qui n'avait rien à voir avec la question de sa survie dans l'immédiat. Tandis qu'il montait l'escalier vers l'ombre fraîche du porche, il fut certain de sentir une odeur de hamburger en train de griller, et il se mit à saliver. Quand il posa sa main sur la poignée de la porte, il avait désespérément envie de goûter à ce burger.

Avant que Cork n'ait eu le temps de la toucher, la porte s'ouvrit en grand. Il recula d'un pas et sa main droite descendit vers son holster.

Mal Thorne sortit sur le pas de la porte. Lorsqu'il vit où allait se porter la main de Cork, il leva les bras en signe de reddition.

« Ne tire pas.

– Vous ne devriez pas être ici, Mal.

– Je voulais parler à Randy.

– Ce n'était pas une bonne idée.

– Ce n'est pas grave. Il n'est pas là. »

Cork jeta un coup d'œil à la Tracker garée dans la rue.

« Que vouliez-vous me montrer ?

– Là-haut. » Il fit signe à Cork de le suivre.

L'escalier était plongé dans le noir, il n'était éclairé que par la lumière qui passait par une minuscule lucarne sur le palier du premier. Mal ouvrait la marche, montant d'un pas rapide. Cork suivait plus lentement, les yeux rivés sur la porte fermée, sur le palier.

« Vous êtes entré ? » demanda Cork.

Mal hocha la tête.

« Comment ?

– Il n'a pas répondu quand j'ai frappé, alors je suis descendu et j'ai dit à Mrs Torkelson que j'étais censé l'attendre à l'intérieur. Ça n'a pas été tout seul. Elle m'a dit qu'elle tenait à ce que ses locataires puissent préserver leur vie privée. Mais j'ai insisté, j'avais l'air sincère, alors elle a ouvert. » Mal tourna la poignée. « Personne ne croit jamais qu'un prêtre puisse mentir. »

Et il disparut à l'intérieur.

Quelques instants après, Cork entra à son tour.

Cette maison, comme beaucoup d'autres dans ce quartier, avait été construite au début du XXe siècle, une période où Aurora était prospère : les mines de fer travaillaient jour et nuit et le bois de construction paraissait être une ressource inépuisable. La finition était intégralement en chêne, veiné, poli, et le beau grain soyeux était apparent. Dans la plupart des cadres de fenêtres, les vitres étaient au plomb. Les planchers avaient été récemment poncés et revernis et brillaient comme des miroirs. Gooding avait meublé le salon et la salle à manger sans ostentation. Tout paraissait étonnamment propre pour l'appartement d'un célibataire.

Mal se tenait de l'autre côté de la pièce devant un vaisselier avec un manteau. Au milieu du manteau était posée une pendule Seth Thomas de forme arrondie, et de part et d'autre, des photographies encadrées. Mal en prit une. « Jette donc un œil à celle-ci. »

Cork alla le rejoindre et regarda la photo. On y voyait un groupe de sept adolescents, des garçons et des filles, alignés sur une pelouse, sous un soleil de plomb, devant une construction en bois, peinte en blanc. Les gamins se tenaient bras dessus bras dessous comme de grands amis. Debout derrière eux, un Mal Thorne bien plus jeune.

« La fille qui est au milieu, c'est Yvonne Doolittle. »

Elle était plus grande que les autres, et son développement physique la faisait paraître plus âgée. Elle était blonde, elle plissait les yeux à cause du soleil et elle était très jolie.

« Cette photo a été prise à l'orphelinat ?

– À Saint Chris. À l'orphelinat Saint Christopher. À côté de Holland, Michigan. Le gamin au bout à gauche, il ne te paraît pas familier ?

– Pas vraiment.

– Il n'avait que treize ans et il était petit pour son âge. Son nom en ce temps-là était Jimmy Crockett. Il voulait désespérément devenir prêtre. Je n'avais jamais rencontré un garçon dont le sens de ce qui était juste et de ce qui ne l'était pas, selon les canons de l'Église, était aussi aigu ; et il n'hésitait pas à donner son avis. Il avait décidé que c'était son devoir de maintenir tout le monde sur le droit chemin. Les gamins ont commencé à l'appeler Jiminy Cricket, tu sais, la conscience de Pinocchio. »

Les cloches de Sainte-Agnès se mirent à sonner. Onze heures. Elles étaient proches, le son était beau, pur.

« Cork, son second prénom, c'était Randall. Imagine-le avec trente centimètres de plus, cinquante kilos de plus et une barbe.

– Randy ? Mais il s'appelle Gooding.

– Après l'incendie, la publicité a entraîné des réactions de sympathie. J'ai appris que beaucoup des enfants avaient été adoptés, même ceux, comme Jimmy, pour lesquels on avait peu d'espoir.

– Pourquoi ?

– À cause de son âge, d'abord. Les adolescents ne sont pas adoptés souvent. Et puis à cause de son milieu.

– Quel était-il ?

– Lorsqu'il était petit, Jimmy avait séjourné dans plusieurs foyers d'accueil. Sa mère était malade, souvent internée. Pendant ses épisodes psychotiques, elle croyait qu'elle était la Vierge Marie. Lorsque Jimmy avait six ans, elle est sortie de la route sur un pont, avec lui dans la voiture.

– Un suicide ? Pas un accident ?

– Pas un accident.

– Est-ce que Gooding l'a su ?

– Oui. Durant la majeure partie de son séjour à Saint Chris, il voyait un thérapeute. » Mal porta son poing à son front. « C'était un artiste, déjà à l'époque. Comment ai-je pu ne pas le reconnaître ?

– Il a complètement changé, il est devenu un homme, un homme grand et très perturbé. L'avez-vous jamais revu après l'incendie ? »

Mal secoua la tête.

« L'Église m'a envoyé ailleurs et m'a interdit d'avoir le moindre contact avec les enfants.

– Quelle genre de relation aviez-vous avec Jimmy Crockett ?

– Il n'a pas connu son père. Je crois qu'il voyait en moi un père de substitution. Comme beaucoup d'enfants.

– Aurait-il pu être responsable de l'incendie qui a tué Yvonne ?

– Pourquoi donc ?

– Peut-être pensait-il qu'il vous protégeait. »

Le visage de Mal s'assombrit pendant qu'il envisageait cette possibilité. Cork dit :

« Les deux gugusses qui vous ont attaqué à Chicago. Si Gooding les a tués, c'était peut-être pour la même raison. Peut-être vous vengeait-il. Mais si c'est vrai, pourquoi Nina van Zoot ?

– Nina van Zoot ?

– Un autre meurtre avec un mangeur de péchés à Chicago. Elle et son fiancé. »

Mal hocha la tête en regardant la photographie.

« Rangée du bas, milieu. La fille mince, qui sourit. Nina. Elle et Jimmy étaient bons amis. Elle est devenue bonne sœur, d'après ce qu'on m'a dit.

– Elle a quitté les ordres pour se marier, Mal. Son fiancé était un ancien prêtre.

– Pourquoi Jimmy les aurait-il tués ? »

Cork réfléchit un moment.

« Lorsqu'il m'a parlé de Nina, il m'a dit qu'elle était une prostituée et qu'elle était tombée dans les bras d'un proxénète. Il les a peut-être tués parce qu'ils ont rompu leurs vœux de mariage avec l'Église et qu'il les considérait comme des criminels. Je commence à croire qu'il se prend pour une espèce de gendarme de Dieu. Si c'est vrai, alors il vous a peut-être suivi ici pour vous protéger.

– Comment m'a-t-il retrouvé ?

– Quand vous avez été attaqué par ces deux types, est-ce que l'histoire a paru dans les journaux ?

– Tu rigoles ? Un prêtre qui se fait agresser ? Ça a fait la une pendant un moment.

– Si Gooding était un bon flic, il lisait toute la presse. Peut-être est-ce là qu'il a appris que vous étiez à Chicago.

– Et quand il est arrivé ici, pourquoi a-t-il tué Charlotte ?

– Je ne sais pas. Il était chargé de l'enquête sur l'acte de vandalisme commis à Sainte-Agnès. Peut-être a-t-il compris qu'elle était impliquée et il a interprété ce geste comme une attaque contre l'Église. En ce cas, il a peut-être descendu Solemn. Sa pensée n'est pas franchement rationnelle.

– Il faut que tu voies autre chose. »

Mal le conduisit jusqu'à une porte qui était légèrement entrouverte et l'ouvrit toute grande.

Ce qui frappa Cork d'emblée fut l'odeur de fumée douceâtre. Familière. Cork se rendit compte que c'était celle de l'encens utilisé pendant les messes à Sainte-Agnès.

La pièce était grande, probablement destinée à être une chambre à coucher lorsque la maison était habitée par une famille, mais elle était presque vide, désormais : seulement une couchette avec un matelas mince, qui paraissait fait à la main avec une toile marron. Les brins de paille qui sortaient du côté ouvert du matelas montraient clairement la nature du couchage sur lequel dormait Gooding. Excepté le crucifix accroché au-dessus de la couche, les murs étaient nus. À côté se trouvait un petit guéridon avec une bible et une bougie. De la bougie il ne restait presque rien. Au pied de la paillasse était installée une minuscule table sur laquelle étaient posés une cuvette blanche émaillée, un morceau de savon sur une soucoupe et une serviette propre, pliée.

« On dirait une cellule de moine, dit Cork.

– Au Moyen Âge, peut-être. Crois-moi, elles ne ressemblent plus à ça, de nos jours. » Mal s'approcha du placard et fit signe à Cork. « Viens voir ça. »

À l'intérieur, différentes tenues de prêtre étaient suspendues sur des cintres. Quelques brins de corde dépassaient de l'étagère au-dessus.

Cork tendit le bras et descendit un fouet. C'était un objet artisanal, fait d'un tronçon de manche à balai d'environ soixante-quinze centimètres, avec quatre longueurs de corde de jute mince passées dans un trou et nouées au bout. Chaque brin mesurait environ un mètre et, tous les cinq centimètres, la corde avait un nœud. L'extrémité avait été enduite de colle pour ne pas qu'elle se défasse.

« Une discipline, dit Mal. Voilà le nom que j'ai entendu pour ça. C'est un fouet spécial pour l'autoflagellation. Je n'en avais jamais vu en vrai auparavant. » Il jeta un coup d'œil à la chambre spartiate, puis revint au fouet. « Mon Dieu. Cet homme chante dans notre chœur. Il est responsable de notre groupe de jeunes. Comment avons-nous pu ignorer tout ça ?

– Ce qu'il est vraiment, il le cache bien à tout le monde. »

Cork reposa le fouet sur l'étagère.

Tout au fond, dans un coin trop sombre pour qu'on le voie nettement, se trouvaient deux piles de grands blocs à dessin. En haut d'une pile, un des grands blocs semblait avoir été tailladé avec un couteau. Cork le ramassa et l'apporta dans un endroit plus éclairé de la pièce.

Il contenait des dessins au crayon et des esquisses au fusain. Des études de nus, essentiellement. Toutes de Charlotte Kane, et toutes coupées à un endroit ou à un autre. Cork feuilleta le cahier, lentement, page après page.

« Est-ce que tu crois qu'elle a posé pour ça ? demanda le prêtre.

– Non. Je crois qu'il l'a imaginée. D'après Glory, Charlotte avait une tache de naissance sur la hanche. Elle n'apparaît dans aucun de ces dessins. C'est assez obsessionnel, tout ça.

– Il la voyait à l'église tous les dimanches. Mon Dieu, est-ce là que ça a commencé ?

– Ou alors pendant son enquête sur l'acte de vandalisme à Sainte-Agnès. J'imagine que Charlotte a pu essayer de jouer avec lui à ce moment-là, qu'elle a peut-être tenté de le séduire. Quoi qu'il en soit, il est clair qu'elle a touché quelque chose en lui dont il n'avait pas le contrôle, qu'il ne voulait peut-être même pas admettre. » Cork tourna les dernières pages tailladées. « Si nous avons raison, il a tué plusieurs fois. Je ne pense pas qu'avec son esprit tordu il ait la moindre difficulté à justifier un meurtre de plus. Mais le mangeur de péchés, je ne comprends pas. »

Cork reposa le bloc à dessin sur la pile et prit celui qui était au sommet de l'autre tas.

« Qu'est-ce que nous allons faire ? » demanda le prêtre.

Cork ne répondit pas. Les dessins qu'il avait trouvés dans l'autre bloc lui glaçaient le sang.

Mal vit l'expression de son visage.

« Qu'est-ce qu'il y a ? »

Cork lui montra un dessin.

La bouche de Mal Thorne forma un O stupéfait. « Mon Dieu », dit-il.

C'était Annie. Annie nue sur un lit, son visage maquillé outrageusement, les mains tenant ses petits seins et les offrant, lascivement.

Les pensées de Cork repassèrent rapidement les événements de la dernière semaine, et il s'arrêta sur la haute silhouette qui était restée dans l'ombre, qui avait suivi Annie ; il repensa aussi au fait que, la nuit précédente,

Gooding l'avait rencontrée par hasard. Il lâcha le bloc à dessin dans les mains de Mal, fonça jusqu'au téléphone qui se trouvait dans le salon de Gooding et appela chez lui.

C'est Jenny qui décrocha.

« Est-ce qu'Annie est là ? demanda Cork.

– En haut, je crois.

– Va voir.

– Papa...

– Va voir. Tout de suite. »

Un silence. Les parasites, longs, grésillants. Puis Annie.

« Qu'est-ce qu'il y a, papa ?

– Tu vas bien ?

– Oui. Pourquoi ?

– Écoute-moi bien. Reste à la maison. N'ouvre la porte à personne, et surtout pas à Randy Gooding. Je serai là dans quelques minutes.

– Qu'est-ce qui se passe ?

– Fais exactement ce que je te dis. Je t'expliquerai de vive voix. D'accord ?

– OK. »

Cork raccrocha.

« Et maintenant ? fit Mal.

– On remet tout exactement comme on l'a trouvé. Je ne veux pas que Gooding sache qu'on est à ses trousses. Ensuite, je vais parler à Cy Borkmann pour qu'il obtienne un mandat et nous mettons un point final à tout ça. »

Dehors, le ciel tout entier avait été envahi par les nuages de tempête, et le vent était en train de se lever. Mal Thorne jeta un coup d'œil vers la maison.

« Tu crois que Mrs Torkelson avait idée de ce qui se passait au-dessus de sa tête ?

– Aucun d'entre nous ne savait qui était Gooding. »

Le prêtre passa une main sur son front et ferma les yeux.

«Jimmy Crockett. Je n'aurais jamais deviné. Dieu, si seulement j'avais...» Le prêtre s'interrompit.

À quoi cela servait-il de s'appesantir sur le passé, d'espérer changer ce qu'aucun humain n'aurait pu changer ? La meilleure chose à faire était simplement de laisser filer, mais Cork savait que c'était plus facile à dire qu'à faire.

«Je vais aller chercher Annie puis je cours au bureau du shérif. Vous voulez venir ?

– Non.» Le prêtre regarda vers Sainte-Agnès. «Je serai à l'église si quelqu'un veut me parler.

– Rose est là-bas.

– Ah bon ?

– Elle a eu un appel du bureau ce matin. J'imagine qu'ils avaient besoin d'elle.

– Du bureau ? Je ne crois pas. Hattie est en vacances et Celia ne pouvait pas venir ce matin. Rendez-vous chez le dentiste. Personne n'est là-bas de toute la journée, que je sache.

– Quelqu'un a appelé.

– Je ne vois vraiment pas qui cela peut bien être.»

Cork contempla la Tracker de Gooding garée dans la rue. Il jeta un œil vers Sainte-Agnès, de l'autre côté de la chaussée. Et il se souvint de quelque chose.

«Gooding est au courant pour Rose et vous. Annie lui en a parlé hier soir.»

Le prêtre plissa les yeux.

«Tu ne crois pas que...»

Cork était déjà sur le bitume, courant vers Sainte-Agnès à toute allure.

47

Cork bondit au sommet des marches de l'église, le prêtre sur ses talons. La porte était fermée.

« Le bureau », cria Mal, et ils foncèrent sur la pelouse pour aller jusqu'à l'aile où se trouvaient le bureau et la salle de cours.

Cork attrapa la poignée, mais la porte ne bougea pas d'un iota. Mal poussa Cork et introduisit sa clé dans la serrure. Dès que la porte fut ouverte, Cork se jeta à l'intérieur, le prêtre à une fraction de seconde derrière lui. Le bureau de la réception était désert, le couloir était plongé dans l'obscurité, tout était silencieux, à l'exception de la respiration haletante des deux hommes.

« Peut-être n'est-il pas... commença le prêtre.

– Il est ici. Ils sont tous les deux ici, dit Cork. Il n'y a pas d'autre option. Appellez le bureau du shérif. Faites venir du monde. Tout de suite, Mal ! »

Sans attendre sa réponse, Cork partit jusqu'à l'autre extrémité du hall, tournant le dos à l'église proprement dite, vers les bureaux. Il inspecta une pièce après l'autre, elles étaient toutes vides. Lorsqu'il revint dans la zone d'accueil, il ne trouva plus personne. Cork ne savait pas du tout où le prêtre était parti, mais il espérait qu'il avait passé l'appel. Il prit le couloir dans la direction opposée, s'assurant que chaque salle de cours était vide. Juste avant d'atteindre la porte ouverte qui menait de l'aile des bureaux à l'église elle-même, il arriva à l'escalier qui descendait au sous-sol. Il marqua une pause, se demandant s'il devait d'abord explorer le niveau inférieur.

C'est alors qu'il entendit la voix de Mal Thorne venant de l'église, de l'autre côté de la porte.

Les nuages avaient complètement caché le ciel et projetaient une ombre sur l'édifice, comme si une couverture avait été étalée sur le toit. Le prêtre était debout au fond, derrière le dernier banc. Il faisait face à l'entrée d'une minuscule chapelle utilisée pour les petits mariages ou les cérémonies intimes. Cork voyait une bougie allumée dans la chapelle, mais rien d'autre. De la manière dont parlait le prêtre, Cork se dit que Gooding devait se trouver là. Et Rose aussi, probablement.

« Écoute-moi une minute, s'il te plaît, Jimmy.

– Jimmy ? » La voix venait de la chapelle. « Vous savez, alors ?

– Oui. Je suis au courant pour Yvonne, pour Nina, pour Charlotte. Pour tout le reste.

– Vous comprenez ?

– Non. Ce n'est pas le chemin que nous indique Notre-Seigneur. » Le prêtre ouvrit les mains, comme il le faisait lorsqu'il offrait sa bénédiction.

« Pas Notre-Seigneur, mon père. C'est le chemin de Ses soldats, ceux qui mènent Ses guerres, qui protègent Son Église.

– Toi ?

– Nous sommes nés damnés, ceux qui sont comme moi, condamnés à tuer au nom de l'Église. »

Cork progressa courbé en deux, se glissant le long de la première rangée jusqu'au mur le plus éloigné, où il était impossible que Gooding le voie. En silence, il avança vers la chapelle. Il était clairement visible pour le prêtre, mais Mal Thorne ne montra pas qu'il l'avait repéré. Cork prit position au bout de la dernière rangée. Si on parvenait à faire sortir Gooding, il tournerait le dos à Cork. Mal cligna des yeux une seule fois en direction de Cork, prenant acte de sa présence. Cork tenait son .38 prêt, en position de tir à deux mains.

« Personne ne naît pour tuer, Jimmy.

– C'est faux, mon père. Je suis né deux fois, réveillé d'entre les morts dans ce but. Comprenez, cependant, que je ne suis pas dénué de compassion. Ceux qui meurent ne partent pas entachés de péchés. Je ne peux leur pardonner leurs transgressions, mais je peux les leur enlever.

– En les consommant ?

– Vous m'avez montré le chemin il y a longtemps à Saint Chris. L'histoire du mangeur de péchés, qui fut pour moi une révélation.

– Je ne veux pas que ce péché pèse sur toi.

– Je n'ai pas peur de mourir ; lorsque je me tiendrai dans la lumière de Dieu, tous les péchés commis à Son service me seront pardonnés.

– Jimmy, Jimmy, ce n'est pas la voie à suivre. Pas avec cette femme.

– Je sais à quel point elles peuvent être tentantes, mon père. Les servantes de Satan.

– À cause de Charlotte ?

– C'était si facile pour moi d'imaginer la posséder. Elle m'a tenté pour que je détourne les yeux de Dieu. Elle a joué sur la faiblesse de ma chair, mon père. Cette catin aussi. Elle a été envoyée pour vous séduire et vous détourner de votre véritable épouse, l'Église.

– Tu as tort. Cette femme si bonne refuse d'avoir toute relation avec moi. L'Église n'a pas de meilleur serviteur qu'elle. Je te le jure.

– Vous êtes trop bon, mon père. Vous ne voyez pas la véritable abomination, mais moi, si.

– Tu as toujours été un bon garçon, Jimmy. Tu ne veux pas faire une chose pareille.

– Veux ? Ce que je veux n'a pas d'importance. J'ai été appelé. »

Cork savait que le fait de raisonner Gooding maintenant était vain. C'était un homme dont la mission sacrée, à ce moment précis, était d'envoyer Rose McKenzie en enfer, et s'il devait renoncer à sa propre vie dans le même temps, cela ne l'inquiétait pas le moins du monde. Il s'était forgé une théologie qui justifiait toutes ses actions et qui faisait de lui un être vertueux et sans peur. Un homme qui n'avait pas peur de mourir était de la plus dangereuse espèce.

Les ténèbres dans l'église parurent s'assombrir encore. Le tonnerre ébranla le sol et les bancs.

Cork attira discrètement l'attention de Mal Thorne, il voulait qu'il fasse sortir Gooding. Les yeux du prêtre se posèrent sur le revolver que Cork tenait entre ses mains.

« Vous devriez partir, mon père.

– Il n'est pas nécessaire que ça se passe ainsi.

– Ne comprenez-vous pas ? Je suis né pour que ça se passe ainsi. C'est pour cela que j'ai été réveillé d'entre les morts.

– Ne fais pas cela, Jimmy.

– C'est mon devoir, mon père. Et vous ne pouvez pas intervenir, pas même vous. »

Le prêtre parut fléchir. Lorsqu'il parla à nouveau, sa voix avait perdu son ton suppliant.

« Pas ici, alors. Pas dans la maison de Dieu. Tu ne verseras pas de sang sous le regard de la Vierge Marie, à l'endroit où Notre-Seigneur Jésus-Christ le verrait depuis Sa croix, dans cet endroit dont Il a promis qu'il serait un refuge pour tous Ses enfants. Cette action doit être exécutée à l'extérieur. Sors-la dans le monde, là où le péché se trouve partout. Tu le feras, Jimmy, tu le feras pour moi et pour Notre-Seigneur. »

La voix dans la chapelle ne répondit pas.

« Jimmy, dit le prêtre d'un air sévère.

– Vous avez raison, mon père. Dehors, donc. Mais vous, vous reculez. »

Le prêtre recula jusqu'à ce qu'il atteigne l'endroit où l'allée centrale coupait les rangées de bancs.

Rose apparut la première, les yeux écarquillés par la peur. Un morceau de scotch argenté lui fermait la bouche, et ses poignets étaient attachés avec du scotch également. Des taches de sang étaient visibles sur le col de son chemisier blanc. Gooding la tenait par-derrière d'une main ferme et appuyait un couteau de chasse contre sa gorge. Sous la lame, un mince filet de sang coulait le long de son cou.

Gooding était vêtu de noir. Cork se dit d'abord que c'était la couleur du bourreau, mais il vit le col et se rendit compte que l'homme portait un costume de prêtre. Gooding poussa Rose devant lui, et elle marcha à pas saccadés, le menton levé au-dessus de la lame.

Cork pouvait tirer dans le dos de Gooding, mais il craignait que la balle traverse son corps et touche Rose.

« Remontez l'allée, mon père. » Gooding fit un signe de tête, indiquant au prêtre le parvis de l'église.

Mal Thorne obéit.

Gooding atteignit l'allée centrale et pivota d'un quart de tour avec Rose pour que lui et elle se trouvent face à Mal. Tout au bout de l'allée, dans le dos du prêtre, se trouvait l'autel avec son crucifix. Au-dessus de l'autel trônait un grand vitrail. Le dimanche matin quand il faisait soleil, le vitrail resplendissait d'un éblouissant éventail de couleurs. À ce moment précis, il était sombre.

Cork resta accroupi derrière le dernier rang, son .38 pointé sur Gooding. L'adjoint se serrait fort contre Rose, contre son dos. Ils étaient à une dizaine de mètres de Cork. Comme il n'y avait pas le moindre écart entre leurs deux corps, il n'avait pas la moindre chance de réussir son tir. Ses mains tremblaient, autant à cause de la tension que de la peur. La sueur coulait sur son front, lui piquait les yeux, qu'il clignait frénétiquement pour éclaircir sa vue brouillée. S'il appuyait sur la détente maintenant, Rose courait un grand risque d'être touchée, il le savait. Mais si l'adjoint tournait la tête et regardait sur sa gauche, il verrait Cork et comprendrait que le prêtre l'avait trompé, et il ferait son devoir, tel qu'il l'envisageait.

Cork pria pour qu'une occasion se présente, juste une petite occasion.

Et elle apparut.

Les nuages au-dessus de l'église s'ouvrirent. La lumière, soudain crue, entra d'un coup par le vitrail derrière l'autel et inonda l'allée d'un violent éclat doré qui toucha Gooding en plein visage. Aveuglé, il lâcha Rose et leva la main gauche pour se protéger les yeux. Le couteau qu'il tenait à la main droite s'écarta de sa gorge.

« Rose ! » cria le prêtre.

Elle se dégagea de l'emprise de Gooding et se précipita dans les bras grands ouverts de Mal.

Gooding baissa le bras et resta figé, regardant fixement le vitrail, fasciné. Cork avait l'opportunité de tirer qu'il avait appelée de ses vœux, mais il hésita. Rose était avec le prêtre maintenant, elle n'avait plus le couteau contre la gorge. Et Gooding ne bougeait pas. Peut-être y avait-il un autre moyen de boucler cette affaire.

Mais la lame était toujours dans la main de l'homme, le métal encore chaud d'avoir été appuyé contre le cou de Rose. Celle-ci n'était qu'à quelques pas, il suffisait d'un bond, et Gooding était tout sauf prévisible. Et si ce que croyait Gooding était vrai, qu'il y avait ceux qui étaient nés pour protéger, et dont c'était la malédiction, alors Cork savait qu'il était un de ceux-là.

Il appuya sur la détente. Deux fois.

La détonation du .38 parut ébranler les murs de l'église.

Comme si les ficelles qui l'avaient mû tout au long de sa vie avaient été soudain coupées, Gooding s'écroula sur le sol.

Mal Thorne lâcha Rose et se précipita instinctivement vers l'homme à terre.

« Attendez », cria Cork.

Il garda son arme rivée sur Gooding et il s'avança. Il entendait la note émise par la poitrine de la victime, le son aigu qui révélait la fuite d'air consécutive à une blessure au poumon. La main était ouverte, le couteau était tombé près de ses pieds. Ses yeux, d'un bleu cristallin, clair, regardaient vers le haut comme s'ils contemplaient quelque chose qui se trouvait bien au-delà du plafond voûté de l'église.

Mal arracha le scotch sur la bouche de Rose.

« Vous allez bien ?

– Oh, Mal. » Elle ne parvint pas à en dire plus et elle nicha son visage contre son épaule.

Quelques instants plus tard, les yeux de Gooding se fermèrent. Son corps se détendit.

Mal dit à Rose : « Tout va bien, c'est fini. » Il la conduisit gentiment à Cork, fit un pas vers Gooding, s'agenouilla.

« Que Dieu te pardonne, quels que soient les fautes ou les péchés que tu as commis. »

Dans la lumière dorée qui tombait sur le front de Gooding, le père Malachi Thorne dessina une croix.

De l'extérieur de l'église leur parvint le hurlement d'une sirène, et il se mêla d'une manière étrange et inquiétante au dernier son émis par le corps de Gooding, cette dernière respiration sifflante. Des années auparavant, Randy Gooding était mort et avait été ramené à la vie. Cork était relativement certain que, cette fois, il était mort pour de bon.

JUILLET

48

Il était seul dans le cimetière.

Deux heures plus tôt, le soleil s'était levé, et, maintenant, la rosée s'évaporait de l'herbe, emportant vers le ciel le parfum de la terre mouillée, fertile. Éparpillés sur le flanc de la colline en dessous de Cork étaient étendus les corps enterrés, ces graines qui avaient produit des plants de pierre.

Au nord, dans une tombe qui avait moins de deux semaines, se trouvait le corps de Randy Gooding. À une centaine de mètres au sud se dressait la pierre de Fletcher Kane, un bloc de marbre blanc, peu imposant pour un homme qui aurait pu s'offrir un mausolée. Plus bas vers l'est s'élevait le pilier de l'ange qui marquait le lieu où reposait la jeune fille qu'Aurora avait connue sous le nom de Charlotte Kane. Les trois tombes étaient à une courte distance les unes des autres. Les trois points d'un triangle, se dit Cork. Une forme fermée. Achevée. Expliquée. Comprise, mais seulement dans la mesure où la nature humaine pouvait être intégralement comprise. Il restait beaucoup de questions sans réponse dans l'esprit de Cork mais c'était des questions auxquelles seuls les morts pourraient répondre désormais.

Gus Finlayson grimpa sur son petit tracteur, tirant une remorque pleine d'outils de jardin. Il s'arrêta derrière la Bronco de Cork, descendit et vint le rejoindre.

« Le moment de la journée que je préfère, dit le gardien.

– C'est paisible.

– Généralement, oui. J'imagine que c'est pour ça que je vous vois si souvent par ici ces derniers temps.

– Ça t'ennuie ?

– Pourquoi ça m'ennuierait ? Y a beaucoup de gens qui viennent passer un peu de temps ici. Cet endroit, il vous fait voir la vie un peu différemment, j'imagine. » Finlayson regarda le paysage peuplé de pierres tombales. « Certaines personnes semblent contrariées que Gooding soit enterré dans le cimetière. Comme si ses voisins, ils en avaient quelque chose à faire. Comment il dit, le proverbe ? Que les bonnes barrières font les bons voisins ? Moi, je dis, c'est la mort qui fait ça. Les morts, ils n'ont pas de préjugés. Ils ne se plaignent pas. Et ils ne font jamais beaucoup de bruit. » Finlayson se gratta le nez du bout de son pouce. « J'ai entendu dire que le prêtre avait quitté la ville. »

Cork hocha la tête.

« Il a besoin de temps pour réfléchir à certaines questions. »

Il ne savait pas ce qu'il fallait espérer. Mais s'ils décidaient, finalement, qu'ils voulaient être ensemble, il se dit qu'il serait très heureux, lui aussi, pour Mal et Rose.

« J'imagine que tout le monde a besoin de ça de temps en temps, même les prêtres. » Gus réfléchit un moment. « Peut-être encore plus les prêtres. Mais bon, je suis luthérien, Synode de Missouri, alors, qu'est-ce que j'y connais ? » Il se retourna vers son tracteur. « La journée va être très belle. Prenez soin de vous, shérif.

– Toi aussi, Gus. »

Lorsque Cork descendit la colline vers la ville, Aurora s'était éveillée. La circulation animait les rues. Quelques voitures étaient déjà garées sur le parking de l'épicerie. Les pêcheurs qui étaient sortis sur Iron Lake avant l'aube étaient rejoints par des bateaux de plaisance qui sortaient de la marina.

Il aimait Aurora et comprenait pourquoi c'était le genre d'endroit où venaient les gens qui voulaient échapper à des problèmes – au monde, à une grande ville, à un passé trouble. Mais il n'existait pas d'endroit assez éloigné qui permettait d'échapper à ce qu'on était. Même si les gens gardaient des secrets pour les autres, ils devaient malgré tout vivre avec eux-mêmes. C'était exactement ce que Cordelia Diller lui avait dit sur cette colline dans l'Iowa. Pour recommencer à zéro, le meilleur point de départ, c'était de regarder la vérité en face.

La vérité concernant Gooding était quelque chose que Cork ne connaîtrait jamais complètement. Un homme suffisamment froid pour tuer plusieurs fois, mais aussi assez compatissant pour consommer les péchés de Solemn Winter Moon et de Fletcher Kane, pour les libérer, selon sa propre croyance, pour qu'ils se présentent purifiés devant Dieu. Il comprenait pourquoi certaines personnes pouvaient ne pas accepter le fait que Gooding repose à jamais dans le cimetière de Lakeview. Ils pensaient qu'il était le mal, purement et simplement. Cork ne croyait pas que l'on puisse être l'incarnation de quelque chose purement et simplement. Chaque être humain, lui semblait-il, était un assemblage d'impulsions conflictuelles enserrées dans un seul corps, essayant tant bien que mal de trouver la paix. La mort était certainement une manière de faire.

Il n'alla pas directement au département du shérif mais passa d'abord à Sainte-Agnès.

Il se tint au pied des marches, levant les yeux vers les portes de l'église. Au cours de sa vie, il avait franchi ce seuil des centaines de fois. Ensuite, des choses horribles s'étaient produites, et il avait tourné le dos à Sainte-Agnès et à tout ce qu'elle représentait.

Deux jours plus tôt, il était allé avec Henry Meloux à Blood Hollow et, dans la hutte de sudation, il avait travaillé avec Meloux à restaurer son harmonie intérieure. À la fin, lorsqu'ils étaient retournés à la lumière du soleil, Meloux avait dit : « Ce n'est pas fini. Tu es un homme de deux sangs, issu de deux peuples, une âme divisée. Je crois que tu as encore un long chemin à parcourir, Corcoran O'Connor. »

Maintenant, il montait les marches de l'église. Une fois à l'intérieur, il arriva jusqu'à l'endroit où Gooding était tombé. Le tapis avait été lavé des traces de sang, ne laissant rien qui indiquât qu'un homme était mort là, tué de la main de Cork. Mais Cork savait, et il ne pourrait plus jamais passer par ce lieu sans se le rappeler.

Il se trouvait presque à l'endroit où Gooding avait tenu un couteau contre la gorge de Rose avant de s'immobiliser, et il regarda où Gooding avait regardé au moment où la lumière avait inondé l'église, et où l'homme était resté pétrifié.

Ce que Cork vit, ce fut le vitrail derrière l'autel, un vitrail qui représentait Jésus, la main droite levée en signe de bénédiction. La figure avait toujours été là, pendant toutes les messes qui s'étaient déroulées dans cette église. Randy Gooding avait dû la voir des centaines de fois. Alors pourquoi, ce matin-là où il tenait la vie de Rose entre ses mains, avait-il paru paralysé ? Qu'avait-il vu ce jour-là qu'il n'avait jamais vu auparavant ? Peut-être avait-il été réellement aveuglé par la lumière. Ou peut-être son esprit perturbé avait-il fait naître une vision. Gooding était mort, il n'y avait aucun moyen d'avoir une certitude. Cependant, Cork aurait vraiment voulu accepter une autre possibilité, celle que la vie et la mort de Solemn Winter Moon, la foi simple de gens comme Rose McKenzie et la famille de Warroad, et la réalité de sa propre expérience lorsqu'il était perdu dans le jour blanc sur Fisheye Lake, lui avaient fait découvrir. Il était possible que ce qui avait immobilisé la main de Gooding n'ait été rien d'autre qu'un miracle.

À côté du confessionnal, le nouveau prêtre de la paroisse attendait. Son nom était Edward Green. C'était un jeune homme sérieux, au comportement encore un peu hésitant. Il avait la moitié de l'âge de Cork, et Cork avait du mal à réaliser qu'il était « père » Untel.

« Merci d'avoir accepté, dit Cork.

– Je vous en prie. » Le prêtre sourit.

« C'est quelque chose que je voulais absolument faire avant de mettre ceci. » Cork lui montra son insigne.

« Je comprends. Bon retour à l'église. »

Le jeune homme ne comprenait pas vraiment. Il ne s'agissait pas de revenir à l'église. Il s'agissait d'effectuer un parcours. Meloux avait raison. Sa quête du lieu où son âme se sentirait unifiée et enfin en paix. Cork savait qu'il avait encore une longue route à faire. Il aurait pu choisir bien d'autres chemins, mais la religion de son enfance et de sa famille lui paraissait aussi valable qu'un autre.

« Allons-y. » Le prêtre entra dans le confessionnal et tira le rideau.

Cork entra de l'autre côté.

Il y eut un moment de silence, puis le prêtre dit :

« Je vous écoute. »

Cork se signa, surpris du naturel avec lequel le geste revenait après une si longue absence.

« Bénissez-moi, mon père, commença-t-il, car j'ai péché. »

Mis en pages par DV Arts Graphiques à La Rochelle
Imprimé en France par Normandie Roto Impression s.a.s.
Dépôt légal : juin 2012
N° d'édition : 1841 – N° d'impression : 122154
ISBN 978-2-7491-1841-3